La Séparation

Dinah Jefferies

La Séparation

Traduit de l'anglais par Daphné Bernard

ÉDITIONS
FRANCE
LOISIRS

Titre original : *The Separation*
Publié par Penguin Books Ltd

Édition du Club France Loisirs,
avec l'autorisation des Éditions Presses de la Cité.

Éditions France Loisirs,
123 boulevard de Grenelle, Paris
www.franceloisirs.com

ISBN : 978-2-298-07879-4

To the France Loisirs readers,

One of the joys of writing this novel was that it took me back to my childhood in Malaya in the 1950s. I hope you will enjoy smelling the scents of Malaya and picturing those far-off, exotic days.

With my best wishes,

Dinah Jefferies

Aux lecteurs de France Loisirs

Ce fut une joie d'écrire ce roman parce qu'il m'a replongé dans mon enfance en Malaisie dans les années 1950. J'espère que vous aimerez humer les parfums de Malaisie et imaginer ces temps exotiques et lointains.

Bien amicalement,

Dinah Jefferies

Pour ma mère et pour ma fille

Prologue

1931, Weston-super-Mare, Angleterre

L'homme bichonna la patte du lion à l'aide d'une éponge préalablement trempée dans un seau d'eau, puis il retira un couteau d'une gaine en cuir accrochée à sa ceinture. Il releva les yeux vers une foule attentive, avant de baisser la tête et d'aiguiser les griffes de l'animal.

Une petite fille, assise par terre à quelques centimètres de là, tendit la main pour toucher la crinière du lion du bout des doigts.

— Non ! cria l'homme en repoussant l'enfant. Pas encore !

Elle bouda un instant puis, regardant par-dessus son épaule, sourit malicieusement à la femme qui l'observait. Se retournant à nouveau, elle fixa son attention sur l'animal.

Une bourrasque souleva un nuage de sable et des milliers de grains se mirent à danser et à

11

tournoyer dans l'air. L'homme réagit vivement en humidifiant la surface de l'animal avant que le vent l'abîme.

La femme qui regardait l'enfant frissonna. Ses cheveux fauves étaient plaqués sur son crâne, une ondulation Marcel les tenant en place. Vêtue d'une robe bleu pâle ornée de bleuets plus foncés le long d'un mince ourlet, elle portait également un fin cardigan blanc pour la protéger d'une soudaine fraîcheur.

Heureux d'avoir terminé l'animal, le sculpteur s'inclina puis fit le tour de la foule, son chapeau à la main. Au bruit des pièces tombant dans l'escarcelle, la femme fouilla dans son sac.

Le claquement des sabots de chevaux résonna sur les pavés de la route menant à l'esplanade, mais il n'attira pas l'attention de la femme. Ses yeux continuèrent à fixer la petite fille agenouillée sur le sable qui ramassait des coquillages or ou argent scintillant dans la lumière du soir.

Tandis que la foule grouillante se dispersait, ses murmures et le cri des mouettes furent couverts par des coups de marteau. La femme se retourna vers ce qui avait été la grande jetée, ses élégantes ferrures désormais tordues par l'incendie. Elle huma l'arôme des coques dans le vinaigre.

— Tu as faim ? demanda-t-elle à l'enfant.

La petite fille hocha la tête après un instant d'hésitation accompagné d'un délicat rougissement.

— Tu préfères de la réglisse ?

La femme s'agenouilla près de l'enfant et l'attira à elle. Au point de respirer la douceur de ses cheveux. Elle prit une longue et lente inspiration

qu'elle expira par ses lèvres qui tremblèrent légèrement. Se relevant, elle secoua le sable du bas de
sa jupe fleurie et s'empara de la main de l'enfant.

— On va courir, tu veux ?

Elles se regardèrent puis firent la course le long
de la plage, soulevant du sable et des coquillages,
trébuchant et glissant jusqu'à la bonne sœur qui
les attendait.

Au fond de son cœur, la religieuse n'était pas un
être insensible. Elle toucha l'épaule de la femme en
lui souriant avec douceur. Une très légère caresse
pour s'assurer que l'échange se passerait calmement, sans larmes, sans effusion. L'enfant rejeta la
tête en arrière, tourna ses yeux noisette vers les
deux femmes puis au-delà, vers les fanions rouge et
bleu qui délimitaient l'anse sablonneuse de la baie.

Pour la femme, la journée avait débuté dans
l'excitation et l'euphorie. Maintenant qu'elle tirait
à sa fin, elle ne pouvait détacher ses yeux du corps
anguleux et maigrichon de la fillette. Elle tapota
ses cheveux auburn et grava cet instant dans sa
mémoire.

Pour l'enfant, ce serait différent. Alors que ses
souvenirs s'éloigneraient et se fondraient dans le
passé, le doute s'installerait : elle se demanderait
si ce jour, ce lion, cette femme n'existaient que
dans sa mémoire. Elle chercherait à recueillir les
détails d'une époque qui ne pouvait être retrouvée.
Il y aurait des échos – une robe, un sourire. Rien
de plus. Et la femme continuerait à contenir son
chagrin.

— Viens ! ordonna la religieuse en prenant la main de l'enfant. Nous devons attraper ce tram si nous voulons arriver à la gare à temps.

La femme vêtue de bleu s'écarta de quelques pas, puis se retourna pour regarder le lion en sable doré. Bientôt la marée montante l'emporterait et elle le savait.

1

Malaisie

On ne peut pas me voir. Je me suis glissée sous la maison sur pilotis pour espionner notre amah chinoise et Fleur, ma petite sœur. J'entends un bruit de sandales sur les dalles du patio – flip-flop, flip-flop – et les sanglots de Fleur qui court. J'entends le crissement de son vieux lapin rose qu'elle traîne par une oreille sur les graviers du chemin.

Ensuite, la voix perçante d'Amah :

— Viens ici, Missy. Tu abîmes lapin. Pas porter comme ça.

Fleur crie :

— Je m'en fiche ! Je ne veux pas m'en aller. Je veux rester ici.

— Moi aussi, je murmure.

Mon nez est au ras du sol couvert de terre, de lézards morts et d'insectes. Mais ça ne me dérange pas.

Après ma cachette poussiéreuse, après les limites du jardin, s'étendent les hautes herbes. Personne n'ose s'y aventurer, mais moi je n'ai pas peur.

J'ai peur de partir.

Plus tard, à l'heure où le ciel devient lavande, papa contemple le même paysage. D'un balcon du premier étage, une bouteille de bière Tiger à la main, il regarde par-delà les pelouses et les collines. Il regarde vers l'Angleterre et se parle à lui-même en se frottant le menton.

—Là-bas, il fait froid en janvier. Avec un vent rude qui écorche le visage. Rien à voir avec ici. Rien ne ressemble à ici.

—Papa?

J'observe sa face anguleuse, sa pomme d'Adam proéminente, sa bouche horizontale. Il avale une gorgée et sa pomme d'Adam monte et descend. Son regard revient sur moi et Fleur comme s'il venait de se souvenir que nous existions. Il fait un petit sourire et nous serre contre lui.

—Allez, les filles! Pas besoin de prendre cet air sinistre. Votre vie va être formidable en Angleterre. Tu aimes bien te balancer aux branches des arbres, hein, Em?

—Oui, mais…

Il me coupe:

—Et toi, Fleur? Tu pourras patauger dans plein de ruisseaux.

Mais Fleur continue à bouder. Je lui fais une grimace. Tout ce que papa raconte, ça ressemble trop à la jungle.

— Allez, Emma! Tu es une grande fille. Presque douze ans. Montre l'exemple à ta sœur.

— Écoute, papa...

J'aimerais bien lui parler. Mais il s'apprête à rentrer dans la maison.

— C'est décidé, Emma! Au fait, tu devrais choisir les livres que tu veux emporter, ça t'occupera. Seulement quelques-uns. Fleur, tu viens?

— Papa?

Quand il voit mes yeux emplis de larmes, il s'arrête.

— Tu vas adorer ta vie là-bas, si c'est ça qui t'inquiète. Promis, juré.

J'ai très chaud. Penser à ma mère me coupe le souffle.

Mon père ouvre la porte.

— Mais, papa, je m'exclame alors qu'il disparaît avec Fleur à l'intérieur, on ne va pas attendre maman?

2

Lydia laissa tomber sa valise par terre. Dans le patio, les bicyclettes de ses filles gisaient au pied du jacaranda.

— Emma ! Fleur ! Je suis rentrée !

Elle jeta un coup d'œil sur le chemin gravillonné qui menait aux hautes herbes. Le crépuscule tombait. Un énorme papillon de nuit venu des confins de la jungle lui effleura la joue. Tout en essuyant la trace noire qu'il avait laissée, elle entra dans la maison pour éviter la pluie qui menaçait.

— Alec ? Je suis là !

Son mari. Les traits bien dessinés de son visage, ses cheveux châtain clair coupés court, l'odeur sur sa peau du savon acheté au marché chinois.

Pas de réponse.

Elle réprima un pincement de déception. La maison était trop silencieuse. Comme il le lui avait demandé, elle avait envoyé un télégramme. Mais où était donc sa famille ? Il faisait trop chaud pour une promenade. Ils étaient peut-être à la piscine. Ou alors Alec avait emmené les filles goûter au club.

Elle monta jusqu'à sa chambre. Lorsque son regard effleura la photo d'Emma et Fleur sur sa table de chevet un flot d'amour la submergea. Ses filles lui avaient tant manqué.

Lydia se déshabilla, fit courir ses mains dans sa chevelure auburn qui lui arrivait aux épaules et mit en marche le ventilateur. Elle était fatiguée par le voyage et par ce dernier mois passé au chevet d'une amie malade. Un bon bain s'imposait. En ouvrant la porte de la penderie, elle eut un choc. Aucun des vêtements de son mari ne s'y trouvait. Elle enfila un léger kimono et se précipita pieds nus dans la chambre des filles.

La porte du placard était ouverte de sorte qu'elle s'aperçut immédiatement qu'il était vide. Ne restaient que quelques shorts roulés en boule sur l'étagère supérieure et, sur celle du dessous, une feuille de papier froissée. Où étaient leurs affaires ?

Et si… ? Mais non, elle préférait ne pas y penser. Lydia s'efforça de respirer calmement. Les effrayer : c'est ce que voulaient les hommes de la jungle. Elle imagina Alec disant : « Redresse-toi. Ne les laisse pas t'en imposer. » Mais comment ne pas avoir peur quand l'ennemi balance une grenade sur la place du village bourrée de monde ?

Un cri la fit sursauter. Elle courut à la fenêtre. Faux espoir. Ce n'étaient que des renards volants, autrement dit d'énormes chauves-souris, qui se balançaient dans les arbres.

Le cœur battant, elle glissa une main sous le papier froissé du rayonnage et en ramena un des carnets d'Emma. La clé du mystère s'y trouverait peut-être. Elle s'assit sur le coffre en bois de camphre dont l'odeur familière avait un côté réconfortant et ouvrit le carnet.

La matriarche est une grosse dame au cou tout fripé. Elle s'appelle Harriet Parrott. Elle a des yeux comme des raisins secs et un nez brillant comme du beurre qu'elle essaye de cacher avec de la poudre. Elle glisse ses petits pieds dans des pantoufles chinoises mais, vu qu'elle porte des jupes longues, on n'en voit que les bords.

Harriet? Seraient-ils allés chez Harriet? Un sentiment de panique l'envahit. Elle cessa de lire et, prise de vertige, s'agrippa aux bords du coffre. C'était invraisemblable. Une lettre. Bien sûr, il avait dû laisser une lettre. Ou un message auprès des serviteurs.

Elle dégringola les marches deux à deux et, s'emmêlant les pieds, plongea littéralement dans les pièces du rez-de-chaussée : les salons et salle à manger, la cuisine et ses dépendances, le passage couvert qui menait aux chambres de bonne, les celliers et resserres. Il ne restait que deux caisses abandonnées. Tout était vide et sombre. Les serviteurs avaient disparu. Tout comme le rocking-chair de l'amah, le lit de repos de la cuisinière et les outils du jardinier. Elle inspecta les lieux sans trouver le moindre mot.

Écoutant la pluie tomber en se mordillant un ongle, elle essaya de réfléchir, bien qu'à peine capable d'ordonner ses pensées tant la touffeur de l'air la déprimait. Des images de son voyage de retour défilèrent : les heures passées contre la fenêtre du train, main sur le nez. L'odeur persistante du vomi d'un petit garçon indien qui venait d'être malade. Une détonation dans le lointain.

Lydia se plia en deux. L'absence des siens lui coupait le souffle. Elle avait du mal à respirer. Elle ne comprenait plus rien. La fatigue l'empêchait de se concentrer. Il n'y avait pas d'explication logique à leur disparition. Et pourtant il devait y en avoir une. S'ils avaient été obligés de partir, Alec aurait sûrement trouvé un moyen de la prévenir. Oui, sans aucun doute.

Elle tourna sur elle-même en appelant leurs noms. *Emma ! Fleur !* Et étouffa un sanglot en évoquant le menton à fossette de Fleur, ses yeux bleus, ses cheveux blonds retenus sur le côté par un nœud. Tout d'un coup, à la pensée de ces hommes prêts à tout, dissimulés dans la jungle brumeuse, elle fut saisie d'une peur intense, d'un affolement qui balayait tout espoir, tout bon sens. La sueur coulait sous son kimono, les yeux lui piquaient. Lydia se retint de crier. Les mains tremblantes, elle attrapa le téléphone pour appeler le patron d'Alec. Il saurait ce qui s'était passé. Il lui dirait ce qu'il fallait faire.

L'instant suivant, elle se retrouva assise, le combiné sur les genoux. La sueur refroidissait sur sa peau. Les mouches bourdonnaient, le ventilateur cliquetait en cadence, un papillon de nuit voletait dans l'air chaud. Le téléphone ne fonctionnait plus.

3

Dans le taxi qui nous emmène au port, je me pose la question : pourquoi maman n'est pas arrivée à temps pour partir avec nous alors que papa disait qu'elle reviendrait ? Le dernier jour, dans notre maison de Malacca, j'ai couru sans arrêt à la fenêtre en espérant qu'elle apparaîtrait à la dernière minute.

Papa n'est pas très doué pour les choses de la maison. Donc, comme maman était absente, j'ai aidé notre amah à faire les bagages. Fleur, qui a seulement huit ans, était tout le temps dans nos pattes.

Dans la malle j'ai glissé en premier la robe habillée en vichy rose que maman m'a faite. Elle a une grande jupe et des manches ballon – c'est la seule robe que j'aime. J'ai pleuré quand elle est devenue trop petite pour moi et que Fleur a commencé à la mettre.

Papa est arrivé dans ma chambre.

— Tu n'as pas besoin d'une robe habillée.

— Ils ne font pas de fêtes en Angleterre ?

Il soupire :

— Laisse tes vêtements de Malaisie, c'est ça que je veux dire. On doit avancer, tu sais.

— Qu'est-ce qui va arriver aux affaires qu'on n'emporte pas ? Je les remets dans le placard ?

— Pas la peine. L'amah s'en occupera.

— Nous serons absents combien de temps ?

Mon père se racle la gorge sans répondre.

Je tends la robe à Mei-Lien, notre amah, qui l'ajoute à la pile grandissante des vêtements que nous ne prenons pas.

— Et nos habits du Couronnement ?

Je montre la robe de Fleur, blanche, décorée d'un galon rouge et bleu, qui ne lui va plus.

Papa fait non de la tête. Alors je cache mon précieux *Dandy* derrière mon dos. C'est l'édition « spéciale Couronnement » du livre, avec une couverture ornée d'un cheval doré et de six poneys blancs. Bien trop beau pour être abandonné.

— Où est Fleur ? demande-t-il.

L'amah montre le jardin du doigt.

— Elle s'amuse à faire la roue, j'imagine, dit papa.

Et il ajoute :

— Vous arrivez à vous débrouiller toutes les deux, non ?

Je réponds oui.

Sur le point de quitter la pièce, il jette un coup d'œil à mon lit.

— Qu'est-ce que c'est que tu as, là ?

23

— J'ai écrit à maman.

Et je lui montre l'enveloppe.

Il prend l'air étonné.

— Ah ? Et pourquoi ?

— Juste pour lui dire qu'elle me manque et que je suis impatiente de la voir en Angleterre.

— Très bien. Donne-moi cette lettre.

— Je voulais la laisser sur la table de l'entrée.

— Non, je m'en occupe, dit-il en tendant la main.

— Je veux la déposer moi-même.

— Emma, j'ai dit que j'allais le faire !

Je cède.

— Tu es une gentille fille.

— Papa, encore une chose, je demande en brandissant le lapin de Fleur. On fait quoi avec ça ? Je l'emballe ou Fleur voudra l'avoir avec elle dans la cabine ?

— Bon sang ! Comme si j'avais du temps pour des détails mineurs ! Il y a de grands changements à l'horizon, Emma. De grands changements.

Ça, je n'en suis pas si sûre. Il me semble que les *grands changements* se sont déjà produits, il y a plus de trois semaines. À mon avis, c'est à ce moment qu'ils ont commencé.

On rentrait d'un mariage. C'était un soir de pluie. À la fête, maman avait dansé dans sa robe jaune vif avec ses chaussures à talons hauts en crocodile. Maman est plus jeune que papa et vraiment jolie avec sa peau lisse et claire, ses yeux noisette. Papa, lui, ne danse pas à cause de sa blessure de guerre. Pourtant, il joue quand même au tennis. Bref, dans la voiture, maman s'est frotté le front du bout des doigts. Je savais qu'*il* était furieux.

—Ralentis, Alec! a crié maman. Tu es énervé mais ce n'est pas une raison pour aller aussi vite. Pour l'amour du ciel, attention à l'eau!

J'ai regardé par la fenêtre. Nous traversions la vallée et la route était inondée.

De la banquette arrière, je pouvais voir les veines gonflées du cou de mon père. J'ai remarqué aussi qu'une des boucles d'oreilles en forme de lézard de maman était tombée au moment où elle s'est penchée pour attraper le volant. J'allais la prévenir quand la voiture a fait une embardée. Le pied toujours sur l'accélérateur, papa a essayé de revenir du bon côté de la route mais, arrivant dans le virage à toute vitesse, il a dû freiner à mort. La voiture s'est mise à déraper et a échoué dans le fossé, tout proche d'un bosquet de bambous.

—Bordel, Alec, tu perds la boule! Regarde ce que tu as fait!

Je savais que c'était grave car maman ne jurait jamais. Sauf lorsqu'elle croyait que nous ne pouvions pas l'entendre. Ou quand ils avaient tous les deux trop bu. J'ai répété ses gros mots, d'abord à voix basse puis un peu plus fort en trouvant des mots qui rimaient.

Elle a supplié papa.

—Ne nous laisse pas là! Imagine qu'il y ait une embuscade!

Elle avait l'air effrayée, mais papa n'a pas cédé.

—Tiens. Tu n'as qu'à te servir de ça en cas de besoin, lui a-t-il dit, en jetant un pistolet sur le siège du conducteur. Et toi, Emma, veille sur ta sœur.

25

Juste après son départ pour aller chercher de l'aide, c'était comme si la jungle s'avançait en rampant, avec des feuilles de la taille d'une poêle à frire et, dans les branches, des yeux qui clignaient. Maman s'est arrêtée de sangloter et s'est tournée vers nous comme si elle venait de se rendre compte que nous étions assises derrière elle, avec nos jambes nues collées au cuir brûlant des sièges.

— Emma, Fleur, ça va ?

— Oui, maman, avons-nous répondu en chœur, la voix de Fleur plus proche des larmes que la mienne.

— Rien de grave, mes chéries. Papa est allé chercher de l'aide.

Elle essayait de montrer que tout allait bien, mais je soupçonnais le contraire. J'étais au courant de l'existence des terroristes dans la jungle. Aussitôt qu'ils vous avaient repérés, ils vous attachaient à un arbre et vous coupaient la tête. Ensuite, ils l'empalaient sur une perche. J'ai fermé les yeux, terrifiée à l'idée de voir une tête grimaçante en face de moi.

Maman a commencé à chantonner.

La nuit allait tomber bientôt. Quand les étoiles brilleraient, ça serait mieux. Sur le chapitre des choses horribles, maman ignorait que j'avais vu pire au musée des figurines de cire. Après l'exposition des têtes réduites, il y a une section « Interdite aux enfants ». Je n'y suis pas restée longtemps. Seulement le temps d'apercevoir de minuscules reproductions en cire de femmes et d'enfants blancs, cloués au sol, leur bouche peinte en rouge criant de terreur. Arrivait vers eux et conduit par un Japonais, un énorme rouleau compresseur généralement utilisé pour aplanir le goudron des routes. Mais cette fois il allait servir à aplatir ces gens. Quand je suis sortie du musée j'ai vomi dans une poubelle.

Les Japonais étaient méchants. C'est ce que nos parents nous disaient. Mais maintenant, les gens de la jungle qu'on appelle terroristes sont des Chinois. Je ne comprends pas très bien. Mei-Lien est chinoise et je l'aime beaucoup. Pourquoi avant c'étaient les Japonais qui étaient mauvais et aujourd'hui ce sont les Chinois et encore, pas tous ? Mystère.

Notre voiture était immobilisée loin de la route principale, presque dans la zone des bandits. Mais au plus profond de la forêt vivent les esprits de la jungle qui dévorent les enfants. Notre jardinier, qui a la bouche toute rouge à force de mâcher de la noix de bétel, nous l'a raconté en prenant un air effrayant.

—Si vous êtes perdues dans la jungle, faites attention aux *hantu hantuan*, aux démons.

Mais comme il ne nous a jamais expliqué à quoi ils ressemblaient, nous n'étions pas très avancées.

—Emma, tu peux bouger tes bras et tes jambes ? a demandé maman.

Je me suis tortillée pour lui montrer que je pouvais.

—Et toi, Fleur ?

Fleur a remué ses bras et sa jambe gauche mais quand elle a essayé l'autre, elle a gémi.

— C'est sans doute le choc. Emma, retire-lui sa chaussure avant que ça enfle.

Fleur a résisté avant de se laisser faire.

— Me touche pas ! Et d'abord où est papa ?

Je lui ai dit qu'il fallait qu'elle se tienne tranquille et que papa était allé chercher de l'aide. Elle a reniflé un peu, émis quelques grognements plaintifs avant de se calmer.

Il commençait à faire sombre. Dans le lointain un bruit d'explosion a brisé le silence.

Fleur et moi avons hurlé.

— Chut, a fait maman.

Le ciel devenait marron. Un brouillard blanc descendait de la montagne. Mais au moins nous n'étions pas vraiment dans les collines. Parce que *Ada bukit, ada paya* – là où se trouvent les collines, se trouvent les marécages. Et ils avalent les gens tout entiers.

Finalement, papa est revenu avec un camion blindé de Malacca. Nous sommes sorties pendant que les soldats extirpaient la voiture du fossé. Ce soir-là, je suis allée au lit très tard. Jamais je ne m'étais couchée aussi tard.

Le lendemain, maman n'est pas venue nous chercher à l'école. C'est papa qui s'en est chargé. Avec une tête qui disait clairement « je ne suis pas d'humeur à répondre aux questions ». D'ailleurs, il a fait le sourd quand on lui a demandé où était maman. Il nous a seulement annoncé qu'on allait partir pour l'Angleterre.

28

De retour à la maison, on s'est précipitées au premier pour voir si maman était là. Mais non. En respirant l'odeur de citronnelle qui entrait par la fenêtre de notre chambre, j'ai pensé à elle, à son grand sourire et à ses cheveux ondulés. Le matin, elle piquait dedans une fleur d'oiseau-de-paradis orange qui était généralement toute flétrie à l'heure du déjeuner. Et elle chantait toute la journée, dès le réveil.

— Viens, Em, elle est pas là. On va jouer dehors, a fait Fleur.

Je n'avais pas envie. Alors Fleur est sortie pour faire la roue. Sa cheville allait très bien. Elle fait toujours des tas d'histoires, ma sœur.

Je me suis brossé les cheveux. Ils sont plus frisés et plus roux que ceux de maman. Des cheveux de fauve, comme elle dit. Quand j'ai glissé la main sous mon oreiller pour prendre mon carnet, j'ai trouvé une enveloppe adressée à Fleur et à moi. Quel drôle d'endroit pour laisser une lettre, j'ai pensé en l'ouvrant.

Mes chéries,
Suzanne a téléphoné aujourd'hui. Je suis désolée mais je dois lui donner un coup de main. On vient de lui découvrir une affreuse maladie et elle ne peut pas s'en sortir toute seule. Je serai absente deux semaines, le temps que Eric, son mari, rentre de Bornéo. Prenez soin de vous, mes filles. Soyez sages. Papa et Mei-Lien vont s'organiser pour l'école. Vous pouvez prendre le bus. C'est ce que vous vouliez depuis longtemps, non ?

En cas de besoin, demandez à Amah d'appeler
Cicely ou Harriet Parrott. Leurs coordonnées sont
dans le carnet rouge.
   Avec tout mon amour
   Maman

J'ai remis la lettre sous mon oreiller et suis allée
me cacher sous la maison.

C'est notre dernier jour. Ça fait plus de trois
semaines que maman est partie. Jusqu'au dernier
moment, Amah a rangé des vêtements dans notre
malle. Pantalons, sous-vêtements, un chandail ou
deux. En fait, je m'en fiche. Ma robe de vichy rose
est dans la pile des affaires que nous laissons.
Assise sur mon lit, je pense à mon école, le Holy
Infant College. Elle est blanche et se trouve près
d'une rangée de palmiers. Les pièces rajoutées
n'ont pas de vitres aux fenêtres mais des stores
en bambou qu'on descend à la fin de la journée.
   Je suis triste. Nous ne retournerons plus à cette
école. Mais ma plus grande tristesse c'est qu'on
risque d'être partis avant le retour de maman.
Parce que si ça arrive, elle va trouver une maison
vide. Heureusement que je laisse ma lettre.
   Mei-Lien me montre ma chasuble d'uniforme :
   — Tu veux garder ?
   — Pas la peine.
   — Ton papa dit finir bagages. Pas rêver. Allez,
va !
   Je prends la chasuble, la plie avec précaution
et la place sur le sommet de la pile. Je mets la
lettre de maman dans la malle et j'ajoute une photo

d'elle où elle plisse ses yeux noisette. En dernier, je dépose le lapin rose de Fleur. Parce que, si elle le garde en cabine, elle va le perdre. Ou alors il a des chances de passer par-dessus bord.

Une demi-heure après, nous quittons la maison sans maman. Un camion est venu charger les malles et je suis dans le taxi avec Fleur et papa. J'observe la mer et je baisse la vitre pour respirer l'odeur des orchidées sauvages. Même si elles sont belles, je n'y fais pas attention. Des tas de questions tournent dans ma tête. Je dois me pincer très fort pour ne pas pleurer.

4

Une photo encadrée de la reine vous accueillait dans le vestibule éclairé par un lustre en cristal. Le sol était carrelé de marbre noir et argent. Des meubles lourds se détachaient sur les murs peints en vert pâle. L'aspect formel de la maison, destiné à impressionner les visiteurs, lui fit battre le cœur.

George, le mari d'Harriet Parrott, était commissaire régional. En dehors du haut-commissaire, c'était le rang le plus élevé de l'administration britannique en Malaisie, avec un rôle important dans le maintien des forces armées britanniques.

Si lui ne sait pas où ils sont, personne ne saura, songea Lydia.

L'entrée menait à une véranda où elle fut priée d'attendre à l'ombre d'un vénérable flamboyant. Soulagée d'échapper aux rayons du soleil matinal, elle regarda autour d'elle tout en se forçant à respirer calmement. Sur la pelouse, un souimanga

cramoisi voletait au-dessus de deux buissons d'hibiscus jaunes odorants. Plus loin, des cocotiers
étiraient leurs grands troncs vers le ciel.

Tout allait de travers. C'était l'heure habituelle
du départ pour l'école. Elle ferma les yeux pour
revoir le trajet qu'elle venait de parcourir. Mais son
esprit était embrouillé. Elle avait l'impression de
se mouvoir dans un cauchemar. Une voix lui répétait : *Où sont tes filles ? Où sont-elles ?* Elle se représenta le bâtiment principal de l'école et souhaita
de toutes ses forces voir ses filles s'élancer sur
le gravier vers l'entrée, avec leurs besaces qui se
balançaient au rythme de leur course.

Une odeur de piment en provenance de la cuisine
flottait dans l'air. Sa gorge se serra. Elle devait se
détendre. Quel jour était-ce ? Vendredi ? De toute
façon, elle ne les conduirait pas en classe. Quand
la chaleur montait, il était impossible de circuler
sans voiture. Au fait, elle n'avait pas inspecté le
garage. Se pouvait-il que le chauffeur d'Alec les
ait emmenées quelque part dans une voiture de
fonction ?

Un bruit de pas se fit entendre. Une grande femme
à forte poitrine s'approcha : Harriet, toute en pres-
tance et assurance. Rouge à lèvres orange, visage
charnu couvert de rides poudrées, cheveux teints
en noir remontés très haut en chignon bouffant.
Connue pour sa passion des couleurs d'agrumes,
elle ne portait que de la soie. Aujourd'hui, elle était
en vert et jaune. Et bien que la description d'Em ne
fût pas très flatteuse, Lydia comprenait pourquoi
sa fille l'avait baptisée «la matriarche».

— Lydia, chère! s'exclama Mrs Parrott en levant sa main potelée aux ongles laqués de vernis orange vif.

Dans ses yeux noirs et vifs, un demi-sourire.

Consciente de l'heure matinale, Lydia, rougissante et gênée, dit :

— Désolée de faire irruption ainsi mais notre téléphone ne fonctionne plus.

Inclinant la tête, Mrs Parrott s'installa dans un grand fauteuil en rotin tandis que Lydia, avec une profonde inspiration, se perchait au bord du sien.

— Alec et les filles ne sont pas à la maison. Il n'y a plus rien ni personne, en fait.

En prononçant ces mots, sa voix monta dans les aigus. Elle croisa les mains pour les empêcher de trembler.

— Je suis venue en taxi. Désolée qu'il soit si tôt, mais je ne savais pas quoi faire. En tant que patron d'Alec, George devrait être au courant, vous ne croyez pas ?

Harriet haussa ses sourcils soulignés au crayon :

— Chère, vous n'avez donc aucune idée de ce qui s'est passé ? Êtes-vous allée à la police ?

Retenant ses larmes, Lydia répondit :

— J'aurais dû me rendre au poste de police hier soir, mais je n'ai pas osé quitter la maison. C'est stupide mais je pensais qu'ils allaient revenir.

— Ce n'est peut-être pas la peine d'y aller. Je suis certaine que George est au courant. Ils sont très proches, Alec et George. Vous avez de la chance, ajouta-t-elle en agitant une clochette. Aujourd'hui, il travaille à la maison.

Dans les minutes qui suivirent, Noor, leur boy aux hanches étroites, fut envoyé pour prévenir et ramener le maître des lieux sur-le-champ.

Lydia regardait par la fenêtre en priant pour qu'Harriet ait raison. La voix puissante de George résonna dans le couloir. Lydia devina qu'il était contrarié.

À peine sa silhouette corpulente s'était-elle encadrée dans la porte du patio qu'il explosa :

—Enfin, Harriet, qu'est-ce qui se passe ? Je suis occupé.

Sans broncher, Harriet indiqua la présence de Lydia assise dans un coin.

—Lydia se fait du mouron. Elle veut savoir où sont Alec et leurs filles.

Le commissaire régional portait un costume colonial en lin. Ses sourcils fournis se rejoignaient. Il s'avança vers Lydia, toussota, passa sa main dans ses cheveux poivre et sel coupés court, se frotta le menton avant de dire :

—Désolé. Je ne vous avais pas vue.

Le regard de Lydia se posa sur le trait de sueur qui brillait au-dessus de sa lèvre supérieure.

Après un silence, il reprit :

—Je pensais qu'Alec aurait laissé des instructions. Il a reçu une nouvelle affectation dans le Nord. À Ipoh. Une urgence. Le type qui s'occupait des finances de l'administration a cassé sa pipe soudainement. Un arrêt du cœur, je crois.

Lydia fut prise de vertige. Elle inspira à fond et s'écria, la main sur le cœur :

—Voilà qui explique tout. Merci! Merci mille fois, George! Je savais qu'il y avait une raison. Son mot a dû s'égarer.

—Alec est parti il y a quelques jours. Il a sans doute laissé ses instructions à la banque. Au cas où la maison serait réaffectée avant votre retour.

—Bien sûr, commenta Harriet.

—Les routes sont mauvaises pour se rendre à Ipoh, continua George.

—C'est à combien de temps d'ici?

—Deux jours de voiture, selon le nombre de champs de mines et du reste. Plus long en bus, évidemment. Le train est le mieux. Ils ont une gare de style mauresque assez fantastique, là-bas.

—Je pourrais téléphoner à Alec pour qu'il m'y retrouve.

—Ni téléphone, ni service postal dans ce district. Les lignes sont coupées. C'est l'anarchie! Pas aussi épouvantable qu'à Penang mais presque.

Sur ce, il tourna les talons tout en marmonnant quelques mots à l'intention de sa femme.

—Pouvez-vous me donner son adresse? demanda Lydia.

—Il y a seulement une Maison coloniale, lança-t-il par-dessus son épaule. Plus grande que d'ordinaire. Une cinquantaine de chambres, d'après ce que je sais. Ils doivent habiter là. Temporairement, jusqu'à l'affectation d'une maison. Faites attention! Voyager seule pendant l'état d'urgence n'est pas évident.

Le silence s'installa alors qu'il s'éloignait.

Après un moment, Harriet prit la parole:

—Je ne vais pas vous passer à la question, chère. Vous n'avez pas l'air très en forme. Un peu moins Rita Hayworth que d'habitude.

Lydia essuya la sueur de son front et chassa les mouches qui tournicotaient autour d'elle. À trente et un ans, elle était enjouée et bien faite. À l'occasion, elle pouvait faire sensation et elle avait les cheveux roux ondulés mais la ressemblance avec la star de cinéma s'arrêtait là.

—Ma vieille amie, Suzanne Fleetwood, a attrapé la polio. Je viens de rentrer de chez elle. Ça m'ennuyait de laisser les filles aussi longtemps, presque un mois en fait, mais son mari était à Bornéo, injoignable. Comme vous le savez, il est dans les services secrets.

Harriet jeta un coup d'œil inquiet au dos de son mari.

—Je sais, je sais, fit Lydia dans un soupir. Mais n'ayez pas peur! Je garde ça pour moi. C'est affreux, on va rapatrier Suzanne en Angleterre dans un poumon d'acier.

—Une bien triste situation. Elle devait être contente de vous avoir à ses côtés. Et vous, vous devez vous sentir soulagée maintenant que vous savez où se trouve votre famille.

Les yeux de Lydia s'éclairèrent:

—Oh oui! Je suis tellement impatiente de les revoir.

—Vous avez pris votre petit déjeuner? demanda Harriet.

Lydia fit non de la tête.

Harriet pinça les lèvres:

— Je vais demander qu'on vous apporte quelque chose. Vous savez comme moi qu'on doit conserver des forces dans cet abominable climat sinon on s'épuise. Je suis bien placée pour le savoir.

Intriguée, Lydia arqua les sourcils.

— Oh, rien en particulier. Mais si vous ne prenez pas soin de vous, vous dégringolez drôlement vite. Dites-moi, chère, des pancakes, ça vous irait ?

Il n'y avait pas un souffle d'air. La transpiration mouillait ses vêtements. Lydia marchait à vive allure, la tête haute. Quelques lointains nuages s'étiraient à l'horizon. Aucun signe avant-coureur de pluie. Elle sauta dans le bus qui desservait le centre de Malacca. L'itinéraire empruntait des rues bruyantes où l'atmosphère lourde empestait la friture de poissons et les latrines à ciel ouvert. Elle lutta contre une sensation d'étouffement.

À la banque, deux ventilateurs de plafond brassaient inutilement l'air chaud. Lydia fit la queue. Elle était pleine d'appréhension. Chez les Parrott, elle avait tenté de prendre la chose à la légère. Mais en réalité elle redoutait le voyage dans le Nord. Elle repassa dans sa tête la liste des tâches à effectuer. Pour commencer, se procurer les horaires des cars. Et ceux des trains. Il faudrait aussi vérifier le garage et faire ses valises. À quelle distance était Ipoh ? Elle se souvenait seulement que la ville se trouvait dans la vallée de Kinta. Deux cents kilomètres ? Non. Peut-être le double. Quatre cents kilomètres de routes qui pouvaient être infestées de mines. Si elle était obligée de s'y rendre en car, le trajet prendrait des jours et des jours.

Dans sa hâte, ce matin, elle n'avait pas attaché ses cheveux. Elle souleva l'épaisse masse et repoussa les petites mèches qui tombaient sur son visage. La plupart des Anglaises avaient opté pour une coiffure courte. Pas elle. Les cheveux longs, symbole de féminité, avait coutume de dire sœur Patricia. En fait, ces femmes ont raison, songea-t-elle. Elle aussi se ferait couper les cheveux. Elle se pencha et remua les épaules pour soulager la tension qui s'était accumulée.

Lydia pensa à ses filles. Elle se vit dans la voiture attendant qu'elles sortent de l'école, elle les vit faisant de grands signes en piétinant les bordures de fleurs qui séparaient les différents bâtiments. Dans la cahute en face, les sucettes à deux *cents* s'alignaient comme des drapeaux. Elle ne permettait ces friandises que le vendredi. Ce n'était pas le sucre qui la dérangeait. C'était l'addition du sucre et de la loterie car, à l'extrémité d'une ou deux de ces sucettes, était dissimulé un billet d'un dollar.

Oui, pensa-t-elle. Elles sont trop jeunes pour les jeux d'argent. Il faut être vigilant.

Finalement, son tour arriva. Le jeune employé malais avec ses cheveux souples et sa peau mate lui sourit.

— J'aimerais retirer de l'argent, dit-elle.

— Certainement, madame.

— Je m'appelle Cartwright.

Il se tourna vers une rangée de classeurs dont il sortit une fiche.

— Je pense que cinquante dollars feront l'affaire.

Après un bref coup d'œil à Lydia, il se mit à étudier la feuille qu'il tenait.

—Un problème?

—D'après votre relevé, il ne reste que quinze dollars sur votre compte.

—Mais c'est ridicule! s'exclama-t-elle en rougissant. Nous avions beaucoup plus, le mois dernier.

—M. Cartwright est venu il y a quelques jours et a retiré une somme conséquente.

—Il a dit quelque chose?

—Il a mentionné un déplacement.

—Il n'a pas laissé une lettre à mon intention?

—Désolé, non. Il nous a seulement informés que dorénavant il utiliserait les services d'une autre banque. Et il nous a demandé de fermer le compte après que les quinze dollars qu'il laissait seraient retirés.

Lydia inspira à fond et expira très lentement.

—Pas d'autres instructions?

—Non.

Elle était assez maîtresse d'elle-même pour ne pas exploser. L'important c'était de retrouver ses filles. Mais quinze dollars pour aller à Ipoh? Bien sûr, ce n'était pas la faute de l'employé de banque. Mais tout de même, cette histoire était invraisemblable.

5

Papa nous demande de ne pas bouger et d'attendre sur le pont près d'un escalier métallique pendant qu'il descend se renseigner à propos de nos cabines auprès d'une stewardess. Je reste immobile et tends l'oreille.

Appuyées contre la rampe humide, ma sœur et moi nous regardons vers le bas des marches.

— Chut ! Tu entends quelque chose ?

— Non, répond Fleur en faisant la moue.

Je fronce les sourcils. On entend bien les pas qui résonnent dans les coursives sous nos pieds.

— Ce bateau est hanté, je murmure en prenant une expression effrayante.

Ma sœur lève les yeux au ciel et se détourne.

— Pardon ! Allez, viens, Mealy Worm ! Viens, la Sournoise ! On va courir !

Pour maman, je suis Em. Ses boucles d'oreilles en forme de lézard ont les lettres E et M gravées derrière. C'est mon nom mais le deuxième prénom de Fleur est Emilia. On l'appelle parfois Floury Millie. Et pour moi elle est Mealy ou la Sournoise, selon les jours.

On fait des allers-retours sur le pont en courant et en poussant des cris. Quand nous n'en pouvons plus, nous nous plions en deux en nous tenant le côté. Ensuite nous contemplons l'océan. Le soleil rouge plonge dans l'eau et le jour est englouti. Des taches jaunes et roses dansent sur la mer qui est aussi noire que de la réglisse. Le bruit que font les oiseaux nous accompagne depuis le port.

— Tu vois les marchands dans leurs sampans ?

— C'est quoi, les sampans ?

— Les petits bateaux, idiote ! Tu les vois ?

Nous hurlons quand ils se détournent de la route des gros bateaux pour venir contre le nôtre. Les lumières vacillantes de leurs lanternes se reflètent dans l'eau. Les hommes se lèvent dans leurs embarcations, appellent et passent des marchandises dans d'énormes paniers. Avant que les marins nous demandent de nous pousser, nous apercevons des pantoufles orientales en tissu brillant et des rangs de perles étincelantes. Nous avons l'impression d'être dans un pays de conte de fées. Jusqu'à ce que nous voyions papa.

— Je ne veux pas paraître rabat-joie, dit-il en venant vers nous, mais il n'est pas question que vous fassiez les folles sur ce bateau.

— Mais papa !

— Il n'y a pas de mais, Emma.

— On ne va pas s'approcher, plaide Fleur.

— C'est bien essayé, mon chou, mais c'est non. Vous n'êtes autorisées à aller sur le pont qu'avec un adulte. Surtout le soir. Jamais toutes seules, vous entendez. D'ailleurs, je vous avais dit de m'attendre près de l'escalier.

— C'est pas juste, je marmonne dans ma barbe.

— Je suis sérieux, Emma. N'importe quoi peut arriver.

Je ne dis rien. À cause des voix fantômes provenant des chaises longues dont on n'aperçoit que les dossiers, j'imagine des choses. Une ombre qui me pousserait par-dessus bord. Ou alors, enlevée par une vague, je me retrouverais dans l'endroit où Orphée danse avec les farfadets de l'océan. On nous a appris l'histoire d'Orphée à l'école.

— Emma, tu seras obéissante ?

— D'accord, papa.

Nous le suivons à l'intérieur. Je croise les doigts derrière mon dos pour conjurer mon mensonge. Je n'y peux rien : j'aime trop voir la mer quand le monde s'embrase avant de devenir noir d'encre.

En secret, je prépare une expédition. Une fois Fleur endormie, je me faufile hors de la cabine et monte les marches en métal de l'escalier étroit jusqu'au pont. Quand il n'y a plus personne, je me dirige vers les chaloupes. Elles sont suspendues mais je trouve une caisse oubliée. Je grimpe dessus et me hisse dans l'embarcation tête la première. Ensuite, allongée sur le dos, j'observe le ciel. Il fait encore chaud, toutes les étoiles sont visibles. Si je bouge, la chaloupe se balance. Aussi je reste tranquille, aussi tranquille que la mer.

Ça me rappelle les moments où, étendue sur l'herbe de notre jardin, je regardais les nuages qui passaient comme des traînées de sorbet au citron. Il faut que je remplisse ma tête de souvenirs car je ne sais pas quand nous reviendrons. Quand une petite voix me souffle *si tu reviens*, je m'assieds et scrute la mer. Et je respire l'air salé à pleins poumons. J'ai envie de sauter dans l'eau et de nager pour retrouver maman. Mais le calme de l'océan m'apaise. Je reste dans la chaloupe jusqu'à ce que j'aie trop froid.

Nous partageons notre table avec M. Oliver et sa sœur Veronica. Lui s'appelle Sidney. Veronica est mince et grande, aussi grande que papa, avec des jupes froufroutantes, des petites boucles blondes serrées et une voix paisible. Elle se tapote les cheveux pour les maintenir en place. Tous les deux ont la peau très blanche comme s'ils avaient vécu en se cachant du soleil de Malaisie, mais ses joues à elle sont rouges comme les petites perles en verre de son collier. Elle a l'air de bien nous aimer. Surtout papa à qui elle sourit avec ses jolis yeux bleus et dont les blagues la font glousser.

Aujourd'hui M. Oliver et sa sœur sont en retard pour le déjeuner. Alors papa nous dit qu'elle a un appartement à Londres, mais qu'avant elle vivait dans un endroit nommé Cheltenham, pas très loin de là où nous allons. Il nous dit qu'elle a eu des tas de malheurs et que nous devons être gentilles avec elle. Elle n'a pas eu d'enfants. Son mari, qui était maître d'école, est mort d'une maladie appelée le choléra.

Je demande :

— C'est quoi, le choléra ? Est-ce que ça fait sortir les yeux des orbites ?

Papa pousse un grand soupir :

— Non, Emma. Les malades du choléra sont d'abord très fatigués avec mauvaise mine avant que les symptômes empirent.

— Ensuite ils meurent ?

— Éventuellement.

On entend une musique de fond. C'est Doris Day qui chante un des airs préférés de maman, *Secret Love*. Je me sens triste en pensant au joli visage ovale de maman et à ses yeux lumineux. Leur couleur noisette est pailletée de vert et de bleu comme les plumes d'un paon. Un de ses sourcils est un peu plus haut que l'autre. J'aime bien m'asseoir et la regarder qui essaye de les mettre au même niveau, sans jamais y arriver.

Le menu du déjeuner est malais. Il s'en dégage un parfum de feuilles de lime kaffir qui me plaît. Par contre, le buffet des desserts n'est pas formidable, mais j'ai déjà mangé trop de pêche melba et j'ai mal au ventre. Je demande à papa si je peux me lever de table et aller m'étendre dans ma cabine.

Veronica lui adresse un sourire. Bronzé à force d'avoir passé beaucoup de temps dehors, mon père est ridé et plutôt sec. Il porte des lunettes à montures d'écaille. Je remarque qu'il est plus soigné que d'habitude.

— Si vous voulez, je surveille Fleur, propose Veronica d'une voix enjouée. Comme ça, Emma peut dormir sans être dérangée et se lever quand elle se sentira mieux.

Dans la cabine je m'allonge sur le couvre-lit en chenille de coton bleue. Je prends le lit de Fleur en bas car, avec mon mal au ventre, je ne veux pas grimper dans le mien. Notre petite cabine sent le renfermé et le sel. On y entend le bourdonnement du bateau et le bruit sourd des vagues contre la coque. Je ferme les yeux. Le ronronnement du moteur m'endort très vite.

Un peu plus tard, on frappe à la porte. M. Oliver entre. Je soupçonne papa de l'avoir envoyé pour voir comment je vais. Je suis pourtant surprise qu'il n'ait pas demandé à Veronica.

Il s'assied au bord de ma couchette, tout soufflant et haletant.

— Pousse-toi un peu, mon chou, dit-il avec un sourire.

Son visage est si près que je peux voir les veinules rouges de son nez.

— Ferme les yeux, ma petite.

Il commence à passer sa main tout doucement sur mon front. Au début, j'oublie que c'est lui et je trouve ça agréable. Ça me rappelle maman. Je glisse dans un rêve un peu bizarre. Elle me manque tellement, maman. Et papa ne dit pas quand elle viendra nous rejoindre. J'ai une drôle de sensation dans mon ventre et mes jambes. Quelque chose de pas normal. Je retiens ma respiration jusqu'à ce que M. Oliver me quitte.

Quand le bateau arrive dans le golfe de Gascogne, des nuages argentés courent dans le ciel. À l'heure du déjeuner, le bateau roule. M. Oliver est assis tout contre moi. Sous la table, il pose sa main moite sur ma cuisse nue. Je déteste ça. Aussi je m'éloigne le plus possible de lui et je me cale au fond de mon siège. Il me fait un clin d'œil. Je pique un fard. Mais comme tout le monde est occupé à parler du temps, personne ne me voit rougir.

Après le repas, je reste sur le pont pour observer le monde devenir noir. Heureusement pour moi, M. Oliver n'a pas le pied marin. Il est le premier à disparaître dans sa cabine. Et puis Fleur est malade. Papa et Veronica l'emmènent en bas. Papa me dit de les suivre, mais je me sens mieux si je suis à l'air, toute seule. Donc je reste. C'est sensationnel. La mer est de plus en plus haute. Le pont vibre et bouge. Certains marins ont même le mal de mer.

Pas moi. Je pousse des glapissements de bonheur quand les vagues balayent le pont en m'envoyant valdinguer d'un bord à l'autre. Les oiseaux piaillent, le vent rugit. J'en oublie la main chaude de M. Oliver, j'en oublie même qu'on n'a pas attendu maman. Je respire de grandes goulées d'air marin. Après, je passe ma main sur le garde-fou rugueux de sel et lèche les cristaux sur le bout de mes doigts. Leur goût de sel et de poisson est aussi fort que leur odeur.

Le reste du voyage passe vite. Le dernier jour, je me réveille avant l'aube. Je grimpe sur une chaise pour regarder à travers le hublot et j'aperçois une longue forme sombre. Ma première vision de l'Angleterre! Plus tard, une fois le navire amarré, je monte sur le pont mouillé. Pendant une minute, j'observe le ciel pâle, puis je ferme les yeux et dis une prière pour ma mère si jolie. Je lui envoie un baiser à travers les océans et lui demande de venir nous rejoindre très vite.

Sur les docks, à Liverpool, des foules de gens bloquent le passage. L'air sent l'huile. Des hommes coiffés de casquettes de drap enroulent des cordes sur de gros morceaux de métal. Tout fait du bruit : les cloches, les roues, les vendeurs de journaux, les caisses qu'on décharge et qui cognent le quai et surtout les gens qui crient. Il faut sauter de côté pour ne pas se faire bousculer car, à cause de la brume, personne ne vous voit. Papa appelle ça du smog.

Je me sens toute petite. Alors je prends une grande inspiration comme si la nouvelle vie formidable que papa nous a promise allait commencer à l'instant. Ce n'est pas le cas. Ça empeste, il fait froid et gris. Jusqu'à aujourd'hui je ne savais pas à quoi ressemblait le gris. Je voudrais glisser ma main dans celle de maman, je voudrais qu'elle me dise « Tout va bien se passer, Emma, tu vas voir ».

C'est ce que papa me dit quand il remarque que je suis triste – mais ce n'est pas pareil.

Nous devons embrasser Veronica et M. Oliver qui est verdâtre pour leur dire au revoir. Je m'exécute en grimaçant et, une fois la corvée terminée, je m'élance jusqu'au bord du quai. C'est un jour glacial de février et cette course me réchauffe.

—Ne t'approche pas trop près ! hurle papa.

Je ne vais pas très loin parce que j'ai mal aux pieds. D'habitude, avec ma sœur, on joue en tongs ou pieds nus. Ça fait rire papa qui nous traite de sauvages. Mais aujourd'hui il a fallu enfiler des chaussures marron avec une bride et un bouton. Et des longues chaussettes qui grattent. Avec Fleur, on n'a pas arrêté de se plaindre mais nous étions contentes de mettre les vestes rouges que maman nous a tricotées en vue d'un prochain voyage au pays. Je ne me souviens que d'un seul voyage qui ne m'a laissé qu'une idée vague de cet endroit qu'on appelle l'Angleterre.

Penser à maman me serre le cœur.

Jusqu'à maintenant papa ne nous a pas expliqué la raison de son retard. Je lui pose la question encore une fois.

Il enlève ses lunettes, les essuie sur sa manche, gonfle les joues et annonce simplement :

— Elle n'est pas là pour le moment. Désolé, c'est tout ce que je peux te dire.

— Mais elle va venir quand ?

— Je ne sais pas, Emma.

— Tu as laissé la lettre que je lui avais écrite ?

— Bien sûr.

Maman est probablement retenue. Papa ne veut rien nous promettre pour ne pas nous décevoir s'il se trompe. Mais mon imagination galope. Je vois ma mère partout. Même dans la grande salle d'attente pleine de courants d'air où nous espérons trouver un porteur et où les odeurs de suie et de fumée nous brûlent les yeux. Bien que maman ne soit pas là, j'imagine une ligne fine traversant la moitié du globe. C'est un fil invisible qui s'étire d'ouest en est et retour. À un bout il est attaché au cœur de maman, à l'autre au mien. Je sais, quoi qu'il puisse arriver, que ce fil ne cassera jamais.

6

Lydia jeta un coup d'œil par-dessus son épaule : une jeep kaki de la police malaise équipée de mitrailleuses passait. Depuis que le haut-commissaire britannique, sir Henry Gurney, avait été tué en 1951 par les communistes chinois de la guérilla, personne ne se sentait en sécurité. En toute hâte, elle frappa à la porte de la maison de Cicely, un joli bâtiment rose pâle de style portugais, avec des fenêtres en ogive et une galerie à colonnades. Un instant plus tard, elle fut introduite dans une pièce aérée, peinte en bleu pâle et que traversait un courant d'air rafraîchissant.

Elle se retourna alors que Cicely entrait, tendant ses mains aux ongles laqués d'un rose nacré assorti à l'étoffe de sa robe fourreau.

— Ma chérie ! Quelle agréable surprise !

Cicely parlait d'une voix basse en étirant les voyelles.

C'était une jolie femme élégante, avec des cheveux souples couleur platine, un hâle léger et un rouge à lèvres prune. Elle s'assit en croisant ses longues jambes dans un mouvement empreint d'un ennui contenu. Une mule à haut talon aiguille pendait négligemment au bout de son pied.

— Je suis désolée… mais j'ai besoin de ton aide.

Lydia hésita et se redressa avant de poursuivre. Elle essayait de trouver des mots qui ne suscitent pas la pitié.

Cicely souleva un de ses sourcils arqués, épilés avec soin. Comme aucune des deux femmes ne ressemblait aux typiques épouses coloniales absorbées par les problèmes de digestion et les cancans domestiques, il était fatal qu'elles soient devenues en quelque sorte amies.

Résistant à son envie de s'arranger les cheveux, Lydia se força à parler :

— Désolée de te demander ça, mais peux-tu me prêter de l'argent ?

Les yeux de son amie dont la couleur variait de la topaze à l'émeraude s'éclairèrent de plaisir :

— Oh, ma chérie, mais que se passe-t-il ?

Lydia procédait avec prudence. Cicely n'était pas foncièrement méchante. D'après Alec, prisonnière d'un mariage sans amour, elle devait supporter les frasques d'un mari volage. Dans un silence que seul le bourdonnement du ventilateur dérangeait, Lydia se demanda ce qu'elle pouvait révéler.

Dans le vieux quartier chinois, elles jouaient des coudes pour se frayer un chemin dans la

51

foule tout en en esquivant l'armada des rickshaws. Cicely guida Lydia à travers une rue qui bordait le marché. Le claquement des pions des joueurs de mah-jong accompagnait le chant aigu des oiseaux bleus enfermés dans leurs cages de bambou.

Très à l'aise au milieu des boutiquiers chinois et des prostituées malaises, Cicely multipliait les signes de tête et les sourires. Elle s'arrêta devant un seau rempli de crabes vivants, puis entra dans une échoppe dont elle revint chargée de sacs de nourriture. Prenant conscience de l'odeur aigre d'égout qui les entourait, Lydia écarquilla les yeux.

—Il faut que tu essayes ça, ma chérie. Absolument délicieux.

Avec une expression enjouée, Cicely fourra une bouchée de feuille de banane au curry dans la bouche de Lydia.

—Allez, ma chérie, tout va s'arranger. Tu te fais trop de souci. Cela dit, je ne comprends pas pourquoi Alec n'a pas laissé suffisamment d'argent pour que tu puisses aller le retrouver. Quelle barbe!

À l'extrémité de la ruelle, à côté d'une série d'affiches criardes vantant les mérites des cigarettes Lucky Strike, elle s'arrêta devant une boutique ornée d'une enseigne rouge représentant un dragon. Elle s'adossa à la porte dans une pose langoureuse, ignorant le gardien à la mine sévère assis avec un fusil sur les genoux.

—Nous y sommes! s'exclama-t-elle.

Son visage étroit arborait une mine ravie. Autour de son cou un rang de perles scintillait.

La boutique d'à côté abritait une herboristerie et un charmeur de serpents. Le propriétaire, un

Indien costaud qui mâchait du bétel, se tenait sur le seuil. Lydia jeta un coup d'œil au panier de serpents.

— Ne t'inquiète pas, ma chérie! dit Cicely, hilare, en poussant la porte. Les cobras dorment toujours jusqu'au coucher du soleil.

Une fois à l'intérieur, Lydia retint sa respiration mais il ne régnait là que l'odeur de l'encens bon marché mêlée à des senteurs d'huile de noix de coco. Derrière le comptoir, un Chinois en robe rouge brodée les observait avec une expression qui ressemblait à de l'hostilité. Lydia regarda Cicely vider sans broncher sur le comptoir une pochette pleine de bracelets à breloques, de boucles d'oreilles en or et d'une demi-douzaine de colliers.

La sueur perla au front de Lydia. Elle sentit qu'elle rougissait de confusion:

— Mais ce sont de vrais bijoux.

En serrant sa main, Cicely marmonna:

— Ne t'en fais pas, c'est surtout de la camelote chinoise. Dis-moi, tu as des photos de tes merveilleuses filles?

Lydia fouilla dans son sac archi-bourré et en sortit une petite bourse. S'y trouvaient deux photos d'identité, une d'Emma et une de Fleur, prises dans une cabine au zoo. Elle examina les portraits. Fleur avait un très léger strabisme et les yeux sérieux de son père, Emma un petit sourire de guingois. Si le cliché révélait le nez droit de sa fille aînée et son visage anguleux, il ne montrait pas ses yeux rieurs à la teinte turquoise ni ses boucles rousses illuminées par le soleil. Il n'indiquait pas non plus sa taille, élevée pour son âge, ni son intelligence, se dit-elle avec fierté.

— C'est fou ce qu'elle fait adulte !

— Qui ?

— Emma, bien sûr. Fleur est plus jolie mais elle parle à peine.

En pensant à sa plus jeune fille, le cœur de Lydia se serra. Depuis sa pneumonie, Fleur était plus réservée que jamais.

— Oh si, elle parle, mais c'est vrai qu'Emma a une passion pour les mots. À trois ans, elle faisait déjà semblant de lire.

— Elle fait plus âgée que ses douze ans.

— Pas tout à fait douze, rectifia Lydia.

— C'est vrai, admit Cicely qui posa une main sur l'épaule de son amie en un geste de réconfort.

Puis, prenant sur le comptoir une chaîne d'argent et son médaillon, elle ajouta :

— Tiens, c'est un cadeau. Dans ce pays c'est toujours plus sûr de porter ses bijoux. Et veille sur l'argent. Ne t'en fais pas, tu vas les rejoindre bientôt, tes filles. Et ton svelte mari, aussi.

Lydia acquiesça, incapable d'identifier les causes de son malaise. Être éloignée de ses filles en était une. Le danger évident d'une séparation pendant l'état d'urgence en était une autre. Mais n'y avait-il pas une autre raison ?

— Ensuite, tu auras envie d'un peu de paix et de tranquillité. Je ne sais pas comment tu fais pour être une si bonne mère.

Je les aime, songea Lydia. C'est tout.

— Et Jack ? Qu'est-ce que tu en penses ?

54

Lydia sentit une sensation de chaleur envahir son visage et lutta contre l'envie de soulager sa conscience de sentiments non avoués.

Cicely plissa les yeux :

— De toute façon, je serais incapable d'être une bonne mère. Allez, il est temps d'aller faire couper ces cheveux.

Finalement, une averse fit déborder les caniveaux. Pas assez forte pour refroidir l'atmosphère moite mais suffisante pour la rafraîchir, elle. Lydia dégagea avec peine le bougainvillier trempé qui s'étalait sur la porte du garage. Tout poussait tellement vite. La porte couina quand elle l'ouvrit. Un coup d'œil à l'intérieur la renseigna : la massive Humber Hawk était toujours là. Elle entrevit les clés sur le contact. Ce détail la rassura. Au moins, Alec avait laissé la voiture. Elle se glissa sur le siège avant pour vérifier le niveau d'essence.

De retour dans sa chambre, elle mit en vitesse quelques vêtements pratiques dans deux fourretout. Comme elle retirait sa robe humide, le vide de la maison la saisit. Dans le silence ambiant, Lydia fronça les narines. Les effluves habituels de cire avaient disparu. De toute façon, maintenant qu'ils étaient partis, la maison n'avait plus son odeur familière. Elle toucha la soie de ses robes indiennes qu'elle avait confectionnées dans différentes associations de couleurs inattendues : rose et orange, vert et bleu paon, rouge laque et noir. Son modèle préféré était d'inspiration exotique mais elle opta pour une robe bleu marine confortable et moins salissante. Elle laissa de côté les robes indiennes mais plia deux tenues habillées ornées de sequins et trop jolies pour être abandonnées.

Elle glissa le carnet d'Emma dans un des fourre-tout. C'est fou comme ses filles lui manquaient. Elle mourait d'envie de les toucher, de les respirer. Sa peau picotait d'impatience. Elle résista au désir de lire le carnet. De toute façon, elle allait les revoir bientôt.

C'est une fois à nouveau dans l'entrée qu'elle perçut des bruits. Bizarre comme impression. Peut-être que George s'était trompé et qu'Alec était revenu la chercher. Son cœur s'emballa. Peut-être qu'ils étaient allés dans l'île et n'étaient pas encore partis pour Ipoh. Elle imagina l'eau verte des îles, la brise salée et l'huile de citronnelle dont elle enduisait la peau des filles.

Des sons provenaient de la cuisine. Un reniflement, un sanglot étouffé, une cascade de mots chinois. Une des servantes ? Elle se dirigea vers la cuisine et ouvrit la porte, se protégeant les yeux du soleil de la fin d'après-midi, de ses rayons aussi perçants que des couteaux.

Dans un coin, une jeune fille menue était assise en tailleur : les traits tirés avec des cheveux noirs noués en chignon et des yeux en amande apeurés. Un enfant, avec des cheveux noirs raides, était pelotonné contre elle, le visage enfoui dans son cou. Habillé d'un pantalon trop large, il avait l'air sous-alimenté. Une de ses chevilles s'ornait d'un bracelet en perles de verre. Lydia la dévisagea : elle était sûre d'avoir vu un jour cette fille quitter leur maison.

— Mem ?

La fille se leva avec, dans les yeux, toute la misère du monde.

— Je suis Suyin. Lui, c'est le fils de ma sœur.

Ça me rappelle quelque chose, pensa Lydia en observant la tunique brillante de la fille.

— Quel est le nom du garçon?

— Maznan Chang, Mem. Lui était dans hôpital. Il peut pas aller maison. S'il vous plaît, il va avec vous.

Lydia jeta un coup d'œil à sa montre, mais la fille, avec détermination, s'empressa de plaider sa cause.

— La jungle pas sûre pour lui. Ils font mal à lui.

Le garçon se releva et souleva sa chemise pour montrer la marque rouge qui barrait son flanc. Il était maigre et très sale. Sa blessure était visiblement récente.

— Il vous aide, Mem. Il parle malais et chinois.

— Il a l'air si jeune.

— Il a sept ans, petit pour son âge.

Le garçon regarda Lydia avec des yeux humides et lui adressa un sourire hésitant. Elle était déconcertée. Aussi joli qu'une fille, il avait un visage large, des yeux clairs, le nez aux narines épatées des Malais, mais le teint plus ambré que la plupart d'entre eux. Seuls ses cheveux raides dénotaient des origines chinoises. Il sourit une nouvelle fois, montrant une rangée de dents bien alignées.

Lydia considéra la situation. Son départ passerait après. À ce moment-là, elle eut une vision de sa fille Emma. Elle entendit sa voix aussi clairement que si elle se trouvait dans la pièce voisine. «Dépêche-toi maman! Comment, tu n'es pas

encore arrivée? J'ai un nouveau truc à te raconter.»
Bouleversée, elle ferma les yeux.

— Mem?

— Pourquoi il n'est pas en sécurité? demanda
Lydia.

— Sa mère. Elle s'enfuit à l'intérieur.

La fille attendit un moment pour voir la réaction
de Lydia puis poursuivit:

— Elle est dans la jungle, Mem. S'ils viennent pas
prendre lui, les autres prennent.

Je comprends, se dit Lydia. La mère du garçon
a rejoint les rebelles communistes.

— Quels autres?

La fille se tortilla:

— Les hommes blancs, les cheveux rouges. S'il
vous plaît. Apportez le garçon dans camp de réfugiés ou dans un village malais. Eux s'occupent de
lui.

— Et la police?

La fille cracha par terre.

Lydia se sentait partagée. Il fallait qu'elle rejoigne
ses filles, qu'elle s'en aille avant la tombée du jour.
Mais, tout à coup, elle s'imagina que c'étaient elles
qui étaient seules et dépendantes de la gentillesse
d'une étrangère.

Sa décision fut immédiate.

— Très bien. Je le garde avec moi. Donne-moi
ton adresse. Et le nom de l'endroit où l'emmener.

Elle étudia le visage hâve de la fille. Alors ça lui
revint.

— Tu es la fille du chauffeur?

La fille acquiesça.

— Ton père ne peut pas l'emmener?

La fille secoua la tête avec une expression inquiète.

— Est-ce que ton père a conduit mon mari à Ipoh ?

— Mon père malade.

— Bon, donne-moi ton adresse pour que je puisse vous prévenir de l'endroit où se trouvera le garçon.

La fille s'avança, prit une main de l'enfant et mit l'autre dans celle de Lydia. Elle se pencha vers lui et lui parla à l'oreille très vite en chinois. Il secoua la tête et ses cheveux voltigèrent autour de son visage. La fille se redressa et s'élança vers la porte. Une fois sous le passage couvert, elle prit ses jambes à son cou et s'enfonça dans les hautes herbes.

Lydia appela en vain. La fille avait disparu. En soupirant, elle regarda l'enfant. Il avait presque des yeux de petit Européen. Courait-il vraiment un danger ? Une image d'orphelinat lui vint à l'esprit. Un sinistre bâtiment gris dans les faubourgs de la ville. Si les rumeurs d'absence de soins étaient vraies, il serait mieux ailleurs. À la pensée de ses propres filles dans un tel endroit, elle frissonna.

L'enfant se mit à compter les perles de son bracelet en malais : *Satu, dua, tiga, empat, lima.*

Mon pauvre petit, se dit Lydia. Qu'est-ce que je suis censée faire de toi ? Ça va être difficile pour toi de t'intégrer.

Un bruit en provenance du garage attira son attention. Sales chats ! Elle attira le garçon vers elle et planta un baiser sur le sommet de son crâne. Puis elle regarda sa montre. Le temps avait passé si vite. Ils avaient tous les deux besoin de prendre un bain et de manger quelque chose. Elle le coucherait ensuite dans le lit d'Emma. Elle-même essayerait de dormir quelques heures avant de partir tôt le lendemain.

7

Ils quittèrent la maison alors que la rosée s'évaporait. Le matin s'annonçait éclatant de beauté. Les rues étaient tranquilles. Ils passèrent devant des grappes d'hommes en sarong orange et jaune qui bavardaient devant les échoppes de thé. Plus loin, ils croisèrent des Malais qui pédalaient à toute vitesse. Enfin, à la lisière de la ville, ils doublèrent des femmes tamoules aux visages luisants de sueur qui coupaient des arbustes sombres, les longs lobes de leurs oreilles se balançant au rythme de leur tâche.

Contente d'avoir pris la route, Lydia commença à chanter. Elle avait toujours eu une jolie voix. Se sentant en confiance, elle accéléra et chanta plus fort, comme pour faire écho aux pneus qui crissaient sur l'asphalte. Le garçon assis à côté d'elle gloussa.

— Je chante si mal que ça ? demanda-t-elle.

Avec un sourire, le garçon fit non de la tête.

Il avait dévoré un énorme petit déjeuner à un étal en bord de route. Un bon début, se réjouit Lydia.

Comme ils dépassaient des arbres ondoyants aux millions de verts différents, elle étudia le trajet à venir. Ils étaient à une centaine de kilomètres de Seremban. Donc s'ils y arrivaient dans trois heures environ, ils s'arrêteraient pour déjeuner de bonne heure et éviter la grosse chaleur de l'après-midi. Ils rouleraient ensuite jusqu'à ce qu'il fasse sombre. Ce qui l'obligeait à trouver un hôtel bon marché pour y passer la nuit. À Rawang peut-être ou à Tanjung Malim. À combien de kilomètres c'était de Ipoh ? Elle pensa à Jack. Non, pas de halte à Tanjung Malim. Inutile de tenter le diable.

Au bout d'une heure et demie, la voiture brouta et stoppa soudainement. Lydia souleva le capot graisseux de la vieille Humber Hawk, regarda le moteur et essaya de se souvenir des notions de mécanique qu'Alec avait tenté de lui inculquer. Maznan regarda avec un air perplexe la jauge de niveau d'huile qu'elle tenait à la main. Elle gonfla les joues. Le garçon avait raison. Puisqu'elle ne connaissait rien aux voitures, pas la peine de se salir.

Elle claqua le capot, s'essuya les paumes sur sa robe et passa sa main sous son siège à la recherche du manuel d'utilisation. Il n'y avait pas de manuel, mais ses doigts rencontrèrent quelque chose de pointu. En découvrant la boucle d'oreille en forme de lézard, elle sourit. Voilà où elle était passée. La retrouver était un signe de chance.

Les bras croisés, elle observa l'enfant. Et maintenant, que faire ? Une règle absolue pendant l'état d'urgence : ne jamais faire confiance à un étranger. Je peux attendre le passage d'une patrouille de police britannique, se dit-elle, mais alors il faudra que je dépense tout mon argent pour me loger et faire réparer la voiture. Bon sang Alec, tu aurais quand même pu attendre deux jours de plus !

Elle décida donc de prendre un car. Elle appellerait le poste de police plus tard pour leur demander de faire remorquer la voiture. En soupirant, elle s'assit à la manière d'une indigène à l'ombre d'un immense bosquet de bambous, le garçon toujours silencieux à ses côtés. Un papillon orange vif atterrit sur son genou. L'enfant éclata de rire en tendant la main. Son enthousiasme lui rappela Emma.

— Tu aimes les papillons ?

Il hocha la tête.

Des confins de la jungle arrivaient des senteurs de gingembre sauvage, de cannelle, de figues. Dans les grands arbres qui masquaient le soleil, les calaos pépiaient. Certes la nature était belle. Pourtant la vie bourdonnante de la jungle la mettait mal à l'aise.

Elle sortit le carnet d'Emma dont elle entreprit de tourner les pages. Et elle tomba sur les paroles de « Secret Love » écrites d'une main sûre par sa fille. Elle se mit à chantonner l'air jusqu'à ce que sa voix tremble. Alors elle se leva résolument. Porter deux sacs dans cette chaleur demanderait trop d'efforts. Elle allait garder le plus gros et balancerait l'autre dans les fougères denses du bas-côté.

Elle eut une pensée pour le temps plus heureux où ils allaient au club boire un verre sachant leurs filles en sécurité dans leurs lits. Mais, à part des hommes comme Alec, qui peut être heureux dans ce foutu pays ? fulmina-t-elle.

— Que se passera-t-il quand ils auront obtenu leur indépendance ? lui avait-elle demandé un jour alors qu'ils se rendaient à la soirée dansante que le sultan donnait chaque année.

— Ils auront toujours besoin de quelqu'un comme moi, avait-il répondu, apaisant ses craintes. En tout cas, pas question de retourner chez mes parents ni même en Angleterre.

En fixant les herbes coupantes de *lalang* qui bordaient les talus, elle se dit qu'elle avait toutes les raisons de le croire. Alec n'avait plus aucun contact avec ses parents. L'atmosphère chez eux avait été horrible, lui avait-il confié.

Elle se mit en route avec l'enfant.

Pas un souffle d'air. Même les plumets roses de la végétation restaient immobiles. Elle faisait bien attention de rester sur la route à cause des grosses vipères cachées dans l'herbe et des autres serpents encore plus gros lovés dans les arbres. Les trois notes de l'appel d'un coucou gris montèrent crescendo dans l'air.

Maznan n'avait toujours pas proféré un mot sauf pour compter ses perles. Il n'arrivait qu'au nombre cinq et répétait inlassablement : *Satu, dua, tiga, empat, lima.*

Comme la sueur qui brûlait ses paupières l'obligeait de temps en temps à fermer les yeux, Lydia l'entendit avant de le voir. Un car Bedford peint

64

en jaune et rouge arrivait en grondant vers eux. Avec un cri, elle se rua à sa rencontre, gênée par le garçon qui sautillait à côté d'elle, baragouinant ses chiffres en malais et «aidant» à porter le sac.

Le chauffeur ralentit. Il écarta les bras avec des mouvements de tête négatifs. Le car bourré de gens, de bagages, de poulets et de chèvres était plein à craquer. Le cœur de Lydia se serra tandis que trente paires d'yeux l'observaient par les vitres baissées.

Alors que le chauffeur emballait le moteur, à l'arrière du car une Indienne aux yeux protubérants se leva et désigna Lydia et le garçon avec l'air de protester. Malgré la réticence du chauffeur, la femme sembla finalement l'emporter. En grognant, il fit signe à Lydia de monter et repartit.

Une fois à bord, elle empoigna fermement la main de l'enfant, agrippa son sac et tangua jusqu'au fond du véhicule. L'Indienne, un châle à fleurs sur la tête, se poussa. Avec un soupir de soulagement Lydia se laissa choir sur le banc en métal. Pour éviter que les insectes ne s'y installent, les sièges n'étaient pas tapissés.

La femme sourit, révélant des gencives rougies par la noix de bétel et deux dents roses. Lydia lui retourna un sourire contraint. Elle était la seule Blanche dans un car occupé en majorité par des Malais, par un petit nombre de Chinois en pantalon noir et d'ouvrières tamoules portant sari. Elle avait conscience de leurs regards sur elle. Elle ne comprenait pas ce qu'ils disaient mais saisissait leurs intonations. Elle, qui pensait avoir une compréhension convenable du malais, se rendait compte maintenant que c'était vrai à condition que son interlocuteur prononce soigneusement et s'adresse directement à elle. Dans ce car, ces gens peuvent dire ce qu'ils veulent, songea-t-elle. Et peu leur importait qu'elle ait plusieurs domestiques à son service.

Elle continua à sourire vaguement alors que peu à peu les yeux se détournaient d'elle. Ensuite, tandis que le bus brinquebalait entre les parois du tunnel de verdure, elle regarda fixement par la fenêtre. Un sentiment de tristesse lui étreignait le cœur. Elle enlaça l'enfant et il s'abandonna contre elle. Avant d'être séparée de ses filles, elle n'avait pas su ce qu'était l'amour maternel, mais aujourd'hui elle aurait donné n'importe quoi pour être avec elles.

Quelques instants plus tard, elle entendit un froissement de papier. À travers ses paupières mi-closes elle aperçut l'Indienne offrir une pâtisserie à Maznan. Il l'engloutit aussitôt et tendit la main pour une autre. Avec un sourire, la femme produisit deux autres gâteaux. Elle en donna un au garçon et, après un coup de coude à Lydia, lui offrit l'autre.

Cette dernière dégusta avec plaisir la pâtisserie aux saveurs de cannelle et de noix de muscade. Comme elle s'efforçait de sortir quelques mots de remerciements en dialecte, la femme la coupa d'un « parlez anglais » sonore tout en lui remettant une fiasque de thé parfumé au jus de citron ainsi qu'une petite crêpe jaune.

—C'est un bon gâteau. Il tient le Pontianak éloigné.

— Le Pontianak ?

— L'esprit malveillant des femmes mortes. Il vient et emporte votre enfant. Le gâteau protège.

— Oh non ! Ce n'est pas le mien. Mes enfants sont dans le Nord avec mon mari. Lui, c'est...

Lydia s'arrêta mais la femme montra par un sourire encourageant qu'elle était tout ouïe.

— C'est celui de... quelqu'un que je connais.

La femme eut l'air surprise. Lydia, en soupirant, caressa la joue douce de l'enfant :

— C'est un gentil garçon !

Maznan sourit.

Les passagers s'étaient endormis en produisant des ronflements et sifflements que Lydia trouva curieusement réconfortants.

Le besoin qu'elle avait de retrouver sa famille avait atteint son paroxysme. Ses filles, mais également son mari. Le premier homme qu'elle avait rencontré lors d'une réception. En fermant les yeux, Lydia revécut cette fameuse soirée.

C'était une fête comme il s'en donnait souvent pendant cette période de guerre. Elle le repéra appuyé à un mur, à l'extérieur de la maison. Un grand homme plus âgé en uniforme. Il se massait la jambe et leva la tête quand elle s'approcha dans sa robe à rayures vertes, bien cintrée à la taille. Elle avait dix-huit ans et se sentit flattée qu'il l'ait remarquée.

— Vous fumez ? lui dit-il, en tendant une boîte de Woodbine.

Après une légère hésitation, Lydia prit une cigarette.

Elle l'observa. Son visage émacié se crispait par moments.

— Vous ne seriez pas mieux assis ? proposa-t-elle.

— Franchement, j'en ai plus qu'assez de rester assis.

— RAF ?

— C'est évident, non ? fit-il.

— Alors pourquoi vous ne fumez pas des cigarettes Player's Airman ? demanda-t-elle en faisant bouger ses cheveux.

Tant de choses s'étaient passées depuis cet instant précis. Pour la première fois elle était devenue quelqu'un. D'abord une femme. Ensuite une mère. Et maintenant elle était en route vers une nouvelle vie. La troisième depuis qu'elle se trouvait en Malaisie.

Elle se mit à regarder par la fenêtre, les yeux plissés dans la lumière crue, la tête lourde d'un morne ennui. Toujours le feuillage ondoyant des arbres, toujours la monotonie ininterrompue du vert des arbres. À nouveau, elle se remémora les débuts de son histoire avec Alec, comme si elle recherchait un détail, un indice, quelque chose.

Ils se revirent une seconde fois au Fiddler's Arm, pour un dîner de sandwiches au jambon en boîte et à la laitue. Il lui proposa d'aller boire un café dans ses quartiers. Dans sa chambre, il couvrit la fenêtre avec un rideau sur une perche pour respecter le black-out, cigarette dans le creux de la main et lumière éteinte. Même la lueur de leurs cigarettes était proscrite. Quand, sans le vouloir, il lui effleura le cou, Lydia se sentit rougir.

Elle lança une plaisanterie pour cacher sa nervosité :

— Vous connaissez l'histoire de l'homme qui a récolté une amende de dix shillings parce qu'il avait craqué une allumette pour retrouver son dentier ?

Au lieu de rire, il lui montra la bouteille de café Camp. Sur l'étiquette, un serviteur indien enturbanné s'affairait autour d'un officier en kilt qui buvait son café confortablement assis.

Quand le sujet de la Malaisie arriva sur le tapis, il décrivit le ciel tropical rempli d'étoiles, les Pimm's sirotés le soir, les heures de détente sur les plages argentées bordées de palmiers. Bien entendu, il faudrait qu'ils se marient.

C'était le passé. Désormais, elle échangerait volontiers tout cela contre le bon vieux climat anglais. Incroyable comme les vraies saisons me manquent, se dit-elle. À cet instant, un vacarme se produisit. Le car fit une embardée, catapultant les voyageurs surpris les uns contre les autres. Il y eut un bruit sourd terrifiant suivi de secousses et le car stoppa. Dehors, des voix stridentes aboyaient des ordres en chinois. Alors qu'elle s'assurait que le garçon n'était pas blessé, il la fixa avec des yeux grands comme des soucoupes, comme s'il évaluait la confiance qu'il pouvait avoir en elle.

Elle tapota son bras avant de s'adresser à la femme indienne.

— Que se passe-t-il ? murmura-t-elle.

La femme mit un doigt sur sa bouche et couvrit la tête de Lydia de son châle à fleurs.

— Des insurgés. Fermez les yeux. Et mettez-vous contre moi.

Lydia camoufla comme elle put le garçon dans le châle avant de dissimuler son propre visage. Elle se rappela la lumière aveuglante de la grenade que les rebelles avaient lancée sur la place du marché bourrée de monde et la peur la traversa avec l'intensité d'une décharge électrique. Les communistes. Qu'est-ce qu'ils voulaient ? Venaient-ils recruter des gens pour le Min Yuen, l'organisation qui les approvisionnait en vivres et en argent ? Ou leur dessein était-il plus violent ? Entrouvrant les yeux, elle vit que deux Chinois installés à l'avant du car étaient emmenés par des rebelles dont les corps décharnés étaient habillés de guenilles. Certaines atrocités commises par les terroristes lui revinrent à l'esprit. Assis le dos raide, les voyageurs semblaient sous le choc. Quant au garçon, il commença à compter machinalement. *Satu, dua...*

À travers la vitre poussiéreuse, Lydia s'aperçut que la route était profondément engagée dans la jungle. Les deux Chinois étaient ligotés à un arbre. Plusieurs autres étaient forcés à sortir du car. Une fois descendus, on leur attachait les mains ensemble. Criant comme des macaques qui se brûlent la bouche en mâchonnant des piments rouges, ils étaient traînés sur plusieurs mètres puis poussés sur la route et contraints à courir. Les autres restèrent dans le car.

Lydia et l'Indienne échangèrent des regards. L'Indienne haussa les épaules, indécise. La détonation d'une arme à feu fit trembler le garçon. Lydia se mordit les lèvres et s'obligea à détourner les yeux de la fenêtre. À part les coups de fusils, tout était silencieux. L'épouvante la glaça. Portant sa main à son cou, elle agrippa son médaillon qu'elle tint serré.

Dehors, les oiseaux pépiaient à qui mieux mieux. Elle risqua un coup d'œil à l'extérieur. Une onde de fureur remplaça la vague de peur. Elle ne s'était pas attendue à cette Malaisie-là. Alec n'avait pas parlé des batailles incessantes contre les moustiques vibrionnants, de la chaleur humide qui s'abattait sur vous comme une chape de béton et, surtout, il n'avait pas mentionné cette guérilla qu'on appelait l'état d'urgence.

Elle remarqua un homme à la tête rasée assis en tête. Elle n'avait pas fait attention à lui, mais, maintenant que le car était à moitié vide, son crâne brun et ses larges épaules tranchaient sur les autres passagers. Il portait une tunique malaise dans des couleurs éteintes mais, quand il se leva, son sarong révéla une étoffe tissée argent et turquoise. Sa haute taille le distinguait des autres Malais. Il paraissait différent, avec une plus grande connaissance du monde. Un Eurasien peut-être ? Du coin de l'œil, Lydia vit deux insurgés s'approcher d'elle. Elle leur fit face en retenant son souffle. L'un eut une expression méprisante en passant à côté de l'homme de haute taille. Ce dernier tourna un visage grave vers elle. De ses yeux sombres et inquisiteurs, il les regarda avancer vers elle, prêt à s'élancer à son secours. Du moins le crut-elle. Pendant un instant, leurs regards se croisèrent. L'Indienne passa un bras protecteur autour de Lydia et l'enfant. Son geste fut inutile. Sous la

71

menace d'une arme, on leur intima à tous les trois l'ordre de sortir. Le cœur de Lydia cessa de battre quelques secondes. Mais l'enfant se leva immédiatement et lui tendit la main. Les jambes engourdies par la station assise sur le banc de métal, elle se mit debout en vacillant. De gros nuages noirs et bas s'encadraient dans la fenêtre. Lydia descendit du car en serrant l'enfant contre elle.

8

Je me réveille dans une jungle glacée, d'immenses fleurs de lotus blanches givrent les vitres. Le froid passe sous les montants et sous la porte. Je frissonne et mon haleine dessine des nuages quand je souffle. Comme ça ne fait aucune différence si la fenêtre est ouverte ou fermée, je l'ouvre. Des pigeons roucoulent dans le jardin des voisins. Je me penche pour les regarder : ils sont perchés sur le bord du pigeonnier.

En face, un champ bordé de barrières marron, avec une rangée d'arbres noirs derrière, s'étend jusqu'à l'église. La flèche dépasse les autres toits. J'appelle Fleur pour lui montrer mais elle est déjà allée retrouver papa.

En bas, Granpa Cartwright nous tapote le dos et Granny essuie ses larmes. Granny est petite et ronde. Elle secoue la tête et sourit beaucoup. Ses yeux bleus sont enfoncés avec plein de rides sur les côtés. Sur sa blouse et sa jupe elle a enfilé une espèce de truc compliqué qui passe sur les épaules et sur les côtés et tient par des ficelles. Elle dit que c'est un tablier. Je trouve que ça la grossit. Elle porte des pantoufles et ses cheveux sont gris avec des épingles qui pointent à des drôles d'endroits. Rien à voir avec notre jolie maman.

Granpa est vieux aussi, avec une tignasse blanche. Quand il bouge, sa respiration siffle d'une manière pénible. Il a des touffes de poils noirs qui sortent de ses narines et des grosses taches brunes sur le dos des mains.

Ils nous font visiter la maison. Papier à fleurs marron, tapis couleur vomi et tellement de meubles qu'il n'y a pas de place pour jouer. La cuisine est le royaume de Granny. C'est la seule pièce joyeuse. D'ailleurs sa figure s'illumine quand elle montre les images en couleurs de poulets et de cochons du papier peint. Elle est fière de sa maison, pourtant il n'y a pas de quoi. C'est juste un bâtiment carré collé contre un autre, dans une rue de campagne, à Bewdley dans le Worcestershire. Sauf qu'il y a un immense jardin qui entoure les trois autres côtés de la maison, Au fond, une clôture en barbelés le sépare d'un champ.

Dans la seule pièce où brûle un feu, je demande à Granny où se trouve le logement des domestiques. Elle frappe des mains, essuie le coin de ses yeux avec son tablier et donne un coup de coude dans les côtes de Granpa.

— Mon Dieu, mes canards, la seule domestique ici présente, c'est moi – n'est-ce pas, Eric ?

Eric, c'est Granpa. Il fait oui de la tête et s'assied pour fumer sa pipe.

Fleur murmure derrière sa main :

— On n'est pas des canards, hein, Em ? Pourquoi elle nous appelle comme ça ?

Je lui dis de se taire. Ce qui m'intéresse, c'est une boîte de bonbons que j'ai repérée sur une étagère. Granny qui me voit la regarder nous en offre et, oubliant combien nous en avons déjà mangé, n'arrête pas de nous en donner.

— C'est bon pour vous, dit-elle.

— Qu'est-ce que tu racontes, maman ? demande papa.

Au lieu de répondre, Granny fait des gentils petits bruits avec sa langue.

— Trop de sucre, c'est mauvais pour les enfants.

En disant ça, papa desserre sa cravate. Il ajoute :

— Il fait trop chaud dans cette pièce. Tu sais bien que la fumée de charbon est nuisible à la santé de Fleur. Elle a besoin d'air frais. Regarde, elle tousse déjà.

Fleur tousse avec complaisance.

— Pas la peine d'aérer, proteste Granpa.

— Tu n'as pas droit à la parole, s'énerve papa.

— Allons, allons ! fait Granny. Vous n'allez pas remettre ça. Moins on en dit, mieux on se porte.

Granpa détourne la tête. Papa serre les dents et s'en va furieux.

Une fois qu'il est parti, on s'installe sur le pas de la porte pour jouer avec un vieux jeu de puces qui a appartenu à papa et pour grignoter des cigarettes au chocolat, tout en surveillant la rue. Je fais semblant de fumer pour de vrai jusqu'à ce que j'en aie assez et que je les mange. Un garçon arrive vers nous à bicyclette. Comme son vélo est trop grand, il pédale en danseuse. Le vélo oscille à cause des deux grands paniers attachés sur les côtés. Il s'arrête devant chaque maison. Une odeur délicieuse de pain le suit. Quand il stoppe devant chez nous, Fleur appelle Granny.

Je le dévisage parce que j'ai envie de devenir son amie. Il est maigre avec une casquette sur la tête et des dents trop grandes pour sa bouche. Mais il a des yeux bruns gentils et des taches de rousseur sur le nez. Quand il sourit, on oublie les dents. Sûrement parce que le sourire leur va bien.

Le jour suivant nous commençons l'école. Je n'en parle pas à papa, mais mon plus grand souhait est que maman soit là. Je n'en peux plus d'attendre son arrivée. Je me demande si elle est retournée dans notre maison de Malacca et si elle a lu ma lettre. C'est toujours maman qui embellit notre vie. Chez mes grands-parents, elle m'aurait dit au revoir en souriant. Et à l'école, je l'imagine en train de nous faire signe pendant que nous avalons des petits pains au sucre en étant obligées de boire du lait glacé d'une bouteille miniature.

À la récréation, les autres enfants murmurent entre eux. Quelqu'un de ma classe m'a entendue dire à Fleur que le petit pain était rassis. Le garçon qui fait les livraisons du boulanger s'agite avec un air furieux. Sans sa casquette, on voit ses cheveux drôlement mal coupés avec quelques touffes sur le sommet de son crâne.

Il me lance :

—Ils sont très bons. Pas rassis du tout.

—Si, ils le sont. En Malaisie, on en avait des meilleurs. Des gâteaux *nonya* à la vapeur et des délicieux *kuehs* chinois à la noix de coco.

—Dis donc, la Malaisie, hein? C'est où ce pays où les poules ont des dents?

Mains sur les hanches, je l'affronte alors que je tremble intérieurement:

—À l'est, au cas où ça t'intéresserait. Et nous n'avons pas non plus cet horrible lait glacé. Nous buvons du jus de canne frais ou du lait de coco.

—Eh ben, pourquoi vous ne retournez pas là-bas? On vous veut pas ici. Vous êtes des prétentieuses. Même pas des Anglaises. Ouais, vous êtes des immigarées.

Quelques élèves se groupent et chantent: «Immigarées, Immigarées, Retournez d'où vous venez!»

Fleur fond en larmes. Moi, j'empoigne les touffes de cheveux du garçon et lui crie:

—Je suis aussi anglaise que toi, espèce de tête de balai!

On atterrit par terre, en se bagarrant. Les autres rigolent et sifflent en se poussant pour mieux voir. Je tire de toutes mes forces sur son tricot. Lui attrape ma chasuble, qui se déchire dans le dos. Oh non, Granny va me tuer!

—Plus fort, plus fort. Vas-y, Billy, donne-lui une leçon! hurlent les enfants.

On continue à se battre. Mais les cris cessent quand le principal surgit. Je regarde sa tête de cochon toute rose tandis que sa voix retentit dans le silence:

— Emma Cartwright, cessez de vous conduire comme une sauvage. Je vous rappelle que vous êtes en Angleterre !

Il a des yeux tout striés de rouge.

Il tire les oreilles du garçon, qui devient tomate. Et me donne cinq coups de règle sur la paume. Je ne pleure pas, je n'ai pas peur. Je suis seulement furieuse.

Les filles sont les pires. Elles font des messes basses en ricanant, elles sautent à la corde et jonglent sans vouloir que je joue avec elles. Elles me regardent méchamment puis me tournent le dos en parlant très fort. Alors je ravale mes larmes et garde la tête haute. C'est sûr qu'avec ma peau bronzée et mes cheveux décolorés par le soleil je ne suis pas comme elles. En tout cas, elles me détestent parce que je suis différente. En classe, elles me critiquent tout haut, à la cantine elles me poussent à la fin de la queue et à la sortie elles me bloquent le passage en me provoquant. Elles sont plus sympas avec Fleur parce qu'elle saute vraiment très bien à la corde.

À la maison, papa nous annonce qu'il a reçu une lettre de Veronica. Elle s'invite pour prendre le thé un de ces samedis. Je me demande comment maman réagirait. J'aime bien Veronica, mais pourvu qu'elle n'amène pas son frère. Quand je demande s'il l'accompagnera, papa me traite de petite curieuse. Granny m'explique que papa et Veronica sont amis. Qu'elle a un appartement à Londres, mais loue un cottage à Drake Broughton, un village à vingt-cinq kilomètres de Cheltenham.

Qu'elle aime tant Cheltenham qu'elle pourrait vendre son appartement de Londres pour en acheter un ici. Granny paraît très impressionnée quand elle nous dit que Veronica a des «ressources personnelles».

Cette nuit, dans mon lit qui n'est plus protégé par une moustiquaire, je pense à maman. Je l'imagine assise sur le bord de mon lit, comme avant, et commençant à fredonner *Baby It's Cold Outside*. Je me souviens que cette chanson me donnait le fou rire, à cause du climat si chaud de la Malaisie. Ici, c'est plus logique.

Dans la cour de récré, je n'ai pas pleuré, mais une fois que Fleur est endormie, je sanglote. Granny, qui m'a entendue, se glisse dans notre chambre. Quand je lui raconte que les filles de l'école me repoussent, elle me serre contre elle.

— Elles ne t'acceptent pas, hein?

Elle plisse les yeux et ses joues deviennent plus rebondies que d'habitude.

— Je sais, mon canard, dit-elle en soulevant ma crinière indisciplinée. On va faire de toi une fille comme les autres. Tu seras contente, tu verras. Maintenant, endors-toi.

— M. Oliver va venir prendre le thé?

— Sans doute. Tu sais, il habite avec Veronica en attendant de trouver une nouvelle situation à l'étranger.

Je croise les doigts en souhaitant de tout mon cœur qu'il commence à travailler vite, avant d'avoir l'occasion de venir prendre le thé.

9

Sous le soleil brûlant, Lydia ne supportait plus le spectacle des corps sans vie attachés aux arbres, de leurs têtes affaissées qui les faisaient ressembler à des marionnettes abandonnées. Elle détourna la tête, mais l'horreur de la situation la poussa à regarder à nouveau, comme si la vision de cette scène pouvait la convaincre de sa réalité. Maznan poussa des gémissements plaintifs. Lydia, qui ne supportait pas l'odeur du sang, crut qu'elle allait s'évanouir. Mais elle se ressaisit, enlaça l'enfant tout en chassant les mouches qui se posaient sur sa peau. Il enfouit son visage dans sa robe. Alors Lydia, les yeux levés vers le ciel, fit une prière muette.

Les insurgés s'approchèrent. Elle fit un bond en arrière quand l'un d'eux attrapa le menton de l'enfant. Elle essaya de le faire reculer mais Maznan resta immobile, essuya ses larmes et fixa l'homme petit et décharné, aux yeux cernés, au visage creusé noir de crasse. Lydia entendit un bourdonnement d'insectes derrière le rebelle, puis autour de lui. Le bruit s'amplifia. Elle avait le vertige. Le bourdonnement avait pris possession de sa tête à elle. Bzz, bzz. Elle ferma les yeux. Quand elle les rouvrit, l'expression haineuse de l'homme la fit sursauter. Parmi les quelques mots qu'il marmonna à son compagnon en levant son fusil, Lydia n'en comprit qu'un : Anglaise. Elle retint son souffle, se força à se tenir droite malgré ses jambes qui se dérobaient. L'autre rebelle, un costaud avec des joues toutes plissées, s'avança vers elle. Le chef, sans aucun doute. Il la poussa contre un large tronc d'arbre. Elle envisagea de se débattre. Mais comme l'enfant avec un léger signe de tête semblait accepter son sort, elle se résigna en serrant sa main dans la sienne. Pendant que le costaud les ligotait tous les deux à l'arbre, elle essaya de déchiffrer sa physionomie. En vain. Pendant ce temps, le maigre attachait la femme indienne à côté d'eux. Finalement, le chef s'éloigna.

Ses muscles se crispèrent. Sa gorge était si sèche qu'elle était incapable d'avaler sa salive. Allaient-ils tuer l'enfant ? Allaient-ils l'exécuter sur-le-champ ? Devait-elle les supplier de leur laisser la vie sauve au nom de ses petites filles ? L'Indienne lui indiqua de garder le silence. Fermant les yeux, Lydia fit défiler des images. Fleur avec ses cheveux blonds, son nez retroussé et son léger strabisme. Emma courant avec une araignée-banane dans un bocal.

Le rebelle maigre abaissa son arme et s'approcha tout près de Lydia, si près qu'elle pouvait sentir son haleine aigre. Au contact du métal froid du fusil contre sa jambe, elle retint un cri. Du bout du canon, l'homme releva lentement l'ourlet de sa robe. Elle se figea. Il posa son autre main sur sa clavicule et glissa un doigt entre ses seins. Maznan fixait délibérément le sol et elle fit de même. En entendant l'autre rebelle revenir, elle releva la tête. Le chef fit signe à l'autre de s'éloigner. D'abord, il sourit à Lydia, puis il plaqua sa tête contre le tronc et opéra une pression sur son cou, juste sous le menton. Elle sentit ses doigts s'enfoncer dans sa chair. Avec son autre main, il mima la décapitation. Le cœur de la jeune femme s'arrêta. Elle mordit ses lèvres au sang. Et se mit à pleurer en l'implorant de l'épargner.

L'homme la lâcha. Il tira deux coups dans les pneus avant du car. Après quoi, il se balança, mains sur les hanches, en s'esclaffant. Lydia observa l'air hagard des derniers occupants du car alors que le véhicule basculait et les secouait comme sur un manège de fête foraine.

Deux perroquets passèrent dans une bouffée de couleurs. Dans les arbres, un groupe de singes au long nez assistait au spectacle en silence. Ce qui avait été un matin clair se couvrait rapidement de nuages noirs. Dans l'air nauséabond, l'atmosphère semblait immobile. La gorge de Lydia se serra. Comme elle avait été naïve! Et inconsciente. Désormais, tout pouvait basculer. La seule chose qui importait, c'était ses filles. Oui, la seule chose.

L'odeur de sang et d'urine l'agressait. Tout comme le croassement invraisemblable des calaos et les ordres aboyés en chinois.

Alors le garçon se mit à parler doucement :

— Ne t'inquiète pas, Mem, dit-il dans un anglais précis. Ils ne vont pas nous tuer.

Elle retint son souffle.

— Et ils n'ont pas mis le feu au car.

Le choc lui avait délié la langue. C'étaient les premières paroles qu'il lui adressait.

Le garçon ne se trompait pas. Les rebelles traversèrent la route, coupèrent les herbes de *lalang* pour se frayer un chemin et s'enfoncèrent dans la jungle en traînant deux corps dont les têtes rebondissaient sur le sol. Pâles, les traits marqués, effarés par ce qu'ils venaient de vivre, les derniers passagers du car en descendirent, enjambèrent les rigoles de sang en discutant à voix basse.

La femme indienne réussit à se débarrasser de ses liens. Elle libéra ensuite Lydia et l'enfant. En réponse à l'expression étonnée de Lydia, elle dit :

— Tout du bluff. Ces jours-ci, ils ne tuent pas les femmes et les enfants. Ils ont besoin de notre aide.

— Mais ceux qu'ils ont tués ?

— Des traîtres.

Maznan s'éloigna. Tremblante de soulagement, Lydia le vit s'approcher le dos rond d'un groupe de Malais qui était dans le car pour leur parler. Sans crier gare, elle vomit dans les buissons.

Alors qu'elle s'essuyait la bouche avec sa jupe, le garçon revint en courant.

— Un homme peut nous guider vers un village, dit-il très vite. Viens.

Il lui souriait. L'épreuve qu'ils avaient traversée ensemble les avait soudés.

L'Indienne approuva :

— Allez-y. Il va emmener les autres aussi.

— Et vous ?

La femme haussa les épaules :

— Je m'en remets à la volonté de Dieu. Un autre car passera demain.

À la peur s'était substituée une intense lassitude. Lydia ne savait plus où elle en était. Par la force de l'habitude elle chercha ses filles du regard, mais bien sûr elles étaient parties en avance. Que devait-elle faire ? Attendre un autre car, quels que soient les dangers qui pouvaient survenir ? Partir avec l'enfant ? Rester sur la route après la tombée de la nuit était périlleux, surtout si le couvre-feu avait été décrété dans cette zone. Maznan attendait, la main tendue.

— Tu t'occupes de moi, je m'occupe de toi, lança-t-il avec une petite grimace timide.

— D'accord, fit Lydia en lui attrapant la main.

Au moins il parlait et maintenant que l'horreur était derrière eux, ils semblaient former une équipe.

Tandis que la file éparse s'éloignait de la route, les singes recommencèrent à s'égosiller. Toujours indécise, Lydia se retourna. Mouillé de transpiration, son cuir chevelu la grattait. La senteur écœurante des orchidées sauvages lui donnait la nausée. Elle se ressaisit pour l'enfant et essuya la sueur de son front. Néanmoins, un doute la taraudait : comment savoir si cet homme ne les emmenait pas droit dans un piège ?

10

Je me lève de bonne heure pour attendre le livreur de lait. Granny m'a dit qu'il aurait bientôt une camionnette et que je ne pourrais plus voir sa charrette et son cheval. J'écarte le rideau en dentelle et guette son arrivée. Comme le samedi il vient un peu plus tard, je sors et je me prélasse sur le pas de la porte. Je m'amuse à taper des pieds sur le rythme de *You Belong to Me*. C'est une vieille chanson des années de guerre que maman avait l'habitude de chanter. Et moi je l'accompagnais quand les paroles parlaient de la jungle. On m'attrape toujours parce que, assise, je suis avachie. «Tiens-toi droite, Emma», c'est un refrain que j'entends souvent.

Nous sommes en avril. J'ai eu douze ans le mois dernier. Il fait jour. Les oiseaux chantent dans le jardin et derrière les arbres sombres, des bandes jaunes s'étirent dans le ciel. Les maisons et la flèche de l'église prennent une teinte rose. Quand rouge est le matin, le berger est chagrin, dit le proverbe. Il va peut-être pleuvoir. Le laitier apparaît au coin de notre rue dans son bel uniforme blanc, coiffé d'une casquette à visière. Chez Granny, il dépose deux pintes de lait sur les marches, m'appelle son oiseau lève-tôt et me donne quelques sous pour m'acheter des friandises.

Après le petit déjeuner, je vais dans la grange, en ondulant comme une panthère. Il paraît que j'ai la démarche de ma mère. Maman est comme un chat, souple et agile. Je suis maigre et grande mais je n'ai pas ses taches de rousseur. Ce que j'ai de mieux ce sont mes yeux, m'assure maman. Bleu turquoise. Fleur est différente, pas le genre perche comme moi. Elle aime prendre son temps et n'arrête pas de pousser le landau de sa poupée. Aller et retour, aller et retour, avec son nez retroussé en l'air. Elle s'assied bien droite et elle préfère les robes aux shorts. Comme dit papa, c'est une gentille et jolie petite fille.

Quand on vivait en Malaisie, papa faisait beaucoup de sport. Il jouait au tennis, au rugby et pratiquait même la boxe. En Angleterre, il a arrêté. Il porte presque toujours un costume marron foncé ou gris et une cravate. Les week-ends, il met un pull en shetland à motifs que Granny lui a tricoté. Mon aspect débraillé le fait soupirer. Et c'est pratiquement tout le temps.

La grange en bois se trouve en retrait d'un chemin de campagne à environ vingt minutes de la maison de mes grands-parents et sur les terres d'une grande maison, Kingsland Hall. La grange n'est pas très loin de cette grande maison, mais comme un large ruisseau traverse la propriété, il faut faire un long détour par la route pour y aller. Il y a des souris dans la grange et sans doute des rats, mais quelques enfants du coin ont pris l'habitude d'y jouer. Je traîne avec eux, à moitié acceptée. On grimpe à l'échelle et, à l'abri des regards indiscrets, les garçons nous montrent leur derrière et en échange nous leur montrons un peu de nos endroits intimes.

Billy, le garçon maigrichon avec qui je me suis battue, baisse son pantalon juste devant moi et fait pipi dans un coin sans se cacher. Du coin de l'œil je vois son petit robinet se dresser comme un bâton et ça me fait rougir. Quand je refuse d'aller près de lui, il me traite de tous les noms. Les autres ricanent mais je fais ma fière. Pas question d'obéir, même pour faire partie de leur bande.

Quand les autres enfants sont partis, il vient s'asseoir à côté de moi. Il sent la boue et le bois pourri, mais ce n'est pas désagréable. Il a des yeux de la couleur des marrons et, une fois qu'on est habitué à ses grandes dents, un sourire chouette. Maintenant que ses cheveux ont poussé, il a un genre de frange courte. Et il est blond.

Il sort un paquet de cartes sale.

— Tes cheveux ont changé.

— À cause des poux. Ma mère les a coupés court. Excuse-moi d'avoir dit que t'es une immigrée. T'es seulement une étrangère. T'en veux ?

Comme je fais oui, il me passe un gros bonbon violet.

— T'habites où ? il demande.

— Chez mes grands-parents. Mais tu as tort. Je suis anglaise.

— D'accord, d'accord! T'énerve pas. Les autres, ils t'appellent «la prétentiarde».

— Je sais. Et toi, ils t'appellent «le pueur».

On éclate de rire.

— Parle-moi de l'endroit d'où tu viens. C'est comment?

— Il y a un gros orage tous les jours et des millions d'animaux dans la jungle.

— Des singes?

— Oui.

— J'en ai jamais vu en vrai. Mais j'ai une image.

Il me tend une carte cornée. Ses ongles sont rongés au sang et la peau tout autour, écorchée.

— Il y a des centaines de singes en Malaisie. De toutes les tailles. Les bébés s'agrippent au ventre de leur mère et hurlent comme des bébés humains.

— Ça alors!

On suce en silence nos bonbons.

— Tu sais siffler? demande Billy.

— Oui.

Pour lui montrer, je crache mon bonbon et commence à siffler une chanson qui parle de pièces dans une fontaine. C'est maman qui me l'a apprise.

— Ma mère dit que je siffle comme un garçon.

— Où elle est, ta mère?

Ma gorge se noue. Alors j'avale ma salive. Ça aide à ne pas montrer que je suis triste.

— Elle va venir bientôt.

— Tu veux m'aider à fabriquer un kart?

— Sûr.

Nous descendons par l'échelle. Billy fonce dans un coin où il a caché des morceaux de bois, quatre roues de poussette tordues, une caisse et des bouts de métal. De sous la haie, il sort un marteau et des clous.

— C'est à mon père, précise-t-il.

On commence à travailler en se disputant sur la façon de faire.

Quand on a presque fini, on est couverts d'égratignures et d'échardes. Nous inspectons notre kart. Il n'est pas très beau mais il marche. On est vraiment contents.

Je regarde ma montre. Cinq heures et demie. Veronica était invitée pour quatre heures. J'étais censée l'attendre à la maison en regardant la télévision, mais il n'y a pas de programme pendant la journée. Papa me parle rarement sauf pour me dire d'aller dehors. Pourtant, malgré ses principes sur les vertus du grand air, il passe ses soirées scotché à la télévision de Granpa. C'est lui qui l'a offerte à Granpa, même s'ils ne voient pas du tout les choses du même œil.

Il est vraiment temps que j'y aille.

— À demain, en classe, lance Billy en me souriant.

— Ouais !

Et, tout heureuse de m'être fait un vrai copain, je rougis comme une pivoine.

J'arrive à la maison au moment où le marchand de charbon s'engage dans notre rue. Sur le flanc du camion est écrit *Wilson's*. Tout le monde est dehors. Mes yeux pleurent à cause du vent froid qui souffle. Veronica est avec papa et Fleur. Quand papa l'embrasse sur la joue, elle rougit, remet en place les pinces qui maintiennent ses boucles et noue un foulard sur ses cheveux. Puis M. Oliver sort de la maison.

—Ah, la voilà! s'exclame-t-il avec un grand sourire.

Papa me repère. Si j'espérais faire semblant d'avoir été là tout le temps, c'est raté. Sa pomme d'Adam fait des bonds et sa bouche n'est qu'une ligne pincée.

—J'aurai un mot à te dire tout à l'heure, jeune fille, souffle-t-il entre ses dents. Mais avant, je veux que tu viennes jusqu'à la voiture dire au revoir à Sidney et Veronica. C'est le moins que tu puisses faire.

Je reste en arrière pour éviter de m'approcher de M. Oliver mais, quand on arrive près de la voiture, Veronica qui est à côté de son frère me dit :

—Tu me manques, Emma. Et si on passait une journée ensemble bientôt? Seulement toi et moi.

Elle sent la lavande et l'amidon. Au moment où elle m'embrasse, je me dis qu'elle doit être assez seule. Pourtant je me rétracte. Elle monte dans la voiture et agite une main gantée de rose tandis que son frère me tapote les fesses. Il faut que je supporte ça sans broncher. Je me confierais à maman, si elle était là. Mais à papa, non.

—Salut, à très vite, crie M. Oliver.

Quand il ouvre la bouche on lui voit beaucoup de dents très blanches et des gencives très roses.

—Pas si je peux l'éviter, je murmure.

Son haleine chargée me fait grimacer. Mon estomac gronde. Je demande à papa :

— Je peux avoir un scone?

— Certainement pas, répond-il, l'air furieux. Va immédiatement dans ta chambre!

Contrairement à mon habitude, je monte les marches une à une, le cœur battant. Papa est derrière moi.

— Penche-toi, m'ordonne-t-il, une fois que nous sommes dans la chambre.

Je m'exécute et fixe le tapis élimé en souhaitant me trouver à des milliers de kilomètres de là. Tout est silencieux. Je croyais qu'il allait me fesser. Mais quand il retire sa ceinture, je respire un grand coup.

Je tremble, mais j'essaye de montrer que je n'ai pas peur. Tout à coup je ressens une douleur cuisante à l'arrière de mes cuisses. Le motif de roses et de feuilles du tapis se brouille. Je retiens mes larmes et serre les poings.

— Je (un nouveau coup) Ne veux plus (encore un coup) Jamais (quatrième coup) Te voir (coup) me désobéir comme ça.

Je ne pleure pas, mais quand je me relève et vois son visage rouge brique, probablement plus rouge que mes fesses douloureuses, je le regarde et prononce aussi distinctement que possible:

— Je te promets, papa. Je m'excuse.

Sa mâchoire se crispe, mais il ne me regarde pas.

— C'est pour ton bien, Emma, assène-t-il en remettant sa ceinture.

J'ai l'impression qu'il met des heures à enfiler sa ceinture dans les passants. Quand il a fini, il s'en va sans un coup d'œil pour moi.

— C'est pour ton bien, répète-t-il. Tu ne peux pas faire ce que tu veux dans la vie. Plus tôt tu arrêteras de faire l'idiote, mieux ça sera. Et maintenant tu restes dans ta chambre.

C'est la première fois qu'il me frappe ainsi. Même si la boucle blesse, l'indignation est plus douloureuse que la raclée elle-même. Il m'a déjà enguirlandée auparavant, en perdant son calme et me flanquant une taloche. Par exemple, le jour où ayant renversé de l'encre sur mon uniforme j'ai essayé de nettoyer les taches avec de l'eau de Javel. Il faisait une tête horrible et m'a hurlé dessus. C'était injuste, en fait. Car c'était un accident et j'ignorais que l'eau de Javel transformerait le bleu marine en rose pâle. Papa criait que j'allais devoir mettre mon uniforme abîmé et j'ai crié à mon tour que je ne le porterais pas. Ensuite, la peur me faisant perdre mon sang-froid, j'ai braillé que s'il me forçait, je préférerais mourir. Et pour finir, j'avais attrapé un vase sur la table basse et l'avais lancé par terre.

Cette nuit, après ma correction, je reste éveillée dans le noir, souhaitant la présence de maman de toutes mes forces. Les ronflements de papa me parviennent à travers la cloison. Au fond je désire que papa m'aime. Parfois je suis triste de voir qu'il n'a pas l'air de m'aimer beaucoup. Il ne donne jamais de fessées à Fleur. Elle louche un peu et lui ressemble. D'habitude, c'est maman et moi d'un côté et Fleur et papa de l'autre.

Heureusement que j'ai Granny parce que, du côté de notre mère, il n'y a pas de famille. Maman a été élevée par des religieuses. Elle n'a jamais connu sa mère. Un jour, je lui ai demandé pourquoi elle n'avait jamais cherché à savoir qui était sa mère. Elle a répondu :

— Je t'ai toi, Em, et j'ai Fleur. C'est ce qui compte vraiment.

Mais une petite voix me souffle insidieusement :

— *Si ça compte tellement, pourquoi elle n'est pas avec vous ?*

Tais-toi, tais-toi. Son amie était malade.

Je ferme les yeux en espérant voir maman. Mais son image est floue et son visage disparaît. J'essuie mes larmes, et pensant au motif de roses et de feuilles du tapis, je m'endors dans un jardin magnifique où nous respirons la senteur sucrée des jasmins étoilés. Je me souviens que Fleur avait renversé un verre de citronnade glacée en faisant la roue et que maman avait ri en lui disant qu'elle avait besoin de lunettes. C'était le jardin qui menait dans un sous-bois où les gibbons criaient et où les habitants des forêts avec leurs figures écrasées chassaient pour manger. C'était l'endroit où se trouvaient les hautes herbes que personne n'osait fouler à cause des serpents.

11

Précédant Lydia, l'enfant babillait en malais. Alors qu'elle avançait péniblement sous la nef des arbres aux troncs élastiques, un oiseau fluorescent caqueta juste au-dessus de sa tête. Elle sursauta, songeant aux esprits d'Emma, malins comme des crabes qui se glissent dans votre sang et le refroidissent. Et se ressaisit pour livrer bataille à un nuage d'insectes qui sifflaient autour de son crâne. Comme ses anciennes conceptions romantiques de la vie en Malaisie lui revenaient à l'esprit, elle s'arrêta un instant.

Finalement, ce pays n'avait rien d'idyllique : il était bruyant, effrayant, nauséabond.

Elle se retourna vers les arbres noirs qui se détachaient sur un ciel jaune. Un bruissement se fit entendre par-dessus le bourdonnement des cigales et des criquets : c'était l'Eurasien qu'elle avait remarqué dans le car. D'une démarche souple propre aux Malais, il avançait dans sa direction. Lydia se raidit et chercha le garçon des yeux.

— Attention au *malu-malu*! conseilla-t-il en désignant un tapis de jolies fleurs roses. Leurs tiges sont hérissées d'épines.

Elle acquiesça tout en enregistrant sa voix grave, ses yeux bridés et ses traits bien dessinés d'homme intelligent. Son visage n'était pas ouvert comme ceux des Malais, mais complexe, plus proche des faciès occidentaux.

Elle sentit l'odeur d'un feu de bois, puis elle aperçut Maznan à la lisière du village qui, sautillant sur un pied, ressemblait au Mowgli du *Livre de la jungle*, tout en genoux, en coudes et couronné d'une épaisse tignasse. Il sourit quand elle s'approcha de lui et lui ébouriffa les cheveux.

Ensemble ils traversèrent les potagers entourant le kampong pour atteindre les chaumières construites sur de grands pilotis en bois. Lydia évita soigneusement la volaille de la jungle malaise qui picorait la poussière.

Maznan éclata de rire.

— C'est des poulets !

— Je n'ai encore jamais vu de poulets d'un mètre de haut.

Il hocha la tête, toujours souriant.

— Qu'est-ce que ça veut dire, *malu-malu* ? demanda-t-elle.

— Une fleur timide.

Avec ses mains, il imita des pétales qui se ferment.

Lydia se tint à distance d'un buffle qui broutait ; cependant, l'atmosphère familiale du village était réconfortante, et elle se rendit compte qu'elle avait fait le bon choix en venant ici. Pour le moment, du moins, ils étaient en sécurité.

Sur les deux ponts étroits enjambant la rivière des enfants essayaient d'attraper des lucioles : virevoltant et sautillant, ils tapaient des mains quand ils s'en approchaient. Ce village ne correspondait pas à la description que faisait Alec des villages indigènes. Infestés de rats, affirmait-il. Et rongés par les maladies.

— Les Malais sont paresseux, ajoutait-il, quand elle lui faisait remarquer leur sérénité.

Alec s'investissait beaucoup dans l'administration britannique, dans son métier, dans la vie au grand air et dans son club. George, Harriet et leur clan, voilà ce qui plaisait à Alec. Ils étaient ses pareils et partageaient les mêmes idées sur tout. Qui aurait bien pu deviner, se dit-elle, qu'un jour je me trouverais là, assaillie par les effluves d'huile de noix de coco et les sonorités suaves des chants de gorge malais ?

Maznan s'échappa pour parler à deux hommes en sarongs orange brûlé. Il fit signe à Lydia de le rejoindre. Elle hésita. Il revint vers elle pour prendre sa main. Tandis qu'il l'attirait vers une hutte, elle se demanda si c'était l'endroit adéquat où le laisser.

Une jeune femme avec les yeux doux, le visage rond et la peau lisse typiques des Malais, lui offrit une cuvette d'une eau tiède.

— Lela, fit-elle en matière de présentation.

Maznan indiqua à Lydia qu'elle devait se laver les mains et le visage, mais au lieu de ça, elle prit le récipient, attrapa le gamin et voulut lui enlever sa chemise.

— Non! cria-t-il en se reculant.

— Je veux juste la laver. Tu me permets?

Il fronça les sourcils, pesant le pour et le contre.

— Juste la laver? Pas la prendre?

— Non, mon chou. Je ne la prendrai pas. Je te le promets.

Cessant de se débattre, il l'autorisa à la lui retirer. Elle nettoya la plaie sur le côté de son corps puis le frotta et le rinça de la tête aux pieds. Elle enleva les traces de vomi de son visage et lava sa jupe avec une éponge en utilisant l'eau d'une seconde cuvette.

Un minuscule croissant de lune luisait dans le ciel orange. Comme la nuit tombait, des lanternes s'allumèrent dans tout le village. Ils dîneraient bientôt, songea-t-elle. Ce serait dehors, près du feu, si elle avait bien compris. Maznan le lui confirma en souriant de toutes ses dents.

— Des boulettes de riz, expliqua-t-il en se léchant les babines. Du riz gluant.

Elle lui sourit en lui soulevant le menton. Les enfants se ressemblaient partout dans le monde. Soudain, ses filles lui manquèrent très fort. Ce vide la fit trembler de tout son corps. Elle imagina leurs rires quand elles chantaient en chœur dans leur bain. Cette séparation allait durer encore combien de temps?

Des nuées de lucioles décollèrent dans l'obscurité et scintillèrent dans un bel ensemble, illuminant chaque arbre le long de la rivière. Mais ce joli tableau ne fit rien pour remonter le moral de Lydia:

le besoin de voir ses filles la tourmentait plus que la situation délicate qui était la sienne.

Cette nuit-là, elle se coucha sur un lit de camp de fortune. Les rayons de la lune bleue traversaient une fenêtre sans vitre. Quand le garçon se blottit contre elle, elle passa un bras autour de ses épaules pour l'empêcher de tomber. Alors, elle laissa son esprit voyager jusqu'à ses filles et se mit à pleurer en les imaginant endormies dans leurs lits, protégées par des moustiquaires et non par elle.

Maznan essuya les larmes de Lydia du bout de ses doigts d'enfant. Elle lui chanta une berceuse pour l'endormir et transmit par la pensée une prière à ses filles, à travers des kilomètres et des kilomètres d'une jungle hostile.

L'image floue d'une femme dans une robe bleu pâle ornée de bleuets plus foncés le long d'un mince ourlet s'imposa. Elle se tenait sur une plage, sa jupe claquant contre ses mollets. Lydia espéra que cette vision se ferait plus précise. Mais non. Cela n'arrivait jamais. Pourtant, elle s'accrochait à ce souvenir enfoui lors des longues années passées à Saint-Joseph. Quand elle demandait aux religieuses qui était cette femme, elles changeaient de sujet et elle devait se contenter de son imagination. Elle permit à la vision de s'évanouir et malgré la chaleur suffocante, se surprit à s'endormir profondément, la paix du village effaçant l'horreur de la journée.

Elle se réveilla alors que l'aube éclairait les murs de la hutte et que les ananas mûrs et les mangues exhalaient leurs arômes. Elle sortit, huma l'air et trouva Maznan qui comptait le nombre de fois où il sautait au-dessus des cendres du foyer. Il poussait des petits cris de terreur, ce qui fit sourire Lydia qui savait pertinemment que le feu était éteint. Malgré l'heure matinale, les hommes, pliés en deux, cultivaient des lopins de légumes pendant que les femmes balayaient devant les huttes.

— Maznan! appela-t-elle.

Il courut vers elle pour l'emmener voir un petit troupeau de chèvres marron clair qui broutaient dans une clairière.

— Huit! annonça-t-il. Tu peux les toucher.

Prudemment, elle avança sa main vers l'une des plus petites.

Maznan éclata de rire:

— Les bébés ne mordent pas.

Lela arriva avec deux tabourets: l'un pour elle, l'autre pour Maznan. La dextérité que montra le gamin pour traire étonna Lydia. Une fois encore, elle se demanda si ce village était l'endroit où elle pouvait le laisser. La fille du chauffeur n'avait pas été claire à ce sujet.

— Mem! Tu essayes? fit-il en l'encourageant d'un beau sourire.

Il parut déçu quand elle déclina son invitation:

— Tu aimerais rester ici?

— Pendant combien de temps, Mem?

— Tu peux m'appeler par mon nom, Lydia.

— Oui, Mem. Tu peux m'appeler Maz.

Elle soupira:

— Je voulais savoir si tu aimerais habiter ici jusqu'à ce que ta tante vienne te chercher?

L'enfant la fixa d'un œil attentif :

— Pas ma tante, Mem. Je viens avec toi.

Hochant la tête, Lydia ne quitta plus l'enfant des yeux. À Malacca il avait éveillé sa pitié et voilà qu'à présent une douzaine de considérations se bousculaient dans sa tête.

Comme il était à la fois malais et chinois, la fille lui avait demandé de l'emmener dans un kampong malais ou un village de réfugiés chinois. Il avait de la famille dans les deux, mais elle n'avait pas précisé lesquels alors qu'ils étaient si nombreux. Impossible de le traîner jusqu'à Ipoh et, malgré l'état d'urgence, ce village semblait paisible. J'aurais peut-être dû le laisser à la police, songeat-elle, mais l'image de ses propres filles enfermées dans une cellule lui fit repousser cette idée.

L'enfant continuait à la dévisager de ses yeux pleins d'espoir.

— Mais tu dois rester avec les tiens, insista Lydia. Je vais rechercher ma propre famille.

Il cessa de traire, s'approcha tout près de Lydia et leva vers elle ses yeux où se formaient des larmes :

— S'il te plaît. J'ai pas famille ici.

Les hirondelles virevoltaient. Elle écouta leur gazouillement, elle écouta le bêlement des chèvres et le caquètement des poules, elle écouta les grondements qui venaient de plus loin. L'homme à la haute taille se tenait dans l'ombre, l'observant sans ciller. Elle lui rendit son regard. Il la salua brièvement. Après l'avoir retrouvée la veille et parcouru les derniers mètres menant au village dans un silence tendu, ils ne s'étaient plus vus jusqu'au dîner. Il continua à soutenir son regard.

Elle fut la première à détourner les yeux. Il avança directement vers Lydia, d'une démarche fluide, comme s'il possédait les membres bien huilés d'un athlète. D'un coureur de fond. Il lui tendit une main ferme :

— Je m'appelle Adil.

Elle acquiesça, retira sa main frissonnante et baissa les yeux. Mais pas avant d'avoir remarqué ses pommettes saillantes, son nez puissant, ses yeux dorés sous des sourcils bien dessinés.

— Pourquoi ont-ils pris notre car en embuscade ? demanda-t-elle pour dire quelque chose.

— Pillage et extorsion de fonds. Ils brûleront le car si la compagnie ne « souscrit » pas.

— Vous semblez être au courant.

Il haussa les épaules.

Sans paraître particulièrement jeune, sans doute la quarantaine, il avait le front lisse de rides. Son crâne, comme elle l'avait remarqué dans le car, était rasé et brun. Deux lignes couraient de son nez à des lèvres pleines. Mince mais large d'épaules, sombre de peau : il était difficile de déceler sa nationalité.

Il l'interrogea :

— Où allez-vous ensuite ?

— À Ipoh, rejoindre mon mari, s'entendit-elle lui répondre.

Il se caressa le menton :

— Bon, nous voyagerons ensemble. Un trajet difficile en perspective. Je vais dans cette direction.

101

Lydia, pesant les paroles de l'homme, hésita. Pourvu que George Parrott ne se soit pas trompé, se dit-elle, et qu'Alec et les filles se trouvent encore là-bas. Pour le moment, elle ignorait où elle était précisément comme d'ailleurs elle ignorait tout de cet homme. Il était réservé, sans être obséquieux, comme elle aurait pu s'y attendre. Pas évident de se faire une opinion.

— Oh! Je pense voyager seule, finit-elle par lâcher.

— J'insiste, dit-il d'un ton amical. Vous serez beaucoup plus en sécurité avec moi, Lydia. C'est bien Lydia, n'est-ce pas?

— Comment le savez-vous?

Il haussa à nouveau les épaules et désigna Maz:

— J'ai dû vous l'entendre dire au garçon. Vous le déposez ici?

En quoi ça le concernait? C'était plus une affirmation qu'une question. Mais en constatant sa calme assurance, ses incertitudes s'envolèrent d'un coup. Lydia détourna la tête avant de lui répondre:

— Non, il va m'accompagner.

Maz enlaça les jambes de Lydia alors qu'un nuage de papillons jaune irisé voltigeait au-dessus d'eux. Il tenta de les compter, mais ils étaient trop nombreux, trop rapides. L'homme inclina la tête avec indifférence mais Lydia eut le temps de remarquer qu'il serrait les dents.

Elle s'éloigna et aida l'enfant à enfiler sa chemise sèche. Maz rayonnait. Il sourit en révélant une rangée parfaite de dents blanches et lissa soigneusement le tissu. Lydia refit son sac, abandonnant deux paires de chaussures et une des robes habillées. La poussière environnante lui piquait les yeux et la transpiration mouillait ses cheveux récemment coupés. Elle chassa les bestioles bourdonnantes de son visage et gratta les piqûres de ses chevilles. Espérons que le voyage ne sera pas semé d'embûches, pria-t-elle. Et, caressant son médaillon, elle murmura :

— Ça ne sera plus long, mes chéries, plus long du tout.

12

Échangeant à peine un hochement de tête, ils quittèrent le village et ne s'adressèrent guère la parole le long du sentier ardu. Après une heure d'une marche exténuante, ils tombèrent sur un genre de gare : rien de plus qu'une simple cabine téléphonique et un minuscule quai à la lisière de la jungle. Lydia s'écroula sur un banc de fer. Poisseuse, fatiguée, couverte de piqûres d'insectes, elle aurait donné n'importe quoi pour un bon bain. L'enfant passa un bras autour de la taille de Lydia et s'assoupit, la tête sur sa poitrine. Flottaient çà et là quelques brochures promettant la mort aux personnes qui fourniraient de la nourriture aux rebelles. Sur les tableaux d'affichage, deux publicités vantaient la bière Tiger et les chansons de Dinah Shore.

— Vous devez être impatiente de revoir vos filles, dit Adil.

Lydia fronça les sourcils. Lui avait-elle parlé d'Emma et de Fleur ? C'était possible.

— Rien de plus important que la famille, affirmat-il en sortant une orange d'une poche dissimulée dans son sarong. Tenez ! Partagez-la avec le garçon.

— Merci. J'adore les oranges et j'ai soif.

Elle pela le fruit. Son odeur acidulée lui mit l'eau à la bouche, mais en voyant que Maznan en avait envie, elle le lui donna.

Adil ne fit aucun commentaire.

Un bruit de ferraille se fit entendre. Jetant un coup d'œil aux rails, elle pria pour que le train lui procure un peu de fraîcheur. Mais, quand le convoi lui passa sous le nez dans un nuage de poussière, cet espoir se transforma en accablement.

Peu habituée à rester à l'extérieur en fin d'aprèsmidi, et fondant au soleil, Lydia souhaita de tout son corps que la pluie vienne bientôt. Adil, qui ne semblait pas souffrir de la chaleur humide, lui avait porté son sac depuis le départ. Il se contenta de commenter la situation :

— On dirait que la voie n'est pas endommagée, du moins pour cette partie.

Il inspecta les alentours puis lui annonça qu'il avait quelque chose à voir et se dirigea vers la cabine.

En son absence, Lydia repéra un petit oiseau mangeur d'araignées de fort mauvaise humeur parce qu'elle s'était assise près de son nid. Mais il faisait trop chaud pour qu'elle se déplace. Et au retour d'Adil, elle ne fit aucun effort pour lui parler. Reniflant l'odeur salée de ses aisselles collantes, elle maudit Alec. À ce moment, une légère tape sur le bras lui rappela la présence de Maz.

— Mem, j'ai encore faim, se plaignit-il en se frottant le ventre et en la regardant avec de grands yeux.

Pour lui faire plaisir, elle questionna :

— Quel est ton plat favori ?

— *Nasi Dagang*. Maman en cuisine.

C'était la première fois qu'il mentionnait sa mère.

— Maz, tu sais où elle se trouve dans la jungle ? Tu sais ?

Il haussa les épaules et baissa la tête.

— Ta mère t'a acheté cette chemise ? C'est pour ça que tu ne voulais pas que je te l'enlève ?

Il renifla.

Elle réfléchit un instant :

— Comment on fait le *Nasi Dagang* ?

— Avec du riz, de la noix de coco et du poisson.

Lydia fouilla dans ses poches. Un chien squelettique trottinait devant eux, l'œil plein d'espoir. Il fallait qu'elle parle à Adil, même si son aspect réservé la paralysait.

Elle baissa la voix :

— Que faire ? Nous n'avons plus rien.

Le regard de l'homme était protecteur, compréhensif. Se rendant compte qu'ils se dévisageaient, elle détourna la tête.

— Si un train s'arrête ici, on pourra acheter de quoi manger. Il y a des gens qui voyagent pour vendre de la nourriture. Il vous reste de l'argent ?

Elle acquiesça et retrouva l'usage de la parole :

— Je croyais qu'il était interdit de voyager avec des vivres. Et puis, l'argent qu'ils gagnent, ils doivent le dépenser pour leurs billets.

— Ils ne payent pas. Ils sautent dans le train et descendent en marche, expliqua-t-il avec un petit sourire sans cesser de la fixer.

— Ils ne se font pas mal ?

— Ce ne sont que des indigènes, dit-il le plus sérieusement du monde.

Il se moquait d'elle. Tout en fixant les herbes folles qui poussaient au bord du quai, Lydia se rappela un autre voyage. Quand, avec Alec, ils avaient passé en fraude deux chatons siamois à la douane de Jahore. Ce jour-là, *ils* s'étaient donné le droit d'enfreindre la loi.

Elle observa Adil. Elle ne savait rien de lui. Malgré ça, sous son regard, elle se sentait négligée et ça la perturbait. Prenant conscience des poils qui poussaient sur ses jambes nues, elle les enfouit sous la banquette le plus profondément possible.

Enfin, un train délabré stoppa dans un horrible crissement métallique. De forts effluves de gingembre et de tamarin mélangés à la fumée de la locomotive se répandirent. L'air était à la pluie.

Ils montèrent dans un wagon, trouvèrent des places assises et achetèrent des goyaves et des boulettes de riz au curry à une femme sans beaucoup de cheveux, vêtue d'un pantalon déformé. En dépit de la prohibition, Lydia assista à toutes sortes d'échanges interdits de nourriture et de bétail sur pied. Leur vendeuse de nourriture veillait d'ailleurs sur un sac à dos empli de vivres et sur un panier où piaillaient des poules.

—Ils trouvent le moyen d'échapper aux contrôles, commenta Adil.

— La nourriture parvient-elle jusqu'aux rebelles dans la jungle ?

Adil fronça les sourcils :

— Vous ne devez pas parler de ça !

Un rayon de lumière éclairait le visage de l'homme et Lydia découvrit une réelle chaleur dans ses yeux bordés de cils épais. Elle baissa la tête mais quand, une seconde après, elle la releva, l'expression de son regard avait changé, la chaleur avait disparu. Comment se comporter ? se demanda Lydia. Jusqu'à présent, elle n'avait jamais eu de rapports détendus avec des gens de couleur : soit ils travaillaient sous les ordres d'Alec, soit pour elle. Quant au dîner annuel donné au palais du sultan, il était impossible de le qualifier de décontracté.

— Mangez ! ordonna Adil. Il n'y aura peut-être pas de nourriture avant longtemps.

Le train prenant de la vitesse, la forêt défila par vagues comme un océan de verdure. Dès que le convoi ralentissait, une foule de gens se précipitait derrière les buissons pour pallier l'absence de toilettes. Elle réprima un sourire en voyant les hommes pisser sous la pluie, sans prendre la peine de se cacher.

Maz dormait entre eux, la tête contre le bras de Lydia, bercé par le roulis du train. De temps en temps, elle jetait des coups d'œil furtifs vers le profil de l'homme, sa puissante mâchoire, sa bouche aux lignes fermes. Quand, une fois, il surprit son manège, elle détourna la tête, très gênée.

Au bout d'un moment, elle sentit d'autres regards posés sur elle. Un militaire, grand costaud et amateur d'alcool vu son nez rougeoyant, qui passait dans le couloir en compagnie de sa femme, s'arrêta devant elle. Il se pencha vers Lydia, l'air intrigué.

— Tout va bien?

— Oui, merci. À merveille. Je voyage dans le pays.

La femme croisa les bras sur sa poitrine et tordit le nez.

— En compagnie de votre jardinier, ma chère?

Lydia en fut contrariée pour Adil.

— Je vais très bien. Merci de votre gentillesse. Au revoir.

— Ça alors! s'exclama la femme, le rouge aux joues.

Son mari la prit par le coude et la poussa devant lui dans le couloir. En atteignant le wagon suivant, elle était toujours scandalisée.

Lydia soupira et surprit Adil qui souriait:

— Moi tailler les lauriers, Mem?

Elle baissa la vitre pour laisser pénétrer la douce odeur de la jungle après la pluie: l'arôme délicat des freesias sauvages envahit le compartiment. Elle éclata de rire et tout sembla aller bien de nouveau.

Le train grimpait. Une demi-heure plus tard, le front collé à la vitre, Lydia contemplait une rivière coulant au fond d'un ravin. Le soleil sortit des nuages pour illuminer, à mi-pente, les ruines d'un palais.

— Qu'est-ce que c'est? demanda-t-elle à Adil.

— Sans doute le palais du sultan de Selangor, ce qui signifie que nous sommes dans la vallée de Klang.

Lydia fronça les sourcils. Si ses connaissances de la géographie anglaise étaient approximatives, celles de la Malaisie étaient tout ce qu'il y a de plus restreintes.

— Nous approchons de Kuala Lumpur.

Lydia se remémora la carte accrochée dans le bureau d'Alec, derrière sa table de travail. Il lui avait vaguement désigné certaines villes, sans trop se soucier de l'informer sérieusement. Elle avait donc du mal à situer les endroits. En revanche, Johore Bahru, Malacca, l'île de Singapour lui étaient familiers. Tous ces endroits se situaient au sud. Elle savait aussi où était Kuala Terengganu, sur la côte Est. Car au tout début, à l'époque où ils étaient à peu près heureux, ils y avaient passé de courtes mais paisibles vacances. Au fond, elle ne se rappelait que les lieux où elle s'était rendue. Mais, incapable de retenir des détails d'une carte, elle n'avait qu'une vague idée de l'emplacement d'Ipoh.

— Nous sommes à mi-chemin, précisa Adil qui sortit un crayon et un carnet tout déchiré. Je vais vous montrer.

Tout doucement, Lydia souleva l'enfant qui dormait et se glissa à sa place.

Assise presque contre Adil, elle sentit l'odeur épicée d'huile de cèdre émanant de sa peau.

— Voici Penang, à l'ouest, presque en face de Kuantan à l'est.

Elle hocha la tête en voyant se dessiner la forme allongée de la Malaisie:

— Et Ipoh?

— Ici! fit-il en marquant la ville d'une croix. Un peu en dessous de Penang, à mi-distance environ de Kuala Lumpur.

Le bout du monde, songea-t-elle.

— Ce train nous mènera jusqu'où?

— Normalement jusqu'à Tanjung Malim, mais ça dépendra de l'état de la voie.

Elle retint sa respiration:

— Je connais l'endroit. Un ami dirige une plantation près de là. Jack. Jack Harding.

Elle laissa son esprit vagabonder. Jack parcourant sa plantation à cheval. Son grand sourire, ses jambes musclées, le balancement de ses bras, ses épaules trempées de sueur. Soudain, elle se rappela ce que Jack lui avait confié peu de temps après leur première rencontre. Il l'avait regardée droit dans les yeux et, tordant ses larges mains, lui avait dit:

— Bon sang de bois, Lyddy, je ne veux pas mourir dans la jungle.

Incapable de résister à son sourire et à son énergie aussi puissante que le tonnerre tropical, elle l'avait fougueusement embrassé sur la bouche.

— Ne t'en fais pas, mon chéri. Ça ne t'arrivera pas. Mais dis-moi, qu'est-ce qui t'a poussé à venir ici?

— Après la Birmanie, je ne supportais plus la vie ordinaire.

Jack avait dans les quarante ans. Il venait d'une bonne famille et avait été élevé dans d'excellentes écoles privées, mais il avait tourné le dos à son

111

milieu. Les opinions des autres le laissaient de marbre. Qu'ils pensent ce qu'ils veulent, disait-il, en haussant les épaules et en écartant les bras. Blond et beau gosse, il ne passait pas inaperçu. Il ressemble à un grand dieu doré, avait pensé Lydia qui n'avait jamais vraiment admis que, dès le début, elle avait été séduite par son côté mauvais garçon.

Cette image demeurait en elle tel un tendre souvenir.

Les passagers s'assoupissaient sous l'effet de la chaleur et du balancement du train. Maz, recroquevillé contre Lydia, semblait endormi. Mais quand elle pencha la tête vers lui, sa petite main lui pressa la cuisse.

— Ma maman est maintenant à l'intérieur. Je ne la vois plus.

Elle le serra contre elle, attendrie. À ce moment, un voyageur lui frôla le bras en passant rapidement dans le couloir.

Une Malaise, son bébé enfoui dans un châle de coton noué autour de sa poitrine, avançait vivement vers la porte. À l'autre bout du couloir, un contrôleur vérifiait les billets. Soudain, Adil bondit sur ses pieds.

— Que se passe-t-il?

Sans lui répondre, il écarta les passagers debout dans le couloir et suivit la femme. Lydia se tordit le cou pour ne rien manquer de la scène. Devant la porte, la femme tendit le bras et commença à manœuvrer la poignée. Tout le wagon, conscient d'un drame, suivait les péripéties.

Elle ouvrit la portière. Lydia poussa un cri, tout en couvrant sa bouche de sa main. Le train n'avait pas ralenti, nulle gare n'était en vue. Mais la femme, un bras autour de son bébé, avait déjà sorti un pied dans le vide. Elle se penchait, prête à sauter, quand Adil l'attrapa par son châle et la tira à l'intérieur avant de la tenir fermement dans ses bras.

Lydia observa son air soucieux. Il hochait la tête en parlant, tandis que la malheureuse au visage inondé de larmes baissait les yeux. Il fouilla dans sa poche, sortit son portefeuille, désigna le contrôleur et donna à la femme quelques pièces de monnaie et un billet de cinq dollars.

Le contrôleur haussa les épaules en atteignant leurs places et Adil paya pour tous les billets.

— C'est un beau geste de votre part, commenta Lydia.

— Quoi? Les billets? dit-il en fronçant les sourcils.

— Oui, je vous remercie pour les billets mais en fait, je parlais de la femme au bébé. Comment avez-vous su qu'elle allait sauter en marche? Elle aurait pu se tuer.

— J'ai déjà assisté à ce genre de scène. Ce n'est rien.

Visiblement, les compliments l'embarrassaient.

Mais Lydia était impressionnée. Non seulement par sa bonté mais aussi par la rapidité de sa réaction.

À l'extérieur, le vent soulevait de gros nuages de poussière. Le train s'arrêta à une gare minuscule où un car attendait. Les portières claquèrent, les oiseaux s'éparpillèrent, les voyageurs s'agitèrent et transportèrent leurs bagages. Une petite foule de chanceux se dirigea vers le car. Un prêtre, qui attendait leur arrivée, se tourna vers Lydia, sourire aux lèvres. Il portait à la ceinture un pistolet dans son holster. Autrefois, cette arme l'aurait fait frissonner de peur, mais aujourd'hui tout le monde était armé. Aussi elle ne broncha pas. La poussière ambiante, l'angoisse de ne pas pouvoir monter dans le car, voilà qui était vraiment effrayant.

Adil leur trouva des sièges au centre.

Avec un soupir, elle essuya la sueur qui ne cessait de perler à la lisière de ses cheveux. Maz remarqua son air défait :

— Mem, tu es belle !

Des larmes lui montèrent aux yeux. Il fut un temps où, sans doute, elle avait été séduisante, mais maintenant elle n'était que fatigue et saleté.

Un grondement se fit entendre. Elle tourna la tête et vit, escortée par la police, une douzaine de camions qui progressaient lentement sur la route.

Adil les remarqua aussi :

— Ils transportent des colons chinois depuis la lisière de la jungle jusqu'à un camp de réfugiés.

Un haut-parleur se mit à vociférer par-dessus la rumeur du vent.

Lydia avait appris d'Alec que la police et même l'armée s'occupaient des programmes de repeuplement.

— La plupart des gens ne prennent-ils pas le parti du gouvernement ?

— À leur place, que feriez-vous ? Cela ne signifie pas qu'ils soutiennent les Anglais. Seulement qu'ils en ont assez de la violence.

Assise dans le car, Lydia crut que sa tête allait éclater et ses épaules se transformer en briques, tant la journée avait été pénible. Maz avait pris place sur ses genoux, mais elle avait tenu à maintenir un minimum de distance entre l'homme et elle. Elle ferma les yeux et s'endormit. Rêvant de son enfance au couvent et de l'envie constante de retrouver sa mère, elle était enfouie dans le passé quand le car s'arrêta brusquement. Elle ouvrit les yeux, la femme en robe bleue s'évanouit rapidement. Le car ne bougeait plus.

Elle s'obligea à se réveiller et poussa un profond soupir. Encore une catastrophe ? Ses lèvres étaient affreusement gercées. Elle les essuya d'un revers de la main. Mais quand elle les humecta du bout de la langue, elles n'en devinrent que plus douloureuses.

Adil remonta le couloir. Certains passagers se levaient, d'autres se détendaient les jambes, tous s'interrogeaient. Le garçon n'avait pas bougé. Dans l'obscurité grandissante, des zébrures argentées rayaient le ciel bleu marine, mais sans permettre à Lydia de voir la route. Elle attendit, avec la placidité acquise des Malais. Alec, avec ses grands airs anglais, l'aurait embarrassée. Sa patience fut récompensée quand Adil revint :

— La police locale nous a stoppés. Le car doit faire demi-tour. À cause des mines. Ils refusent de prendre des risques.

Lydia se tassa sur elle-même. Pourquoi le sort s'acharnait-il sur elle ?

— Et mes filles ? s'insurgea-t-elle. Je ne peux pas retourner en arrière.

— J'ai organisé un transport pour vous mener à la plantation de votre ami. Un des policiers en poste devait être transféré là-bas demain matin. Il a accepté de vous emmener et partira dès maintenant.

À l'idée de revoir Jack, son cœur bondit dans sa poitrine. Elle se représenta les collines bleues et les vertes vallées de la plantation qu'il lui avait décrites. Le piaulement des geckos sous la fenêtre de sa chambre, le chant guttural des grenouilles taureaux. Elle secoua la tête pour chasser ces images. Jack n'était pas la raison de sa présence ici.

— Vous connaissez Jack ?

— Vous en avez parlé, souvenez-vous ! J'ai vérifié auprès des policiers et Bert est un de ceux qui ont été affectés à la protection de la plantation. Cela vous donnera l'occasion ainsi qu'à l'enfant de vous reposer, de vous nourrir, de vous laver, de dormir.

Il ne put s'empêcher de sourire en inspectant le visage de Lydia ainsi que ses vêtements :

— Vous n'avez sûrement pas envie de revoir vos filles dans cet état.

Dans la lumière faiblissante, elle examina ses pieds pleins d'ampoules, ses jambes couvertes de plaies sanguinolentes. C'était horrible à voir. En plus, tout son corps la démangeait. Elle hésita. C'était trop risqué. Envahie par une vague de découragement, elle s'essuya le front du revers de la main et agita ses doigts gonflés :

— Je ne peux pas aller chez Jack.

Il la regarda avec commisération :

— C'est la meilleure solution. Le car ne repassera pas avant une semaine.

— Et vous ? Vous ne venez pas ?

— Non. Je repars avec le car. Il s'en retourne immédiatement.

Elle poussa un soupir, surprise d'être déçue.

— Je ne pourrais pas vous accompagner ?

— Non. Beaucoup d'événements peuvent se produire en une semaine. Que feriez-vous ?

Elle cessa de discuter. Il avait raison. De cette manière elle rejoindrait Emma et Fleur plus rapidement. Mais que dirait Alec s'il l'apprenait ?

D'une main, Adil porta la valise de Lydia et de l'autre guida Maz vers une voiture blindée où se tenait un officier anglais trapu en tenue de camouflage. Il fumait une cigarette à côté d'un sergent sikh enturbanné.

Adil salua l'homme d'un hochement de tête.

— Lydia, voici Bert.

Aveuglée par la lumière crue d'une torche électrique, Lydia mit une main en visière afin de voir leur chauffeur. Elle agita l'autre pour chasser une nuée de fourmis volantes. De prime abord, Bert avait une bonne tête, des cheveux noirs bouclés rejetés en arrière et des taches de rousseur comme les siennes.

— Pas de souci, tout pour aider une dame, dit-il avec un fort accent du Yorkshire. De toute façon, j'allais là-bas demain matin.

Elle lui adressa un sourire timide, étonnée de sentir à quel point l'Angleterre lui manquait. Oui, elle était loin du Yorkshire !

Lydia installa Maz et monta en voiture. Au moment de fermer la portière, elle hésita. Bert était déjà au volant, prêt à tourner la clé de contact.

— Désolée, fit-elle. Juste une seconde !

Elle descendit et revint vers Adil.

— Qui êtes-vous ? Franchement. Vous avez été si… attentionné.

Elle prit sa main. Son visage était dans l'ombre mais elle vit ses yeux briller et il lui sourit. Décelant une réelle profondeur dans ses prunelles, elle se fit la réflexion que sa dignité et sa réserve lui rappelaient les puissants prêtres indigènes qui peuplaient les vieilles légendes qu'elle lisait à ses filles.

— Il n'y a pas de quoi. Nous vivons une époque dangereuse.

Ils se dévisagèrent quelques instants et elle savoura ce contact éphémère.

— Qui que vous soyez, je veux vous remercier. Pour votre gentillesse.

— Ce n'est rien. Je suis un ami. Pensez à moi comme à un ami.

Bert ne quitta pas les routes goudronnées. À la tombée de la nuit, ils aperçurent quelques feux de village au fond des forêts. Ils stoppèrent devant une clôture de barbelés. Bert pointa sa torche vers le haut des arbres. Apparurent deux policiers perchés dans un mirador qui les surveillaient, à moitié dissimulés par des branches. Ils étaient armés de fusils-mitrailleurs Bren. Bert montra leurs laissez-passer à un troisième policier gardant un portail. Ce dernier les escorta vers la maison principale. De puissants projecteurs juchés sur des miradors éclairaient la propriété.

La route fut plus longue que Lydia ne l'avait soupçonné. Mais quand ils arrivèrent devant un bâtiment brillamment éclairé de deux étages, entouré de clôtures de fer barbelé, son cœur s'emballa. Après avoir déverrouillé une autre porte, le garde les laissa passer. Il contourna un buisson d'azalées qu'une lanterne soulignait et attendit dans la pénombre.

La demeure principale, carrée et imposante, était ceinte d'une terrasse et de ce qui semblait être un vaste jardin avec une dépendance sur le côté. C'était la première fois que Lydia mettait les pieds dans la plantation, car leurs rendez-vous avaient lieu dans des hôtels pendant la journée et même, à une ou deux occasions et de façon très audacieuse, chez elle.

Est-ce bien sage ? se demanda Lydia. Qu'allait penser Jack de sa soudaine intrusion ? Faire demi-tour et rejoindre Adil aurait été plus raisonnable, quitte à attendre une semaine.

Un silence impressionnant l'accueillit dans le vestibule. Peu sûre d'elle, elle respira lentement pour calmer ses nerfs. Le décor environnant lui fit l'effet d'un grand vide meublé seulement par un tapis chinois bleu pâle. Elle remarqua le peu de mobilier, les boiseries foncées, l'odeur masculine du tabac et de cirage.

Une fille chinoise très mince, l'œil sévère et la chevelure soyeuse, bleu-noir descendant jusqu'à la taille, traversa la pièce carrelée. Elle avait une peau à peine teintée et des traits délicats. Sa démarche fluide dénotait sa confiance en sa sensualité. Lydia, rouge et poisseuse, tenta pourtant de lui sourire.

— Oui, fit la fille en anglais, en les balayant des yeux.

Bert sembla quelque peu surpris mais resta poli :

— Jack est là, s'il vous plaît ?

— Il est peut-être encore debout. Qui dois-je annoncer ?

— Bert Fletcher. Je fais partie des forces spéciales assignées à ce domaine. Je devais arriver demain.

Lydia avait appris que des troubles s'étaient produits dans la plantation de Jack. Mais elle ne s'était pas rendu compte que Jack avait besoin de ses propres policiers.

— Une mesure temporaire, ajouta Bert. Ensuite, je serai posté dans un des nouveaux camps de réfugiés.

Il se tourna vers Lydia et précisa :

— Nous travaillons en équipe de deux.

La fille quitta la pièce. Lydia observa un gecko brun-rose avançant sur le mur. Elle lissa sa robe humide et écarta machinalement les mouches de son visage. Un autre gecko se mit à poursuivre le premier pour l'attraper. Celui-ci abandonna sa queue qui continua à se tortiller. C'était de bon augure. Absorbée par le spectacle de la course et s'efforçant de ne pas s'écrouler de fatigue, elle ne vit pas l'expression de Jack au moment où il apparut. Le temps de se retourner en entendant ses pas, ce fut trop tard, et elle rata sa première réaction. Elle enregistra seulement ses pieds nus, ses solides épaules sous une fine robe de chambre, ses manches retroussées, ses cheveux mouillés. Tentant de deviner ce qu'il pouvait penser, elle le regarda droit dans ses beaux yeux bleus.

Quand la Chinoise revint, elle se tint en silence derrière Jack, sa parfaite et mince silhouette se détachant sur le halo de lumière d'un lampadaire.

Il s'approcha de Lydia :

— Lyddy, c'est pas vrai !

Consciente de ses plaies répugnantes et de ses cheveux sales, elle retint son envie de pleurer pour prendre un air courageux. En la dévisageant, il ne fit aucun effort pour cacher sa surprise. Malgré sa fatigue, elle lissa sa chevelure humide :

— Je te présente Maznan, fit-elle en repoussant doucement le gamin qui s'accrochait à sa jupe telle une bernique. Maz pour faire court. Je veille sur lui, en quelque sorte.

Totalement ébahi, Jack écarta les quelques mèches blond foncé qui lui tombaient devant les yeux et s'adressa rapidement à la jeune Chinoise dans sa langue.

La fille inclina la tête et sortit.

— Lili va te faire couler un bain et te préparer une collation. Tu as l'air crevée.

Il la prit par les épaules. Soudain son visage s'illumina :

— Tu as changé d'avis ? C'est la raison de ta présence ?

Elle se sentit frissonner, baissa la tête, serra les poings pour cacher ses tremblements.

Il lui souleva le menton :

— Mon Dieu, dis-moi ce qui t'est arrivé ?

Elle se mordit les lèvres pour endiguer ses larmes, mais en vain. Elle aurait voulu qu'il l'emporte dans ses bras jusque dans son lit et là se faire pardonner. Mais elle avait donné sa parole à Alec. Elle avait choisi.

Il essuya les larmes des joues de Lydia.

— D'accord. Je comprends que ce n'est pas le moment. Je dois me lever avant l'aube. Je serai de retour à midi. Tu pourras alors me parler. Il y a des lits jumeaux dans la chambre d'amis.

Il fit signe à Bert :

— Le garde vous montrera où aller. Lyddy, à demain !

Après un léger baiser sur le front et un petit sourire, il s'éclipsa.

13

La fenêtre est divisée en trois, avec des tiges en métal qui forment des croisillons. Je regarde le ciel d'été, devenu rose sous l'effet du soleil, et je suis triste. Je sens encore l'odeur de ma cachette poussiéreuse sous la maison de Malacca où je me glissais pour espionner. Chaque fois que j'en sortais, vêtements et cheveux en bataille, Mealy Worm fronçait son nez retroussé et disait : « Beurk ! Tu pues ! » Elle n'allait jamais sous la maison. Et maman me grondait : « Emma, vraiment ! Qu'est-ce que je t'ai déjà dit ? Tu risques d'être piquée à mort. »

Les yeux mouchetés de maman me manquent terriblement. Je l'imagine en train de se faire un chignon et d'éclater de rire quand ses cheveux s'échappent et retombent sur ses épaules. Mais comment peut-elle rire sans nous ? Sans moi ? Il m'est de plus en plus difficile de la retrouver dans mes rêves. Quand elle apparaît, j'en perds le souffle à force de respirer son parfum et de désirer sa présence.

Ça fait six mois que nous sommes en Angleterre, mais les souvenirs de la Malaisie sont encore en moi. Je regrette les animaux et les senteurs de la jungle qui s'enroulaient comme des rubans autour des arbres à la limite de notre jardin et nous guidaient vers la ville. Si par malchance il y en avait qui se prenaient dans les cheveux, ils s'entortillaient autour de vous et vous tiraient par le cou dans les sous-bois. Les arbres du Worcestershire ne laissent pas pendre de rubans parfumés, mais je fais quand même attention, au cas où.

Il est encore tôt et pendant que ma sœur dort, Granny et moi fabriquons une maison de poupée pour le neuvième anniversaire de Fleur. C'est une surprise. Comme elle croit qu'elle va recevoir un service à thé en plastique, nous devons éviter de faire du bruit. Pendant que nous sommes à l'école, Granpa assemble les pièces de bois avec des clous. Je peins et orne la maison avec Granny dans sa chambre, loin des yeux de Fleur. Nous avons déjà collé sur les murs des restes de morceaux de papier peint orange et fixé des bouts de linoléum marron sur le sol. Maintenant, je couds une des poupées. Granny, en tablier et pantoufles, confectionne une table et des chaises avec des boîtes d'allumettes. Elle vient de finir la table et attaque les chaises quand on frappe à la porte.

—Tu es là ? demande papa.

Je grogne.

Il me dit à travers la porte :

—Veronica et son frère viennent déjeuner. Ils seront là à onze heures. C'est dans deux heures. Emma, je te prie d'être là. Et de rester tout le temps. Prends exemple sur ta sœur. Compris?

Fleur n'est pas comme moi. Elle s'assied sur les genoux de papa, toute douce et pleine de fossettes. Son visage devient très tendre quand il lui sourit. Maintenant qu'elle n'est plus malade, elle lui ressemble encore plus, avec les mêmes yeux bleus froids et les cheveux bien disciplinés. J'entends le tic-tac de la pendule sur la cheminée. Je pourrais ne pas lui répondre, faire comme si je n'étais pas là. Mais il entrerait et me trouverait. Granny me donne un petit coup de coude d'encouragement.

—Oui, papa! je crie avec un enjouement feint.

Veronica est gentille. Quand son mari est tombé malade, M. Oliver l'a aidée à gérer son école spéciale. Après sa mort, il a accompagné sa sœur en Angleterre. Papa a dit qu'il a eu de la chance d'être emporté aussi vite. Veronica est un peu triste, ce que je comprends, mais papa est plus souriant quand elle est dans les parages.

Granny devant s'activer dans la cuisine, nous rangeons le cadeau dans sa grande armoire. Je suis prête alors à me glisser hors de la maison pour voir Billy.

Fleur se réveille au moment où j'enfile ma dernière épaisseur. Elle met ses mains sur ses hanches. Quand Fleur qui adore les poupées s'avance vers mon lit, je dois planquer celle que je suis en train de coudre sous mon oreiller. Elle me jure qu'elle sait que je manigance quelque chose et si je ne lui dis pas mon secret, elle menace de me cafter. Je suis tellement furieuse que je manque de tout déballer. Mais elle est petite et je ne veux pas être méchante. De plus, elle va être obligée de porter des lunettes, alors je lui dis de s'occuper de ses oignons. Elle boude un peu mais quand elle voit que je suis sérieuse, elle hausse les épaules d'une drôle de manière, un peu comme une grande.

— Tu ne sors pas ? demande-t-elle.

— Si, mais pas longtemps. Tu la boucles, hein ?

Fleur penche la tête de côté et me regarde en clignant des yeux.

Billy et moi avons quelque chose en commun : nous adorons faire preuve d'imagination. Depuis un mois, nous nous exerçons tous les samedis dans la grange à inventer des nouvelles façons de vivre dans le monde. D'habitude, il n'arrive pas avant dix heures, mais quand je monte en haut de l'échelle, il est déjà là.

— Très bien, dit-il en souriant de toutes ses dents. J'étais pas sûr que tu viendrais. Tu peux rester la matinée ?

— Pas de chance, il faut que je sois rentrée pour onze heures.

Billy est un plaisantin et comme moi c'est un sale gosse. Ensemble nous claquons dans nos mains et crions : «Sale gosse comme moooii!» Et nous éclatons de rire. C'est mon tour de trouver la solution à un problème qui sauverait nos vies. Si on sèche, on doit enlever un vêtement. Pour m'assurer que je m'en tirerai bien, je porte une veste, un long haut en coton, un pull, un cardigan, un short, des socquettes et ma jupe. Tout ça sous mon gros manteau bien serré. Nous sommes en août et je crève de chaud.

Billy n'a pas grand-chose sur le dos. Ses jambes maigrichonnes sortent d'un caleçon trop grand et il a hérité une veste trouée de son grand frère. Elle ne couvre pas tout à fait son torse, ce qui me paraît injuste et m'amène à lui prêter mon manteau. Sa famille est assez pauvre, surtout parce que son père boit. C'est ce que Granpa prétend. Ils ont un cottage en bordure du village. Parfois Billy sent le pipi alors qu'il m'assure qu'il s'est lavé. Pas à fond, dis-je en reniflant et en pinçant le nez.

Dès que nous commençons à décrire ce que nous avons imaginé, nous perdons la notion du temps.

— Et si on voyait avec le son au lieu d'avec la lumière, propose-t-il en caressant une moustache imaginaire, en relevant le menton et en plissant les lèvres tel un professeur fou.

— Comme les chauves-souris ? je demande en riant.

— Oui ! Absolument.

Lorsque je reprends conscience du temps, nous sommes couchés en petite culotte dans le foin, nous tapant dans les mains pour nous réchauffer.

— Il est quelle heure ? je hurle.

— Sais pas.

Je regarde ma montre. Oh misère ! Midi et demi. Le déjeuner est toujours servi à douze heures quarante-cinq précises. Comment ai-je pu oublier à nouveau ?

Je bondis pour m'habiller, enfile mes affaires à la va-vite pendant que Billy m'inspecte de la tête aux pieds.

— Ça va pas ?

— T'as de la paille dans les cheveux.

Je me recule, passe ma main dans mes cheveux, descends l'échelle quatre à quatre, trébuche sur mes lacets défaits, m'affale dans la poussière, arrive à la maison absolument crasseuse. J'entre par la porte de service en espérant m'en tirer à bon compte. Je dirai que j'ai travaillé dans le jardin. Mais papa, Granny et Veronica se tiennent dans la cuisine où la table est recouverte d'une nouvelle toile cirée à carreaux. Veronica est ravissante avec son rouge à lèvres rose bébé, sa robe en coton dont la jupe froufroute quand elle s'avance vers moi. Le visage de papa est tendu, sa bouche n'est qu'une ligne dure, son bronzage malais est devenu gris-jaune.

Granny passe sa main dans mes cheveux défaits, arbore un grand sourire qui fait ressortir les rides autour de ses yeux :

— Ah ! Le ramoneur est arrivé !

Je regarde le linoléum marron du sol.

— Emma, qu'est-ce que je t'ai dit ? demande papa.

Je me risque à le fixer. J'aurais dû me taire mais je ne peux m'empêcher de l'ouvrir. N'arrête pas de discourir, fais-les rire, me dis-je.

— J'étais occupée à parler des singes avec Billy. Il voulait savoir ce qu'ils aiment manger. Le gigot d'agneau, ai-je dit. Il ne m'a pas crue, mais c'est vrai, n'est-ce pas... Une fois, maman en a laissé un sur une table et ils l'ont piqué. Ils doivent donc aimer ça.

Je surprends le sourire de Granny avant qu'elle le cache derrière sa main, mais la mâchoire contractée de papa me fait penser que j'ai aggravé mon cas.

—Emma, ça suffit! crie-t-il, avec sa pomme d'Adam qui monte et descend comme d'habitude.

Granny intervient:

—Calme-toi, fiston. Elle n'a rien voulu faire de mal. Ce n'est qu'une jeune polissonne.

Veronica sourit et me dit bonjour.

Je lui tourne le dos sans un mot. Granny commence à enlever la paille de mes cheveux:

—En tout cas, elle n'a pas laissé passer l'heure du déjeuner. Mais je ne comprends pas pourquoi tu portes tous ces vêtements. Enlève-les et lave-toi les mains et le visage, mon canard.

J'imagine leurs regards derrière mon dos. Pour le moment, aucun signe du frère de Veronica. Je respire mieux, mais voilà que Granpa arrive du salon, suivi de M. Oliver.

Après le déjeuner, papa s'organise pour déposer Granny et Granpa à la consultation médicale du samedi et emmener Veronica et Fleur se promener en voiture. Granpa souffre de palpitations et c'est la seule façon qu'a Granny de le faire examiner. Le médecin, de permanence sept jours sur sept, aurait dû venir voir Granpa, mais Granny lui a assuré que le grand air lui ferait du bien. Moi, je suis envoyée dans ma chambre, une punition pour être arrivée en retard et avoir été grossière avec Veronica. Je veux demander pardon, mais les mots restent au fond de ma gorge et refusent d'en sortir. Maman dirait que je fais tout pour être punie.

— Qui va donc s'occuper d'Emma? s'inquiète Granny.

— Oh! Ne vous faites pas de souci, répond M. Oliver en m'adressant un clin d'œil.

J'ai un coup au cœur. Je veux hurler: «Non! Ne me laissez pas avec lui!» Mais quoi que je dise, ils penseraient que j'invente. Je monte, ouvre ma fenêtre tout doucement et j'envisage de sauter. Je les vois discuter sur le perron.

— Je ne sais pas ce qui lui a pris, dit papa. C'était une enfant difficile mais elle est bien pire maintenant. La faute de sa mère qui lui a tout passé.

J'imagine mon père lever les bras au ciel, rouler des yeux, secouer une tête soucieuse, sourire à Veronica d'une manière charmante, tout ça pour montrer qu'il est incapable de se débrouiller avec moi. Et j'entends Veronica:

— Oh, ne soyez pas trop dur avec elle! Sa mère lui manque.

Du coup, je me sens doublement coupable de ne pas être gentille avec elle.

Je ferme très fort les yeux et je pense à la Malaisie, aux endroits presque inaccessibles où je ne suis jamais allée. Je m'y vois au milieu de la nuit, en rêve.

Notre jardinier nous disait de nous méfier du crépuscule, quand les démons sortent pour jouer à l'ombre des hautes herbes. Ils attirent les enfants avec des mets délicats à base de noix de coco et de sucre filé et ne sortent que si l'on s'égare.

Méfiez-vous de ne pas vous perdre, et si vous vous éloignez en cherchant votre chemin, ils vous tentent avec des citrons verts doux et des cannes à sucre. Si vous les suivez, même une seule fois, on ne vous retrouve jamais.

Malgré tout ça, je me sentais plus en sécurité là-bas qu'ici dans le Worcestershire, seule dans une maison avec M. Oliver.

14

Lydia se réveilla dans une chambre inondée de soleil et trouva une tasse de thé froid sur sa table de nuit. La fille avait dû venir ouvrir la fenêtre. Lili. N'était-ce pas son nom? Lydia s'assit dans le lit, s'étira, bâilla. Pour la première fois depuis plusieurs jours, elle se sentit pleine d'énergie. Elle parlerait à Jack aujourd'hui même. Enfin. Après tout, parler ne comptait pas, n'est-ce pas?

Une douche glacée, un livre pris dans la bibliothèque et un petit déjeuner sur la véranda, tel était son programme immédiat.

Sur une petite table en bois, l'attendaient un bol de mangoustans, un pot de café, une assiette de toasts et un exemplaire du *Malay Mail*. Elle décida de jouir de la paix ambiante en attendant le retour de Jack. Le soleil n'avait pas encore atteint son zénith et pourtant la chaleur s'élevait des terres par vagues, l'air se chargeant d'effluves de charbon de bois. Des hévéas aux sommets arrondis dominaient le paysage. Leurs troncs incisés répandaient une étrange odeur doucereuse de caoutchouc. Voilà l'univers de Jack, songeait-elle en respirant profondément.

Une grande pelouse s'étendait devant une terrasse en bois qui entourait la maison sur trois côtés. De la partie la plus éloignée partait un passage couvert menant au logement des domestiques.

Délaissant son livre, Lydia but une seconde tasse d'un café amer et entreprit l'exploration de la demeure. C'était une vaste bâtisse pleine de coins et de recoins, construite en briques et en bois, au toit recouvert de tuiles ocre d'un effet assez amusant. Les volets étaient marron. Sans l'état d'urgence, la maison serait belle. Elle était belle, en fait.

C'est donc là que Jack résidait quand il n'était pas avec elle, pendant l'année que dura leur liaison. Certes, elle avait imaginé la plantation un million de fois sans y avoir jamais mis les pieds. Mais aujourd'hui, comme pour rattraper le temps perdu, elle voyait Jack derrière chaque arbre, l'entendait derrière chaque bruissement. Tant pis pour ce qu'elle avait promis à Alec – après tout c'est elle qui avait rompu –, elle devait admettre qu'elle mourait d'envie de le revoir.

Derrière la maison, un grand nombre d'arbres fruitiers poussaient à l'écart de la plantation d'hévéas. Elle distingua des bananes, des papayes, des jaques. Derrière un grand arbre, le soleil éclairait

133

une douzaine de perroquets fluorescents qui s'envolèrent un par un.

Elle rentra par une grande porte-fenêtre et se retrouva dans un vaste bureau lambrissé. Pas de tapis, pas de tableaux, seulement une lampe sur la table de travail métallique de Jack et un seul fauteuil relax. Ayant à choisir entre deux portes laquées, elle ouvrit celle de gauche et pénétra dans un vestibule aux murs pastel. Cette pièce comportait deux portes marron, toutes deux entrebâillées. Jetant un coup d'œil à l'intérieur, elle vit que l'une d'elles menait à un couloir mal éclairé et l'autre à la chambre de Jack. Elle s'y aventura sur la pointe des pieds.

Elle était fraîche et sombre. Les fenêtres, grandes ouvertes pour laisser passer l'air, étaient munies de moustiquaires, mais les volets et la porte de la véranda étaient soigneusement fermés pour empêcher le soleil d'entrer. Elle respira profondément le parfum de cuir de l'after-shave de Jack, l'odeur de tabac froid de ses cigarettes, son odeur de transpiration. Il y avait autre chose. Une senteur légèrement exotique.

Elle regarda autour d'elle, découvrit une pile de vêtements fraîchement repassés, un parquet bien ciré. Cela n'évoquait pas le Jack qu'elle avait connu : sauvage, il ne se sentait en vie que s'il y avait de l'excitation dans l'air.

Elle se dirigea vers la salle de bains : c'était l'occasion rêvée de pénétrer dans le monde caché de Jack. Ses affaires de toilette étaient alignées sur une étagère en verre au-dessus d'un lavabo un peu terni. Un miroir grossissant à droite et une petite armoire métallique à gauche complétaient le décor. Une serviette mouillée était posée sur le bord de la baignoire. Le pommeau de la douche laissait échapper de l'eau à intervalles irréguliers. Saisissant la serviette, elle y enfouit son visage. Il en émanait une vague odeur de savon au goudron. Elle se lava les mains et s'aspergea la figure. L'eau du robinet était fraîche mais couleur rouille. Elle se sécha avec sa serviette, mélangeant ainsi leurs parfums. Après avoir replié la serviette comme elle l'avait trouvée, elle se tourna vers la petite armoire. Elle se dit qu'elle n'en avait pas le droit. Mais sa main, comme poussée par une force autonome, tourna la clé.

À l'intérieur, en plus de la brosse à dents de Jack et son dentifrice, il y avait un pot de crème de beauté Pond's, un tube de rouge à lèvres et un flacon de parfum.

Le souffle coupé, elle croisa ses bras sur sa poitrine et se laissa tomber sur le rebord de la baignoire. Une voix intérieure lui conseilla de ne pas faire l'idiote. Normal qu'il ait connu d'autres femmes. Alec le lui avait affirmé. Cicely l'avait insinué, alors même que Lydia le voyait en cachette. Pourtant Jack l'avait suppliée : « Quitte Alec ! Viens vivre avec moi ! » La couvrant de baisers, il l'avait implorée de ne pas mettre fin à leur histoire.

Elle savait que son contrat stipulait que pendant sa première affectation de quatre ans, il ne devait pas se marier ou vivre avec quelqu'un. Quand elle avait évoqué le sujet, il lui avait juré qu'il avait les moyens de s'en sortir, ayant mis de l'argent de côté pour racheter son contrat. Ils emmèneraient les filles avec eux quand ils rentreraient en Angleterre. Finalement, elle n'avait pas pu aller jusqu'au bout : Alec y avait veillé.

Son cœur battait la chamade. Qui était la femme ? Tout d'abord, elle espéra que ses affaires dataient d'avant son histoire avec Jack. Saisissant le tube de rouge d'une marque qui lui était inconnue, elle l'ouvrit. Rose pâle. L'étiquette disait « Fleuri » et ne comportait que deux caractères chinois qu'elle ne comprit pas. Elle en étala une trace sur son poignet. Du jasmin ? Non. Mais c'était à coup sûr le même arôme que dans la chambre de Jack. Elle crut s'effondrer. La femme n'appartenait pas au passé mais au présent. Elle consulta sa montre. Presque midi. Jack ne devait pas la trouver là. Reprenant ses esprits, elle s'échappa par la porte de la véranda et se réfugia dans un fauteuil sur le devant de la maison.

Une main sur le cœur, elle s'efforça de sourire à Maz qui s'approchait en courant et s'assit à côté d'elle. Il se mit à babiller, à pointer son doigt vers des nuées de papillons, trop nombreux pour être comptés. Ensemble, ils écoutèrent le cri aigu d'un colibri. Malgré sa douleur, elle se dit qu'il était inutile de se morfondre : elle allait bientôt repartir rejoindre sa famille. Aussi, quand Jack fit son apparition, elle respirait plus calmement, son visage était plus serein.

— Tu as l'air d'avoir récupéré ! lança-t-il en se posant dans un fauteuil et en écartant une mèche blonde de ses yeux fatigués.

— J'avoue que j'étais crasseuse. J'ai dû te faire peur. Au début du voyage, je n'étais pas dans cet état. En fait, j'étais plutôt en forme.

Elle lui sourit. Les lambeaux de sa robe bleu marine gansée de blanc étaient maintenant au fond d'une poubelle.

Il éclata de rire :

— Je te trouve belle. Pourtant je te préfère avec les cheveux longs. C'est ça qu'on appelle la coupe à la garçonne ?

Elle passa sa main dans ses boucles courtes :

— Pas tout à fait. Mais c'est plus pratique.

Il déjeuna rapidement, comme s'il y avait le feu : une soupe aux pâtes rehaussée de curry suivie de poulet satay.

— C'est quoi qui vole ? demanda Maz.

— Un paradisier. Essaye de le trouver.

Maz étant parti à sa recherche, Lydia eut la possibilité de raconter toute son histoire. Mais chaque fois qu'elle parlait de ses filles, sa gorge se serrait.

— Tu es certaine qu'elles sont à Ipoh ?

— Oui, à la Maison coloniale, selon George. Ça ne t'ennuie pas si nous restons un ou deux jours ?

Elle fit un petit signe à Maz qui courait entre les arbres et empochait les plus jolis cailloux.

— Reste plus longtemps. Je me rends à Ipoh le week-end prochain. Je vous emmènerai dans le camion. D'ailleurs les bureaux de la compagnie étant tout à côté du Government Building, je peux vous y déposer. C'est là qu'Alec est basé, non ?

Lydia le remercia d'un signe de tête.

— Ta maison est ravissante, dit-elle avec un grand geste.

— C'est vrai qu'elle n'est pas mal. Elle appartenait au propriétaire de la compagnie. Mais comme mon patron n'en voulait pas, j'en ai hérité. Les Japonais l'ont occupée pendant la guerre et l'ont laissée en ruine.

Se refusant à évoquer le parfum dans sa salle de bains, elle chercha un sujet de conversation. Mais le flacon était comme un obstacle entre eux et elle lutta pour trouver ses mots.

— Quelle est la situation ici ? finit-elle par sortir.

— Pas terrible. Quelques saigneurs d'hévéas ont été menacés. Hier, on a trouvé l'un d'entre eux ligoté, zigouillé à coups de cette machette qu'ils appellent ici un *parang*. Les bandits chinois ne gaspillent pas de balles sur les leurs. Ils les gardent pour nous. La nuit dernière, un camion de la plantation a été incendié.

— Des morts ?

Jack poussa un profond soupir :

— Non, mais la journée d'hier fut atroce. La raison pour laquelle j'étais tellement crevé quand tu es arrivée.

— Ne t'excuse pas !

— Je fais une petite sieste après le déjeuner. La meilleure façon d'échapper à la chaleur écrasante.

Il se leva, s'étira, fit jouer ses muscles avant de se placer derrière Lydia. Il commença à lui masser les épaules. Au début, elle tenta de cacher son plaisir, mais très vite elle ne put s'empêcher de cambrer le dos. D'une main, il lui caressa la nuque, plongeant l'autre entre ses seins. Elle effleura les poils blonds qui frisaient sur son poignet. Un poignet large et fort. Elle tourna sa paume : elle était pâle contre son bronzage. Quelle importance ?

— Lyd, bon Dieu ! Tes épaules ! Elles sont dures comme du béton.

Planté maintenant devant elle, il se pencha pour la contempler. Un frisson parcourut Lydia. Elle entrouvrit les lèvres et rejeta sa tête en arrière. Jack saisit son menton pour l'obliger à le regarder droit dans les yeux. Puis il posa sa bouche sur la sienne.

— Viens, dit-il en s'écartant, je sais ce que tu veux.

— Et l'enfant ? s'inquiéta-t-elle quand Maz revint se coller contre elle.

Maz fit une grimace :

— Je n'ai pas vu l'oiseau.

Jack le prit par la taille :

— Tu auras plus de chance la prochaine fois. Allons, jeune homme ! Au lit !

Lydia conduisit Maz à sa chambre. Quand il fut couché, elle referma la porte derrière elle.

Puis Jack la précéda dans une pièce aux volets clos :

— Hier soir, j'aurais dû te prévenir : en cas d'attaque, prends le gosse avec toi et venez ici. Il y a de l'eau et des conserves dans le placard.

Des sacs de sable étaient empilés le long des murs.

— Mais qui va m'avertir ?

— Personne. Tu t'en rendras compte toute seule. S'il fait nuit, les sentinelles font un vacarme du diable en tapant sur des bidons métalliques. Les lumières de la maison s'éteignent et tu ne dois pas dire un mot.

—Seigneur!

—Ne t'inquiète pas. Tu n'y resteras pas long-temps. Tu sais te servir d'une arme?

Lydia agita la tête en fredonnant une chanson qui tournait à l'obsession. Alec s'irritait quand elle fredonnait, mais plus elle était nerveuse et moins elle se maîtrisait.

—Comment s'appelle cette chanson? Je la connais.

—*Stranger in Paradise!*

Jack éclata de rire.

—C'est vrai que nous sommes tous des Étrangers au Paradis! À propos, le téléphone mural est dans le vestibule. Pendant ton séjour, il risque d'y avoir un appel.

—J'aurais voulu joindre Alec à Ipoh mais George m'a prévenue que les lignes étaient coupées.

—Il a raison. Le commissariat de la police locale teste notre ligne tous les jours. Pour vérifier qu'elle fonctionne encore. Comme nous avons un code spécial, évite de répondre. De toute façon, ils rappelleront. Surtout, n'ouvre pas la porte après la tombée de la nuit.

Elle songea aux histoires à dormir debout que lui racontaient de petits plaisantins: des esprits malins sonnaient aux portes ou vous téléphonaient au milieu de la nuit. Cela la fit sourire.

—Autre chose, maître?

—Non. Fais seulement attention aux mille-pattes géants, aux scorpions venimeux, aux vipères dont les piqûres sont mortelles!

Il rit et, la prenant par le poignet, la coinça contre le mur.

— Ici ou dans un lit?

La culpabilité l'envahit. Alec. Elle s'immobilisa, retint son souffle. Mais la chaleur de l'instant l'emporta. Balayant ses scrupules, elle se libéra avec un grand sourire.

Le seuil de la chambre de Jack franchi, elle apprécia la fraîcheur de la pièce. Sans perdre un instant, elle déboutonna sa robe chemisier rayée, l'abandonna sur le sol où elle forma comme une petite mare verte. Jack s'était déjà glissé entre les draps de fin coton, sa blonde chevelure ondoyant sous la brise du ventilateur. L'œil en alerte, les mains croisées derrière la tête, il avait tout du prédateur aux aguets. Elle se faufila contre lui et respira l'odeur musquée de sa peau tiède. Nerveuse, elle posa une main sur son torse. Elle sentit les battements de son cœur, le regarda, vit l'éclat de ses yeux bleus fixés sur elle. Le désir la submergea.

— Tu aimes ça? demanda-t-il alors qu'il caressait lentement de ses larges mains l'intérieur des cuisses de Lydia.

Ses paumes râpaient un peu. Bientôt, il se plaqua contre elle, lui communiquant sa chaleur. Mon Dieu! Que faisait-elle? Jamais de la vie! Elle devait s'arrêter. Et sa promesse à Alec? Mais elle avait trop envie de la présence intime de Jack, elle le désirait trop. Elle savait qu'elle avait tort, mais impossible de s'arrêter. Elle l'avait dans la peau, mieux, dans la chair. Elle avait envie de lui au point d'en pleurer. Elle se mordit les lèvres.

141

Jack sembla désorienté. Il se gratta le menton :

— Lyddy, ne pleure pas ! Tu sais que je t'aime !

Il essuya ses larmes salées, se lécha les doigts, lui caressa la gorge :

— En amour, tout dépend de la femme. Peu d'hommes en ont conscience.

Elle rit de nouveau.

Dans la chaleur étouffante de l'après-midi, il explora sa peau derrière ses genoux, les recoins derrière ses oreilles, les courbes humides à la base de sa nuque. Il embrassa ses paupières.

Regardant par-delà les épaules de Jack, elle contempla la lumière dansante sur les murs inégaux, sur la porte, sur les plis de leurs vêtements. Avec Alec, elle avalait trois verres et pouvait faire semblant. Avec Jack, c'était différent. Elle inspira à fond et tomba la tête première dans son odeur animale. Sans l'exprimer, elle fut persuadée que le danger ambiant avivait encore ses sens.

— Bon Dieu, Lydia, tu es sacrément baisable !

Leurs deux corps embrasés fusionnèrent.

Après, elle gratta les piqûres enflammées de ses chevilles et regarda Jack se raser. Quand il appliqua le coupe-chou contre sa peau, la pièce se remplit de l'odeur du coaltar. Ses contorsions, tantôt à gauche de son nez, tantôt à droite, l'amusèrent.

— Qu'est-ce qu'il y a de drôle ?

— Toi.

— Tu devrais te voir en train de te mettre du rouge à lèvres.

Une main sur la hanche, il cligna des yeux devant le miroir, dessina un grand O de ses lèvres, mima l'application du rouge. Puis il s'approcha de Lydia, caressa sa joue et planta des petits baisers sur le côté de son cou.

— Bon Dieu, Lyd! Tu m'as manqué!

— Pour de vrai?

— Ça veut dire quoi une question pareille?

Dès qu'elle fut recouchée, elle remonta le drap sous son menton. Lui avait-elle vraiment manqué? Elle se rappela le flacon de parfum, sentit la douleur de l'absence.

Après le départ de Jack qui devait travailler, Lydia s'endormit. Elle ne se leva que réveillée par la brise dans les arbres et le courant d'air qui rafraîchissait la chambre. Elle se doucha, se sécha les cheveux puis sortit se promener avec Maz. En cette fin d'après-midi, ils marchèrent à l'ombre des hévéas les plus proches, leurs branches soyeuses dressées vers la lumière. Bien avant que Lydia entendît le bruit de pas qui s'éloignaient en faisant craquer des brindilles et des feuilles, Maz avait levé sa tête. Ce fut suffisant pour lui rappeler les périls ambiants :

— Mieux vaut rentrer. On peut s'installer sur la véranda.

L'atmosphère était infestée d'insectes bruyants. Jack apparut soudain, portant des vêtements poussiéreux et des rangers. Quand il découvrit leur présence, son visage s'éclaira et ils se dirigèrent ensemble vers la maison. Soudain, il s'arrêta, se pencha et attrapa quelque chose. Ouvrant sa main, il montra à Maz un papillon de nuit rouge et vert diaphane aux ailes déployées.

— Pourquoi il vole pas? demanda le gamin, les yeux brillants de curiosité.

— Malheureusement, il est mort. Continuons avant d'être mangés tout crus.

Les singes hurleurs se manifestèrent dans la lumière qui faiblissait rapidement. Ils arrivèrent à temps pour observer le soleil illuminer le ciel de ses derniers rayons orange.

— Maz, regarde! Avant qu'il fasse tout à fait nuit! s'écria Jack.

Le visage de Maz s'éclaira : juste en dessous de la véranda, il y avait un grand nid fait d'un assemblage disparate de feuilles séchées, de brins d'herbe et de mousse.

— C'est le nid d'un paradisier. Mais la famille s'est envolée.

Lydia contempla le ciel :

— Les couchers de soleil sont magnifiques dans ce pays. Dommage qu'ils ne durent pas longtemps.

Il passa son bras autour de ses épaules, la serra fort. Puis, l'air épuisé, il s'appuya contre la balustrade, le dos voûté.

Une porte s'ouvrit silencieusement derrière eux. Lili s'avança pour parler à l'oreille de Jack. Lydia ne pouvait pas discerner ses traits. Immobile, la jeune fille patienta, dans l'attente d'une réponse. Jack fit un pas de côté pour s'éloigner de Lydia et lui répondre en chinois. Lili parut refréner l'envie de faire une scène et se contenta de plisser les yeux. Puis, comme surprise, elle quitta la véranda. L'attitude de la Chinoise avait été si déconcertante que Lydia s'approcha de Jack, les sourcils légèrement froncés devant son absence d'explication.

— Elle ne sourit jamais? s'étonna-t-elle en s'asseyant.

Il prit place en face d'elle, ses cuisses tannées largement écartées :

— Non. Pas en ce moment, tu as raison.

Il fixait Lydia sans la voir. De légères rides apparurent au coin de ses yeux.

Le silence s'établit entre eux et dura trop longtemps.

Ostensiblement, Lydia consulta sa montre :

— Maz devrait être couché. Je vais m'en occuper.

Jack poussa un petit soupir de soulagement.

Des petits cailloux entouraient les lits jumeaux de leur chambre.

— Cinquante-sept, affirma Maz. Pour nous protéger.

Une irrépressible envie de faire un câlin à ses filles s'empara de Lydia. Elle la reporta sur Maz qu'elle couvrit de baisers pendant qu'il lui tenait la main.

En sortant de la chambre, elle respira l'odeur citronnée des fleurs de pomelos que véhiculait la brise du soir.

Elle tira une chaise près de Jack :

— Parle-moi de ton travail et de la plantation. De ta vie au quotidien.

— Bon Dieu, en arrivant, ce n'était pas ce à quoi je m'attendais, tu peux me croire. Tomber dans des ruisseaux, tailler son chemin dans des herbes hautes qui montent jusqu'aux épaules. Mais, au moins ça me garde en forme.

Lydia ferma les yeux.

— C'est tout un art de récolter le caoutchouc. La saignée doit être parfaite sinon l'arbre s'épuise et meurt. Tu n'imagines pas comme c'est affreux de

145

voir des douzaines d'arbres sains partir en fumée. Les rebelles y mettent le feu et on ne peut pratiquement rien faire.

Il fut interrompu par le bruit d'une moto puis par l'appel de son nom venant du devant de la maison.

Il se leva, se détendit les jambes, fit jouer ses muscles et contourna la véranda pour se rendre à son bureau. Il faisait presque nuit. Sous les tropiques, c'était l'heure tranquille où les sons du jour ont cessé, où le concert des bruits de la nuit va commencer. De ses deux mains, Lydia chassa les moustiques. Tout à coup, elle eut la sensation d'être une intruse. De ne pas être à sa place. Elle était éloignée de sa vraie vie. Éloignée d'elle-même. Les minutes s'écoulèrent une à une. Un bruissement d'ailes fendit l'air, puis le cri d'un animal inconnu. Lydia bondit sur ses pieds quand une envolée de chauves-souris passa en rase-mottes au-dessus de son crâne.

Elle entendit Jack, dans le lointain, crier «Bon Dieu!». Puis sa voix devint un murmure, une sorte de monologue feutré.

15

Allongée sur mon lit, j'essaie de lire tout en espérant que M. Oliver dort et qu'il ne bougera pas avant le retour des autres. J'ai déjà dévoré *Heidi* et *Prince noir*. J'en suis maintenant à *L'Île au trésor*, un des seuls livres de la maison. J'ai été choquée quand Granpa m'a dit qu'ils avaient donné toute leur bibliothèque à une quête pendant la guerre. Le papier devait servir à imprimer les tickets de rationnement. Papa nous a promis des magazines de bandes dessinées. J'ai demandé *Eagle*, mais il a prétexté que c'était pour les garçons et le facteur a déposé *Girl* sur le perron.

Quelle barbe!

Il est pourtant arrivé quelque chose de chouette. Vendredi dernier, une lettre avec le cachet de la poste de Malaisie se trouvait sur la table de l'entrée, attendant le retour de papa. Maman a dû rentrer à la maison et lire ma lettre. J'aurais bien aimé qu'elle m'écrive à moi aussi. Comme papa était absent quand on l'a reçue, j'ai passé toute la journée à la regarder, à la porter à mes lèvres, certaine qu'elle venait de maman et qu'elle nous annonçait la date de son arrivée. Comme l'adresse était tapée à la machine, je n'ai pas pu reconnaître l'écriture, mais qui d'autre écrirait à papa ? J'aurais bien aimé être sûre, mais ce n'était pas le moment d'interroger papa vu qu'en ce moment je ne suis pas dans ses petits papiers.

Je ne suis pas encore habituée à la lumière faible de l'été anglais. Je regrette la chaleur brûlante de la Malaisie et le soleil qui, le soir, plongeait dans la mer. Maman me manque terriblement et je suis très excitée en pensant aux endroits que je vais lui montrer : la grange, le petit chemin derrière l'église où les chats habitent. On fera de grandes promenades autour du village.

Comme je ne veux pas penser à M. Oliver, je passe mon temps à compter les roses décolorées du tapis et le nombre de rayures ondulées du papier peint. Nous en avons utilisé des chutes pour décorer la maison de poupée que nous fabriquons pour Fleur. Granny a même confectionné des fleurs artificielles et un petit arbre à coller sur le côté de la maison.

J'observe le champ d'en face où paissent des vaches au pelage noir et blanc et, à la limite des prés, la longue ligne des arbres noirs. Et si je courais jusque là-bas tant que le soleil illumine le jardin et les toits argentés du village ? Je pourrais me cacher et surveiller le retour de leur voiture.

148

Mais bien que nous soyons en été, le soleil disparaît rapidement et l'après-midi devient gris et pluvieux. J'ai faim. J'ai à peine déjeuné et je donnerais n'importe quoi pour des tartines de confiture. En bas, Granny a préparé un cake aux fruits pour le thé et sorti des friandises, mais je n'ose pas descendre. Si M. Oliver dort, je ne veux pas risquer de le réveiller. Je jette un nouveau coup d'œil à l'extérieur au cas où je verrais la voiture. Mais il n'y a que la camionnette du marchand de *fish and chips* qui vend des repas tout préparés.

Je sors mon cahier, m'assieds en tailleur par terre et m'oblige à me concentrer sur ma dernière histoire. Ça raconte une mort en Espagne dans un monastère au xviie siècle. Je suis impatiente de la montrer à maman. L'abbé est mort dans une magnifique crypte, après avoir pris du poison. Tout le monde sait ce qu'il a fait car il a laissé un mot disant qu'il veut en terminer avec la vie car il ne se supporte plus. Je n'ai pas encore trouvé le motif mais il sera dramatique. Le suicide est un péché terrible et le jeune moine qui a trouvé la lettre décide de la détruire afin de protéger son maître.

J'ai presque découvert la manière dont il s'y prend pour se débarrasser de la lettre, mais je suis distraite par l'odeur de poisson frit en provenance de la camionnette. Je me lève, me penche à la fenêtre : le poissonnier porte une tenue de chef et une toque. J'en salive. C'est par hasard que je me retourne et découvre M. Oliver qui bloque ma porte. Je ne l'ai pas entendu monter l'escalier ! Je respire à fond, cours jusqu'à mon lit, coince mes fesses contre le mur, plaque un oreiller sur mon ventre. Il s'approche, la figure lisse et blanche. J'ai un haut-le-cœur et envie de faire pipi.

— Salut !

Je me dis que je devrais m'enfuir quand j'en ai encore l'occasion, mais mon corps refuse de bouger. Je ne sais pas pourquoi, mais je suis paralysée.

— Allez-vous-en, s'il vous plaît !

— Mais il y a longtemps que je veux te voir.

Il commence à me caresser le front :

— Tu aimais ça, non ?

Je m'écarte en me tortillant.

— Voyons, tu n'as rien à craindre !

Il plisse les yeux et lâche mon menton.

Pendant une minute, je crois qu'il va s'en aller. Mais il me prend les bras :

— Ça sera plus facile, ma chère, si tu te tiens tranquille et si tu es gentille.

Il me force à me coucher en pesant sur mes épaules.

Je voudrais crier, mais je ne fais qu'émettre un piaillement. Je me débats, tente de rouler de l'autre côté du lit. Mais il me maintient fermement d'une main et de l'autre envoie valser l'oreiller.

— Laissez-moi ! Je vous en prie. Je promets de ne rien dire.

— Ne sois pas idiote, ma chère ! Bien sûr que tu ne diras rien.

Il soulève un peu ma jupe, pose une main à l'intérieur de ma cuisse, au-dessus du genou. J'ai tellement peur que je crois que je vais mouiller le lit. J'ai déjà eu ce genre de peur. Mais cette fois-ci, c'est pire. Bien pire. J'essaye de le repousser.

150

Bien que j'aie des larmes plein les yeux, il sourit.

Maman me manque. Je la distingue si clairement que j'en ai mal. Maman! Maman! Maman! Où es-tu? Mon pouls tambourine dans mes oreilles, je me vois sortir et courir vers elle. J'ai entendu parler des gens qui quittent leur corps. On peut y arriver en se concentrant. Mais pas moi.

Je regarde le papier peint et commence à compter les fleurs. Pourtant seule maman m'apparaît. Quand il se met à me caresser, ma tête se remplit de rugissements et ma poitrine me fait si mal que je ne peux plus respirer. Il est fort, mais je guette le moment où il sera distrait et relâchera son étreinte. Alors j'en profiterai. Le vent siffle sous la porte. C'est la seule façon. Tant pis si je suis punie. Elles sont dans ma table de nuit. On y a joué hier, Fleur et moi. Je me rapproche du bord du lit en ondulant.

— Alors tu as finalement décidé que tu aimais ça! souffle-t-il en prenant mes mouvements pour un signe d'acceptation.

Il glisse ses doigts sous l'élastique de ma petite culotte.

J'ai la nausée. Pourtant je me force à patienter.

Il a fermé les yeux et son souffle s'accélère. Il retire sa main gauche, celle qui m'immobilisait, et s'essuie le front. Maintenant! Fais-le maintenant! J'étire un bras avec précaution afin de ne pas éveiller son attention et ouvre le tiroir. Je saisis une fléchette et, de toutes mes forces, l'enfonce dans son cou.

Sa main s'arrête au bord de ma culotte, ses yeux s'ouvrent en grand, il devient rouge. Pendant un instant, je crois que ses yeux vont sortir de leurs orbites.

Puis sa tête saute sur le côté. Il retire sa main de ma cuisse et la pose sur son cou. La fléchette est toujours là. Il regarde ses doigts pleins de sang, gonfle les joues, se met à tousser et à postillonner. Quand il parle, il crache ses mots à travers ses dents serrées :

— Sale petite garce !

Puis il cherche à me bourrer de coups de poing.

Je n'ai pas peur du sang, ça ne m'impressionne pas. Je réussis à esquiver le premier coup. Il recommence. Je plonge du lit, descends l'escalier à toute vitesse, sors à l'extérieur.

Je longe en courant les hangars abandonnés de la ferme où les garçons jouent à la guerre ou aux gendarmes et aux voleurs : trop effrayant quand le jour baisse. Je passe à côté de la forêt où Robin des Bois complote avec l'aide de la belle Marianne : trop sinistre. Je continue ma course jusqu'à ce qu'un point de côté me plie en deux, me coupant le souffle. Quand j'arrive à la grange, il fait presque nuit.

Je grimpe à l'échelle, m'assieds sur les planches en bois, ma tête entre les genoux. Quand mon mal au cœur disparaît, je me cache dans le foin, en répands tout autour de moi pour me soustraire au monde. Tant pis pour les rats, je m'en moque. J'imagine ce qui se passe à la maison. Veronica est choquée. Le sang. La rage de papa. Les mensonges de M. Oliver qui leur raconte qu'il n'y est pour rien. Je l'ai attaqué sans raison. Et si je leur dis la vérité, ils le croiront lui, pas moi. C'est moi qui suis coléreuse. Mais s'il est mort? Si je l'ai tué? J'en tremble d'avance.

Billy viendra dans la matinée. Il m'aidera à m'enfuir, après m'avoir cachée. J'irai à Liverpool, je serai un passager clandestin sur un bateau, je trouverai maman. Je suis fière de ne pas m'être évanouie à la vue du sang, alors que maman n'aurait pas tenu le coup.

Oh, maman!

Quand la solitude m'étreint, j'ai l'impression de tomber au fond d'un trou dont je ne ressortirai jamais. Je pleure en songeant à maman comme jamais.

16

Le visage de Jack était pratiquement impénétrable. Il restait debout, les mains sur les hanches, l'air bizarre, se balançant d'une jambe sur l'autre. De vieilles sandales aux pieds.

Lydia se leva :

— Tu as de mauvaises nouvelles à m'annoncer, non ?

— Elles ne sont pas terribles. Une estafette de la police est venue me voir. Les bureaux gouvernementaux seraient une de leurs prochaines cibles. Tout le personnel et les archives sont évacués à la Maison coloniale. Ils vont être serrés, mais ils ne doivent pas sous-estimer les menaces.

— Pas de danger pour mes filles ?

— Sûrement pas. Mais ma réunion est annulée. Le patron ne veut pas approcher du bureau tant que la situation n'est pas éclaircie.

Le visage de Lydia se ferma.

—Ne te méprends pas, Lyddy! Je vais t'emmener de toute façon. Ne crains rien. Mais nous irons directement à la Maison coloniale sans entrer en ville ni nous rendre dans les bureaux. Il va falloir avancer notre départ. Le mettre à demain.

L'air triste de Jack fendit le cœur de Lydia. Elle ne voulait pas le blesser, mais elle-même était déchirée. En tout cas, elle serait avec ses filles très bientôt. Elle inspira à fond puis expira lentement. Demain. Elle ouvrit son médaillon et s'éternisa sur les visages de ses chéries. Elles lui avaient tellement manqué. Quand elle se tourna vers Jack, ses yeux étaient remplis de larmes :

—Merci. Merci mille fois. Je suis désolée de te causer tant d'ennuis.

—Tu ne me causes jamais d'ennuis.

Elle prit la main qu'il lui tendait, baisa le bout de ses doigts, scruta ses traits. Une vague de désir l'envahit, mais elle baissa les yeux et lâcha sa main.

—Rien n'a changé, n'est-ce pas? demanda Jack en s'effondrant dans un fauteuil en rotin qu'il avait approché.

—Encore une fois, je suis désolée. Tu sais que je dois faire un nouvel essai avec Alec. Pour les filles.

Elle se mordit les lèvres et ajouta :

—Un jour, peut-être.

—Ce jour-là, je risque de ne plus être là.

—Oh, Jack!

Elle alla se placer derrière lui. Il appuya sa tête contre son ventre. Elle noua ses bras autour de ses épaules, couvrit son cou de baisers, mordilla ses oreilles.

Il ne bougea pas.

155

Elle joua avec les poils de son torse.

Jack reprit, d'un ton un peu trop enthousiaste :

— La Maison coloniale était presque vide. Il y aura donc de la place pour les nouveaux arrivants. Tout le monde s'y précipite. Ils organisent un bal pour distraire les gens. Ça devrait avoir un succès fou.

— Heureusement, il nous reste cette nuit.

Lydia s'agenouilla à ses pieds, posa une main sur le haut de sa cuisse, le dévisagea. Elle découvrit une blessure enfouie au tréfonds de ses yeux, une blessure qu'elle ne pourrait jamais soulager. Une blessure, elle en fut certaine, dont elle n'était pas totalement responsable. Elle tenta cependant de le comprendre.

— Mieux vaut s'abstenir, dit-il en écartant la main de Lydia. Demain, nous partons à l'aube.

Comme les temps ont changé, songea-t-elle avec tristesse en se souvenant de l'excitation de leur première rencontre.

Curieusement, comme avec Alec, elle avait fait la connaissance de Jack à une soirée. Il avait passé la porte, souri à quelques amis puis, en inspectant la pièce, croisé le regard de Lydia. Ce soir-là, elle était rayonnante dans une tunique chinoise à fleurs orange et dorées sur fond noir et fendue très haut sur le côté. Le noir faisait ressortir magnifiquement la blancheur de sa peau. Ayant exagéré sur le gin, elle rougit quand il s'approcha, flanqué de Cicely.

— Occupe-toi de lui, ma chérie. Il faut que je fasse des frais aux autres.

Avant de s'éloigner, Cicely leur décocha un clin d'œil coquin.

Alec était également présent au milieu d'un groupe d'hommes qui fumaient et buvaient. Il tournait résolument le dos à sa femme. Dans une autre pièce, elle avait dansé presque toute la nuit dans les bras de Jack, faisant fi des risques qu'elle courait. À la fin de la soirée, alors qu'elle attendait Alec, Jack s'était approché d'elle, avait repoussé une mèche de cheveux derrière son oreille gauche, mordu le lobe, puis glissé une main tiède dans la fente de sa tunique. À partir de cet instant, le mélange enivrant de la sueur de Jack et de l'odeur de son *Shalimar*, lui rappellerait cette rencontre. Il lui avait murmuré quelque chose et la chaleur de son souffle sur sa nuque l'avait fait frissonner. Sa gorge s'était couverte de plaques rouges. Elle avait trop bu. Trop fumé. Trop désiré Jack. À cela s'était ajouté le risque qu'elle courait. Résultat ? Elle était prête à se donner à lui.

— Où ? Quand ? avait-il demandé.

— Dans le parc, avait-elle répondu en repérant Alec du coin de l'œil. Il y a un salon de thé. Neuf heures trente demain matin.

— Matinale, hein ?

— Pas vraiment. Mais je dois déposer mes deux filles à l'école.

Lydia agita la tête comme pour chasser ce souvenir. Les choses avaient changé. Il y a un an, être si près l'un de l'autre sans se toucher aurait été impensable.

Tandis que l'orage se mettait à tonner, Jack alla dormir dans sa chambre et Lydia rejoignit Maz dans la chambre d'amis.

—S'il te plaît, raconte-moi une histoire, implora Maz, la tête sous le drap.

—Tu connais celle du crocodile qui a mangé la pendule?

Il écarquilla les yeux:

—Ça l'a tué?

—Non. Mais le capitaine Crochet a eu peur.

—C'était qui?

—Un pirate.

Maz soupira de plaisir.

Après lui avoir raconté l'histoire de Peter Pan, Lydia, oppressée par l'orage, fut incapable de s'endormir. La nuit de la jungle bourdonnait : stridulations des criquets sous ses fenêtres et, au loin, hurlements des chiens sauvages. Elle tira le drap en fin coton jusqu'à ses yeux. Les bruits extérieurs déformés se mélangèrent à d'autres clameurs pour devenir un boucan infernal. Éveillée malgré elle, elle discerna des battements d'ailes, le bourdonnement du générateur, le mugissement lugubre qu'Emma attribuait à des oiseaux fantômes et solitaires.

Ses filles lui manquaient affreusement. Pourtant, c'était pour leur bien qu'elle quittait la plantation. Elle s'efforça d'oublier son sentiment de culpabilité qui la taraudait depuis sa nuit avec Jack. Après tout, il ne s'était agi que d'une unique nuit.

Le lendemain avant le lever du jour, ils quittèrent la maison dans une voiture blindée qui avait connu des jours meilleurs. Jack avait tiré de son lit Maznan qui dormait à poings fermés avant de le déposer doucement sur la banquette arrière, sa tête sur les genoux de Lydia. Un policier malais occupait le siège du passager. La route de la plantation était bordée de grands arbres qui devinrent visibles avec les premières lueurs du soleil. Ils passèrent devant les logements des ouvriers. Tout semblait désolé. Dans l'auto, personne ne parlait.

Pour se détendre, Lydia retira ses chaussures. Mais la proximité de Jack, l'odeur de son savon au goudron l'empêchèrent de se relaxer.

— Courage, Lyd ! dit-il en se tournant vers elle alors qu'ils sortaient tout juste du domaine. Essaye de dormir. La route sera longue.

Elle aurait bien aimé retrouver leur vieille complicité, mais une certaine distance les séparait désormais. La présence du policier interdisait tout dialogue. De toute façon, qu'y avait-il encore à se dire ? Elle ferma les yeux : derrière ses paupières, ses filles se mirent à jouer. Elle leur ouvrit les bras, renifla le talc sur leur peau et l'odeur de pomme de leurs cheveux. Fleur s'accrochait à elle alors qu'Emma virevoltait en la tirant par la main, impatiente et les muscles tendus. « Allez, maman, dépêche ! »

Les cahots de la route la bercèrent et elle dormit profondément, se réveillant une seule fois, quand la voiture ralentit, freinée par un barrage de police. Elle aperçut à travers ses paupières mi-closes la lumière des torches électriques ainsi que la masse d'une forêt proche.

Plus tard, quand l'aurore dévoila un ciel rose moucheté de nuages ronds, un arrêt brutal la tira de ses rêves. La sueur coulait le long de sa nuque.

Elle ouvrit les yeux. Jack était sorti et discutait avec force gesticulations avec un policier malais. Entendant un dialogue musclé, Lydia prêta l'oreille. Tout d'un coup, Jack baissa la tête puis les deux hommes revinrent d'un pas pesant vers la voiture.

L'appréhension fit frissonner Lydia.

— Jack! appela-t-elle.

Il se racla la gorge puis leva lentement les yeux sur elle. Leur couleur bleue avait viré à la couleur de l'eau boueuse et l'expression de son visage était curieusement sauvage.

— Jack?

Les bois les plus proches étaient plongés dans le silence. Un silence qui vibrait, pourtant. Au loin, la Maison coloniale semblait environnée par le bruissement de la jungle. Lydia sortit de la voiture et se tint pieds nus sur l'asphalte de la route. Il y avait une telle odeur de brûlé qu'elle dut se couvrir le nez. Tournant la tête vers la source de cette puanteur, elle découvrit une colonne de fumée grise qui s'élevait dans le ciel.

Elle se mit à courir. Jack et le policier la talonnèrent de près.

— Madame! cria l'agent. Madame, non! C'est interdit! Ce terrain est hors limites, dangereux! Il ne reste rien.

Il la rattrapa et la saisit par le bras. Son haleine sentait le poisson salé.

Elle s'arracha à son étreinte sans se rendre compte que Maz l'avait suivie de sa démarche silencieuse.

Jack prit la main de Maznan, se pencha vers l'enfant, lui murmura:

— Reste avec le policier. D'accord! Reste ici.

— Vous reviendrez, promis?

— Oui, nous reviendrons.

Lydia se remit à courir:

— Pourquoi tu n'as pas vu la fumée?

— Je l'ai aperçue, mais je n'avais aucun moyen de savoir ce que c'était.

Ils coururent à travers la forêt, empruntèrent des tunnels de verdure, trébuchant sur les racines tortueuses ou se heurtant aux branches basses. Quand ils débouchaient dans un cul-de-sac, ils faisaient demi-tour et persévéraient. Jusqu'à ce qu'ils tombent sur l'allée principale où un panneau indiquait la direction de la Maison coloniale. Ils s'approchèrent toujours en courant d'un grand bâtiment de style victorien, noir de suie, au toit effondré, aux poutres carbonisées mais toujours fumantes. Un policier gardait l'entrée.

Les pieds plantés dans la cendre, Lydia s'immobilisa tel un bloc de glace. Sa vision se troubla, elle se mit à claquer des dents comme au milieu d'un hiver anglais.

— Bon Dieu, Jack, demande-lui si mes filles ont pu sortir de là.

Le garde l'entendit et lui répondit directement:

— Seules deux dames d'âge moyen ont survécu à la fournaise. On les a emmenées à l'hôpital. Brûlées au premier degré, semble-t-il.

Lydia regarda encore une fois les ruines du bâtiment. Elle eut l'impression de ne pas être concernée, de n'être qu'une simple spectatrice. Elle tomba à genoux, ramassa une poignée d'un mélange de cendres et de gravillons. Jack

161

s'agenouilla à côté d'elle, chercha à essuyer son visage couvert de suie.

— Tire-toi! Va au diable!

Elle crut qu'elle allait vomir. Elle entendit Maz sangloter quelque part derrière eux, tourna vers lui un visage défait. Jack tenta de la calmer. Reprenant ses esprits, elle bondit sur ses pieds, chassa Jack, contourna le garde ébahi, pénétra dans ce qui restait de l'édifice.

Des millions de particules de poussière blanche dansaient dans des rayons de lumière. Comme elle s'enfonçait plus avant, l'odeur saisit Lydia à la gorge. Des poutres se consumaient encore dans une atmosphère dépourvue d'oxygène. Elle s'arrêta, tourna la tête dans tous les sens, les oreilles remplies des battements de son cœur et d'étranges sifflements. Où aller? Elle recommença à courir. Et si elles s'étaient cachées dans un placard, dans une salle de bains? Elles y seraient encore. En sécurité. Elle progressa avec difficulté dans toute la résidence, cherchant leur cachette. Des poutrelles métalliques, des débris de verre ralentirent sa course. Elle évitait les obstacles, les écartant brutalement sans prendre garde aux risques qu'elle prenait. Elle ne ralentissait que pour reprendre son souffle, écouter les appels de ses enfants dans sa tête. *Maman! Maman!* Sans prêter attention aux braises qui lui brûlaient la plante des pieds.

Jack l'appela soudain de l'intérieur du bâtiment. Curieusement, une idée vint à l'esprit de Lydia. Et si elles s'étaient sauvées et se dissimulaient dans les bois, affolées, attendant du secours. Un rayon de lumière la guida à l'extérieur. Maintenant à quatre pattes, elle appela ses filles en criant en direction des cimes des arbres. Mais plus elle scrutait la forêt et plus elle ne discernait que des ombres mouvantes.

—Emma, Fleur, où êtes-vous ? C'est maman.

Jack sortit des ruines par une autre ouverture, trouva Lydia, tenta de l'éloigner de là :

—Lydia, nous ne pouvons rien faire.

Toujours à quatre pattes, elle haletait comme un chien en se débattant pour l'écarter. Sa gorge se contractait quand elle ouvrait la bouche, mais elle ne se rendait pas compte que ses cris étaient muets. Les yeux exorbités, elle battait l'air des bras. Les arbres devinrent flous. Tétanisée, elle entendit un froissement d'ailes, la voix de Jack puis celle d'un autre homme au loin. Elle eut la vision de flammes jaunes qui progressaient dans la résidence accompagnées de sifflements et de craquements. Puis d'une épaisse fumée noire se glissant sous les portes suivie d'autres flammes immenses. Puis de la terreur dans le regard de ses filles. Elle respira l'odeur de la chair de ses filles qui brûlaient et partagea leur agonie. *Maman ! Maman !* Sa tête se vida, ses genoux la lâchèrent. Elle s'assit en tailleur sur le sol, la jupe relevée.

À côté d'elle, gisait un nounours aux yeux en plastique fondus, sa fourrure noire de suie. Elle le prit, le berça dans ses bras. À travers ses paupières gonflées et douloureuses, elle contempla l'éclat d'un ciel malais. Ensuite, quand elle se pencha en avant, le sol bondit vers elle. Alors, se rejetant en arrière, elle se fondit dans le ciel.

17

J'imagine M. Oliver étendu mort sur le plancher de ma chambre. Si seulement Billy pouvait venir vite! Je fais pipi dans un coin de la grange et me rassure en pensant à lui. En général, il apparaît et disparaît rapidement, un jeu pour lui qui rêve de devenir prestidigitateur. Il réunit peu à peu les accessoires dont il a besoin et possède déjà un haut-de-forme et un paquet de cartes. Je lui ai promis de l'aider à faire une cape noire avec des étoiles argentées et une doublure violette. Maman m'a appris à coudre. Ça ne doit pas être bien difficile.

Je comprends l'idéal de Billy. Je teste mes histoires sur lui et en échange il essaie ses tours de magie sur moi. Je résiste à l'envie de pleurer. Il faudra plus que de la magie pour me tirer du pétrin où je me trouve.

Il commence à faire sombre, une odeur de moisi envahit la grange. Fermant les yeux, j'imagine que je suis entourée de feuilles luisantes, de fougères et d'oiseaux bleus virevoltant dans les airs. Mais en fait, je ne pense qu'au visage rageur de M. Oliver et du sang sur son cou et ses mains.

Quand je me réveille, je ne sais plus où je suis. Jusqu'au moment où le souvenir de ce qui s'est passé me donne un coup de poing dans l'estomac. J'ai soif mais il n'y a rien à boire. Je me recroqueville donc dans un coin, la tête dans mes mains jusqu'à ce que j'entende les voix de papa et de Veronica. Je me force alors à marcher sur la pointe des pieds jusqu'au bord et vérifier que c'est bien eux. Ils sont trois à lever le nez. Ils ont dû obliger Billy à parler, car il est au pied de l'échelle, la figure toute rouge, l'air furieux et renfrogné.

Une fois descendue, je n'arrête pas de me gratter. Billy baisse la tête et se mouche dans son pull plein de trous. Il refuse de me regarder. Je jette un coup d'œil à papa. Son visage est dur, il a les poings fermés. J'ai tellement peur que je me fais pipi dessus et sens le liquide chaud couler à l'intérieur de mes cuisses. Papa remarque la tache sombre qui apparaît sur ma jupe et pince les lèvres.

Veronica s'agenouille, les mèches en désordre, le visage blanc comme de la craie et les yeux rouges. Elle parle doucement :

—Emma, raconte-nous ce qui s'est passé. Pourquoi as-tu fait ça ?

Si maman est comme le feu, elle est comme l'eau, gentille et douce. Mais il m'est impossible de parler.

165

Mon père intervient :

—Bon sang ! Tu as avalé ta langue ? Qu'est-ce qui t'a pris de poignarder M. Oliver ?

Je fixe le sol.

—En tout cas, ajoute-t-il, tu as de la chance que Sidney ne soit pas allé se plaindre à la police.

Donc, il n'est pas mort, me dis-je.

—Ne crois pas que tu vas t'en tirer à si bon compte, m'annonce papa en me saisissant par le coude.

À la maison, il m'escorte à ma chambre et ferme la porte à clé. Quelle injustice ! C'est M. Oliver qui devrait avoir des ennuis, pas moi. J'ouvre la bouche pour raconter, mais j'ai mal au cœur à l'idée des mots que je dois dire.

—Tu vas rester enfermée dans ta chambre ! crie papa depuis le palier en donnant un coup de poing contre le battant.

Je me crispe, j'ai peur de ce qui va se passer. Suis-je dans mon tort ? Est-ce que j'ai fait quelque chose qui a déclenché ce qui est arrivé ?

Au bout d'un moment, Veronica m'apporte un plateau avec des friandises et des petits gâteaux. J'ai les larmes aux yeux.

Elle se penche vers moi et me tapote la jambe :

—Ne pleure pas. Sidney n'est pas blessé gravement. La plaie a l'air plus vilaine qu'elle ne l'est vraiment. Un peu comme ton père qui aboie plus qu'il ne mord. Tout ira bien.

Je remarque ses poignets étroits et ses petites mains blanches. Elle s'est changée et porte une robe à fleurs jaunes. Elle s'est coiffée mais les épingles n'ont pas l'air de tenir. Ses rides ressortent. J'ai mal

166

au fond de ma gorge. J'ai envie de lui demander comment ça peut aller bien, mais je n'ose pas. Je sais qu'elle est très gentille – plus que je ne le mérite – mais rien n'ira jamais bien.

Ils déménagent le lit de Fleur dans une autre chambre. Je dois dormir toute seule. Granny monte en cachette quand papa est sorti, ouvre la porte en silence et s'approche, un doigt sur les lèvres. Elle s'assied sur le lit à côté de moi et me fait un câlin. Lorsqu'un rayon de soleil l'éclaire brillamment, je vois à quel point elle est vieille et fatiguée, comme son visage est couvert de rides. Je suis malheureuse. Elle est toute recroquevillée et c'est de ma faute.

—Emma, mon canard, raconte-moi tout!

Elle m'a parlé tout doucement et je sens que je vais me remettre à pleurer. J'ai envie de tout lui dire, mais les mots ne sortent pas.

Granny me tend deux tablettes de chocolat Cadbury.

—Savoure-les lentement. Surtout, n'en dis rien à ton père.

—Granny, qu'est-ce qui va m'arriver?

Elle hoche la tête et resserre les cordons de son tablier. Mais plus Granny est sanglée et plus elle flotte dans ses affaires.

—Ils cherchent un pensionnat pour toi.

Je grimace:

—Papa et Granpa?

—Non, mon canard. Ton père et Veronica. On peut dire qu'elle se fait beaucoup de souci pour toi. Tu as de la chance que Veronica ne t'en veuille pas pour ce que tu as fait à son frère.

Je fronce les sourcils. Qu'est-ce que ça veut dire? Est-ce qu'elle sait pour son frère? Si elle a des soupçons, alors peut-être que pour moi ce ne sera pas aussi grave. Je renifle et regarde les yeux bleu foncé de Granny:

—Pourquoi est-ce qu'il me déteste?

—Qui ça?

—Papa. Pourquoi est-ce qu'il me déteste?

Granny s'agite, se lève, lisse son tablier. Elle soupire et je crois qu'elle va pleurer.

—Ce n'est pas toi, mais il y a des choses que tu ne peux pas comprendre.

—Quelles choses?

—Peut-être, quand tu seras plus grande, mon canard, mais tu dois ravaler ton orgueil pendant un temps. Ton père a beaucoup de soucis et il agit de son mieux. Ne l'oublie jamais. Fais attention à ne pas le faire tourner en bourrique et tout ira bien. Je te le promets. Mais, Emma, chérie, tu dois apprendre à te contrôler. Promis?

Je baisse la tête, réfléchissant à ce qu'elle vient de me dire. Est-ce que mon père est aussi méchant que je le crois ou est-ce que j'ai inventé son caractère, comme le méchant des histoires que j'invente? C'est moi qui suis dans mon tort et pas lui? Et comment savoir si l'on a raison ou tort? Cette question me tarabuste énormément.

—«Qui vivra verra!» dit Granny en me regardant d'une drôle de façon.

Puis elle m'embrasse sur le front.

— Tu es une bonne fille. Mais souviens-toi, pas un mot. Je mettrai la radio dans la cuisine pour que tu ne te sentes pas trop seule. En ce moment c'est *Musique en travaillant* puis ce sera l'émission de Lonnie Donegan, le chanteur écossais.

J'ai un petit sourire :

— Ou bien Bill Hayley.

— Garde le moral ! Je mettrai le son à fond pour que tu entendes. D'accord, mon canard ?

— Et si Fleur venait jouer au jeu de l'oie ?

— Oh ! Non ! Fleur va aller vivre chez Veronica pendant que ton père s'organise. Elle l'emmène mardi chez l'opticien.

Quelle barbe ! Et son anniversaire alors ? Je ne suis pas terriblement proche de Fleur mais nous sommes sœurs et je dois l'aimer. Je n'ai jamais pensé que M. Oliver pourrait lui faire ce qu'il m'a fait. Mais papa s'en apercevrait si quelque chose n'allait pas, non ? Il n'a rien remarqué pour moi, mais Fleur est sa favorite. Je me demande même quelquefois si Fleur est triste de l'absence de maman.

Je pose une dernière question à Granny :

— Est-ce que maman va enfin revenir ?

— Je ne sais pas, mon canard. Pas plus que toi. Je sais seulement ce que te dit ton père.

— Mais pourquoi est-ce qu'elle tarde autant ?

Granny hausse les épaules, m'assure qu'elle ne se souvient pas et que même papa ne sait pas. Je grince des dents et m'étire dans mon lit.

Granny appelle Fleur.

Dès que ma sœur pointe son nez, elle sort en laissant la porte entrouverte :

169

— Je vous laisse vous dire au revoir.

Fleur a juste franchi le seuil en traînant des pieds. Je lui demande si maman lui manque. Elle répond qu'elle a Veronica et Granny, alors non. Sa réponse me dérange.

— Mealy, tu n'aimes pas maman ? Tu ne regrettes pas les hautes herbes ?

Fleur se tait. Je dois attendre. J'ai appris à patienter. D'abord quand elle était petite, elle ne comprenait rien. Et puis il lui a fallu du temps pour apprendre à parler. Maintenant j'attends parce qu'elle est lente à formuler ce qu'elle pense.

— Oui, Em. Je l'aime.

— Mais tu ne pleures jamais.

Elle se mord les lèvres.

Je me redresse et la dévisage :

— Fleur, tu ne te rappelles pas l'île ?

Elle secoue la tête.

— Bien sûr que si. Comment pourrais-tu oublier ?

Je revois la côte argentée de l'île où nous passions nos vacances.

— Tu dois te rappeler quand la méduse a piqué maman ? Et comme on devait faire attention où poser nos pieds ?

Fleur baisse la tête et refuse de la relever.

— Tu te souviens des cocotiers, hein ? Et comme tu avais peur des grosses vagues ?

— Je n'avais pas peur, réplique-t-elle à voix basse.

— Alors tu te rappelles. Je le savais bien ! Quand papa et moi faisions la course, tu construisais des châteaux de sable et maman se baignait nue.

170

— Tais-toi, Emma! Arrête. Ne parle plus de maman.

Elle s'enfuit en claquant la porte.

Je ne la suis pas. Pourtant, j'entends qu'elle sanglote dans la salle de bains et c'est à cause de moi.

Après quelques minutes, je décide de prendre avec moi tous mes objets préférés au cas où je devrais partir d'ici. Je sors ma boîte aux trésors et commence à trier. Mon cahier pour noter mes observations, des vieilles perles noires de maman, une jolie bille pourpre et orange et ma brosse en poils de sanglier. Je dois me brosser les cheveux cent fois par jour. Mon stylo-plume chéri et une bouteille d'encre Quink. À l'école j'ai un horrible porte-plume en bois. La plume en métal est fendue au bout et elle gratte. Il faut la plonger tout le temps dans le petit encrier du bureau et elle coule. Tous mes cahiers finissent couverts de pâtés.

Je m'assieds par terre en tailleur et fourrage dans mes affaires, les larmes aux yeux. J'entends du bruit dans le vestibule. Papa. Je fourre tout dans ma boîte que je cache dans l'armoire où je remarque un lapin rose qui émerge d'une couverture écossaise où il s'est perdu. Je le prends pour le donner à Fleur quand elle ira chez Veronica. Puis je m'efforce de prendre l'expression d'une petite fille bien élevée.

18

Lydia ne conserva aucun souvenir de son séjour à l'hôpital. Elle ne se rappela ni le temps passé à attendre la cicatrisation de ses poumons, ni son transfert dans une maison de repos, ni sa folle randonnée dans les braises de la Maison. Quand Jack essayait de lui parler des enfants, elle se tournait vers le mur. Pendant une semaine, il la nourrit, l'obligeant à avaler un peu de nourriture et quand elle ne pouvait pas trouver le sommeil, il lui faisait la lecture. Elle entendait les sons, mais les mots lui étaient incompréhensibles. Alors elle se tournait vers le passé, du temps où les enfants vivaient et respiraient, quand elles souriaient, riaient, discutaient à leur manière.

Maman, viens voir. Maman regarde. Nous dansons.

Dans un climat de calme artificiel, ils pansèrent ses blessures et ses brûlures, puis lui administrèrent des calmants. Quand ils ouvrirent les volets pour la première fois, elle cligna des yeux, aveuglée par la lumière. Sous le soleil de midi, elle rêva de s'échapper et de se perdre au fond d'une forêt où elle tomberait dans un sombre fleuve où les flots recouvriraient sa tête.

Elle entendit Jack murmurer au médecin :

— À l'évidence, une chaleur intense, des étincelles, des traces de carburant répandu autour du bâtiment, ce qui veut dire de multiples départs de feu.

Elle écouta la suite de ses explications :

— L'enquête sur les origines de l'incendie est maintenant terminée. Une action terroriste renforcée par l'action du vent. Pas de corps identifiables.

— Arrêtez ! cria-t-elle. Arrêtez !

Ramenant ses genoux vers elle, elle se balança d'avant en arrière tout en couvrant ses oreilles de ses mains. Deux infirmières, de chaque côté du lit, tentèrent de la forcer à se recoucher. Lydia libéra son bras droit, donna des coups violents à la plus proche mais sa collègue réussit à lui faire une piqûre dans la cuisse. Dans un coin de la chambre, Jack refoula ses sanglots. Pourtant de grosses larmes coulaient de ses yeux. Une à une les lumières s'éteignirent pour Lydia. Elle se demanda pourquoi Jack n'était pas lui-même avant de glisser à l'intérieur d'un monde froid et aquatique qu'elle partagea avec des poissons d'argent et d'immenses tortues.

Au matin, elle émergea de ses rêves de palmiers et de sable blanc, surprit le bruit de pas dans le couloir, entendit la pluie battante tambouriner sur le toit. Elle voulut fermer les yeux, s'extraire du monde, reposer dans les draps blancs de l'hôpital et en finir. Lorsqu'ils entrèrent, elle s'agita et découvrit qu'elle avait erré et tournoyé pendant des semaines. Alors que le temps s'était écoulé lentement, seconde après seconde, il lui sembla qu'il était passé en un éclair. Elle souleva la tête de ses oreillers et vit une rangée de fleurs jaunes alignées sur le rebord de la fenêtre. Un homme au regard soucieux se tenait près de son lit.

—Puis-je rentrer chez moi? demanda Lydia en prenant une gorgée de thé tiède.

—Oui, M. Harding est là pour vous emmener. Vos brûlures se cicatrisent et dans quelques semaines vos poumons seront comme neufs.

—Harding?

L'homme acquiesça.

—Ah! Vous voulez parler de Jack.

En le voyant entrer, un sourire dissimulant ses craintes, elle en eut les larmes aux yeux.

—Jack, je t'en prie. Dis-moi que ce n'est pas vrai.

Il prit son temps pour lui répondre:

—Lydia...

—Je veux être sûre. Peux-tu aller à Ipoh? Ou téléphoner à George? Il sera au courant. Pose-lui la question. Jack, je t'en supplie.

—Je m'en suis déjà occupé. Je suis navré, mais les enfants étaient là-bas. George l'a appris de première main. On n'avait pas attribué de maison à Alec et il n'y a aucune trace d'eux trois nulle part.

— Et s'ils étaient allés à Bornéo ?

— Lydia, je t'assure qu'Alec et les filles étaient à la Maison coloniale. George m'a assuré qu'il n'y a aucun doute à ce sujet. Ils sont morts dans l'incendie.

Sur le chemin de la plantation, la grosse pluie se mua en une sorte de brouillard poisseux et chaud. Lydia ressentit une vague de nostalgie pour l'Angleterre et pour la pluie soutenue de son pays. Des images de ses filles traversèrent son esprit, tantôt à un rythme rapide, tantôt lentement. Elle ne contrôlait pas ses émotions. Le chagrin l'étreignait, omniprésent, lui faisant verser de lourdes larmes ou la plongeant dans des états déments de fureur muette. Elle regardait droit devant elle, refusant de continuer à vivre dans un univers où on laissait les enfants mourir. Un jour on avait une famille, le lendemain elle avait disparu. Comment était-ce possible ? Songeant aux histoires inventées par Emma, elle enfonça ses poings dans ses yeux.

À la plantation, Maz eut droit à une chambre pour lui tout seul. Lydia, elle, préféra dormir avec Jack : dormir, rien d'autre. Dans son sommeil, elle craignit qu'elles se lèvent de leurs tombes qu'elles n'occupaient pas et l'accusent de les avoir abandonnées. Quand, moite de sueur, elle criait pour se défendre, Jack la prenait dans ses bras. Je ne savais pas, je suis désolée, désolée ! Le jour, elle demeurait recroquevillée dans son lit, le visage enfoui dans des oreillers pour absorber ses larmes, cherchant l'oubli. Comment font les gens pour survivre ? songeait-elle. Comment existent-ils ?

Finalement la douleur physique l'obligea à bouger. Elle prit une longue douche, lava lentement son corps courbatu, courbé en deux comme celui d'une vieille femme. Essuyant la buée du miroir grossissant de Jack, elle examina l'être fragile qui la regardait, tapota la peau cireuse, contempla les yeux enfouis dans leurs orbites. Où était-elle partie ? Rien ne lui rappelait la femme qu'elle avait été, sauf un sourcil plus haut que l'autre. Elle le souleva et l'abaissa puis se retourna en entendant leurs voix, ce n'était pas le fruit de son imagination, elles étaient bien enfouies en elle. Tout va bien, mes chéries, maman est là. Mais rien n'allait et maman n'avait pas été là.

Elle utilisa le coupe-chou de Jack pour se raser les jambes, choisit une jupe en coton léger et un corsage émeraude et sortit pour attendre son petit déjeuner. Le soleil brillait dans un ciel bleu sans nuages. Respirant doucement, elle réalisa pour la première fois qu'elle avait faim.

Une Indienne en sari coloré lui apporta un plateau.

— Où est Lili ? voulut savoir Lydia.

La femme haussa les épaules :

— Je m'appelle Channa.

Lydia dégusta lentement des biscuits de riz et une confiture de mangue trop sucrée. Si elle avait commencé par croire qu'elle ne pourrait rien boire, très vite elle tendit sa tasse pour que Channa la resserve en café. Maz, assis en face d'elle, l'observait en silence.

Elle remarqua qu'il avait grandi et que ses cheveux étaient en bataille. Il lui parut terriblement vivant. Comment était-il possible qu'Emma et Fleur fussent mortes ? Alors que Maz était en vie ? Alors qu'*elle* était en vie ? Les souvenirs l'envahirent. Le matin où elle était partie pour aller chez Suzanne lui revint à l'esprit. Si seulement il y avait eu un signe prémonitoire. Si elle n'avait pas pris l'appel de Suzanne. Si elle était arrivée à Ipoh à temps. Si seulement elle ne s'était pas contentée d'un simple au revoir.

La chaleur envahit ses veines. Rien n'avait de sens. Quelqu'un devait payer, quelqu'un d'autre que ces rebelles chinois sans visage qui avaient mis le feu à la Maison coloniale, quelqu'un qu'elle pourrait regarder droit dans les yeux et insulter.

Une crise de rage la saisit par surprise. Soudain, ses doigts qui reposaient au bord de la table du petit déjeuner se crispèrent. Elle ferma les yeux et, sans un mot, renversa la table. Tasses, assiettes, confiture, biscuits glissèrent par terre. Et s'écrasèrent en s'éparpillant sur le sol de la véranda dans un immense fracas. Maz poussa un cri et sauta de côté. Tête baissée, Lydia conserva les yeux fermés, souffrit de l'absence de ses filles tout en sachant qu'elle n'y pouvait plus rien si ce n'est en devenir folle. Quand elle rouvrit les yeux, il n'y avait plus rien. Seulement la lumière du jour, la poussière, l'odeur humide des arbres et de la confiture.

Channa revint avec un balai et une pelle.

— Désolée, murmura Lydia.

La femme l'examina de ses grands yeux en amande, mais ne fit aucun commentaire.

Lydia écouta les craquements des hévéas et les créatures qui remuaient dans les branches. Par intermittence, lui revinrent en mémoire les contes que le jardinier débitait à ses filles et la façon dont elles criaient de plaisir. *Maman! Maman!*

Maz la dévisagea de ses immenses yeux remplis de tristesse. Elle lui tendit la main et il lui permit de serrer la sienne. Ils se sourirent brièvement, comme auparavant. Elle songea que Maz souffrait injustement de ce drame et s'inquiéta qu'il ait dû se débrouiller seul pendant qu'elle était hospitalisée. Il retourna à la cuisine où il se mit à bavarder avec Burhan, le fils de Channa. Avec un peu de chance, il compterait des cailloux ou chasserait des papillons avec son nouvel ami.

Les jours s'écoulèrent avec lenteur. Elle se souvint d'une élégante Européenne qu'elle avait connue à Malacca. Comment s'appelait-elle? Ah oui! Cicely. Elle lui avait envoyé un mot disant qu'elle était navrée de ne pas pouvoir venir, mais elle partait pour l'Australie. De toute façon, Lydia n'aurait pas voulu de sa visite. Ni de personne. C'était Cicely qui, dès le début, l'avait mise en garde contre Jack. La vision de Jack tout nu lui traversa l'esprit. Sans doute une question de jalousie. Gin et tonic, un glaçon, une tranche de citron; un petit verre avant les boissons du déjeuner. Cela lui donna une idée. Une recette pour effacer les souvenirs.

L'armoire des alcools recelait une bouteille de gin intacte mais pas de tonic. Elle fonça dans la sombre cuisine.

— Du tonic ? demanda-t-elle en agitant la bouteille de gin.

Pas de réponse. L'Indienne haussa les épaules. Lydia ouvrit la porte du frigo. Un grand appareil américain qui fonctionnait au kérosène. Des tonnes de bières mais pas ce qu'elle cherchait. Elle se tourna vers un petit garde-manger à côté de la cuisine, fronça le nez en respirant l'odeur d'ananas trop mûrs, mais découvrit des cartons empilés dans un coin. Sans se soucier d'éventuelles araignées mortelles qui proliféraient dans des spirales de poussière, elle écarta deux caisses de bières et trouva un carton de sodas qu'elle traîna jusqu'au salon.

Les premiers effets du gin diminuèrent les douleurs qu'elle ressentait dans son cœur et dans ses membres. Ils l'apaisèrent un peu. C'était donc ça la solution. Elle eut envie d'une cigarette. Jack avait renoncé à fumer quelque temps auparavant, mais avait dû remiser un dernier paquet au fond d'un tiroir. Elle n'avait pas fumé depuis la naissance d'Emma, mais maintenant que l'idée avait germé en elle, cela tourna à l'obsession.

La chambre de Jack comportait peu de cachettes, à part une commode et une haute penderie. Elle ouvrit le tiroir du haut. Des maillots de corps, des caleçons, des chaussettes. Rien d'autre. Le deuxième tiroir ne contenait que des shorts et des chemises. Le troisième révéla quelques objets divers : des accessoires de tenue de soirée, un nœud papillon, un jeu de cartes, un Scrabble, des lunettes de lecture. Elle n'avait jamais vu Jack plonger dans un livre, il se contentait de journaux ou de magazines. Pourtant les étagères croulaient sous le poids des livres.

Le quatrième tiroir lui résista. S'agenouillant, elle tira si fort que son contenu, un amas de vêtements chinois, s'éparpilla par terre. Elle palpa les fines tuniques, les amples pantalons noirs, les jolis hauts blancs et huma le même parfum qu'elle avait senti dans l'armoire de la salle de bains. Parfum qui imprégnait toutes les affaires. Prenant une tunique verte en soie ornée d'un liseré de dentelle noire à la hauteur des cuisses, elle la plaqua contre elle pour se regarder dans le petit miroir de Jack. Elle ne put voir qu'une portion de son corps à la fois, mais quelle que fût la partie qu'elle examinait – haut, milieu ou bas – il était évident que la propriétaire était une femme toute menue. Lydia inspecta l'intérieur du col officier : une étiquette sur fond d'or portait un nom et un seul, *Lili*. Mon Dieu ! s'exclama Lydia à voix basse. Quelle idiote je suis ! Lili ne lui avait jamais souri, n'avait jamais montré cette aimable déférence si typique des jeunes Chinoises. Lili arborait au contraire une sorte d'air supérieur. En voilà la raison, découvrit Lydia.

Elle connaissait des histoires de l'époque coloniale où les planteurs célibataires entretenaient ce qu'on appelait une « poulette ». Une fille qui s'occupait d'eux, cuisinait, faisait le ménage, réchauffait leur couche solitaire et parfois leur cœur. Pourquoi Jack ne lui avait-il rien dit ? Abandonnant sa chasse aux cigarettes, elle se précipita au salon. Elle s'empara de la bouteille de gin, ouvrit la grille et s'enfuit de la maison.

Elle traversa l'allée, s'enfonça dans l'obscurité des bois, se fraya un passage au milieu des buissons de bruyères géantes, évita les branches que des singes sournois lui lançaient. Des oiseaux multicolores s'envolaient des arbres aux branches immenses. Peu à peu, la transpiration se mit à ruisseler de sa nuque dans son chemisier. Elle touchait le fond, comme si elle sortait du temps, insouciante du danger que représentaient les scorpions cachés sous les branches tombées à terre ou les vipères lovées dans l'herbe.

Elle arriva à un large torrent, le franchit d'une traite, enleva son corsage trempé et continua son chemin. Portant la bouteille à ses lèvres, elle en avala goulûment de grandes rasades, comme s'il s'était agi d'eau. Il fallut une terrible migraine, l'impossibilité de respirer, l'explosion d'une nouvelle crise de rage pour qu'elle brise la bouteille à moitié vide contre un hévéa. Le fracas du verre l'apaisa quelques instants. Mais des milliers de bouteilles n'auraient pas suffi à la calmer définitivement. Sans but, elle erra sur des sentiers marécageux, toujours obsédée par l'acte terroriste qui avait détruit ses filles.

Dans une petite clairière, le soleil l'aveugla. Un gazouillis métallique et un oiseau écarlate s'envola. Lili flotta devant Lydia, fraîche, telle une nymphe à la peau d'albâtre. Lydia tâta ses joues en feu et ferma les yeux. Quand elle les rouvrit, la fille avait disparu. Un autre rayon de lumière troua l'atmosphère vert d'eau. Ce fut Emma qui entrait et sortait des troncs des arbres, savourant une sucette avec un sourire espiègle, vêtue comme une Chinoise pour un bal costumé. Captant le rire de ses filles, elle leur sourit avec tendresse.

Lorsque Jack tomba par hasard sur elle en rentrant déjeuner, Lydia fondait sur le bord d'une route, dans l'air épais saturé de moustiques. Elle le dévisagea sans le reconnaître et vomit sur ses chaussures. Avant de la porter jusqu'à la maison, il enleva les éclats de verre plantés dans ses pieds et, avec une cigarette allumée, élimina les sangsues de ses jambes. Elle eut plusieurs haut-le-cœur, mais mieux valait qu'elle soit malade physiquement plutôt que de se déchirer le cœur.

La nuit venue, alors que Jack dormait, Lydia s'allongea dans le jardin pour profiter de la fraîcheur, contempla la demi-lune, vit Emma qui l'appelait depuis le domaine des ombres. Comme elle aurait aimé la rejoindre. Elle se sentit glisser loin de la surface de la vie, dans un lieu où rien ne la toucherait, où l'amour n'existait pas, ni la douleur, ni aucune forme d'espoir.

Le lendemain matin, Jack la trouva couchée à même le sol, froide comme un glaçon, Maz agenouillé à son côté, portant un vieux tee-shirt de Jack. Jack la mit debout, la gifla à toute volée et la porta à l'intérieur. Il embrassa Maz et le chargea de demander à Channa d'apporter du café et des biscuits. Dès que le plateau fut servi, il força Lydia à avaler un peu de café amer, puis frotta et tapota ses mains pour les réchauffer. Elle s'évanouit aussitôt.

Quand elle rouvrit les yeux, la lumière avait changé, la pièce était remplie d'une lumière rose diffusée par un soleil crépusculaire. Ses jambes et ses pieds la faisaient souffrir.

— Promets-moi de ne jamais recommencer, l'adjura Jack.

— Qu'est-ce que je vais devenir ?

— Tu vas rester ici avec Maz. Aussi longtemps qu'il le faudra. On verra ensuite.

— Je n'ai rien.

— Tu m'as moi.

— Non. Je voulais parler d'argent.

— Bon sang, Lydia ! J'ai mon salaire. Tu n'as pas à t'en préoccuper à l'heure actuelle. Remets-toi sur pied. C'est le plus important.

Elle acquiesça.

— Je sais que tu ne vas pas me croire, mais tu iras mieux.

Elle grimaça en secouant la tête :

— Ma vie ne signifie plus rien.

— Chérie, je le sais, mais tu devras te trouver de nouveaux buts.

Malgré sa gentillesse, elle sentit une bouffée de colère monter en elle :

— Comment peux-tu dire une chose pareille ? Emma et Fleur étaient tout pour moi.

— Lyddy, il doit bien exister autre chose.

Il s'exprimait doucement, caressait sa joue, la regardait avec ses yeux aussi bleus que le ciel malais.

Elle repoussa sa main :

— Plus importante que mes enfants ? Tu es devenu fou ?

— J'existe ainsi que Maz, précisa Jack d'une voix si douce qu'elle dut faire un effort pour l'entendre.

—Jack, je ne sais pas. J'aimerais téléphoner de nouveau à George. Lui demander s'il y a du nouveau.

Jack pinça les lèvres, soupira :

—D'accord, si c'est ça que tu veux.

Pourtant, tous deux étaient conscients d'une chose : quand Lydia aurait admis la perte de ses enfants, soit elle surnagerait, soit elle se laisserait couler. Elle espéra que Jack était assez malin pour savoir qu'elle ne lui dirait pas la voie qu'elle choisirait.

Maz entra tout doucement, les yeux bouffis, preuve qu'il avait pleuré toutes les larmes de son corps. Lydia le serra très fort contre son cœur :

—Désolée, mon chéri. Mais les enfants ne doivent pas mourir avant leurs parents.

Elle lui caressa les cheveux et, regardant par-dessus son crâne, remarqua que Jack avait les larmes aux yeux.

Quand Jack s'éloigna pour parler à un saigneur, emmenant Maz avec lui, elle alla téléphoner à George.

Il soupira en entendant ce qu'elle désirait.

—Lydia, je suis navré mais il est inutile de se faire des illusions. Alec et les filles ont péri dans l'incendie et le dossier est clos. À propos, ma vieille, pas la peine que vous vous occupiez des papiers. Je m'en charge et si j'ai besoin de quelque chose, je vous contacterai.

—Merci.

—Non pas qu'il y ait du bien. Comme vous le savez, Alec n'était pas propriétaire en Angleterre ou ici. Il n'a même pas eu le temps d'ouvrir un nouveau compte en banque à Ipoh. Malheureusement, tout l'argent qu'il avait en espèces est parti en fumée. La police de Malacca détient votre voiture. Voulez-vous que je la fasse vendre?

—S'il vous plaît. Je vais avoir besoin d'argent. Mais, George, comment pouvez-vous être certain qu'elles étaient là-bas?

—Les faits sont les faits. Personne ne les a vues depuis et ainsi que je vous l'ai déjà dit, tout montre qu'elles y étaient. On n'avait pas encore attribué une maison à Alec. Allons, haut les cœurs! Éventuellement, vous pourrez vous atteler à la tâche d'obtenir des certificats de décès, mais les corps n'ayant pas été retrouvés, les démarches seront longues. Désolé de ne pas prendre de gants.

Lydia eut du mal à déglutir et c'est dans un murmure qu'elle remercia George. Elle reposa le combiné, alla s'asseoir dehors et ouvrit le cahier d'Emma pour la première fois depuis l'incendie. Elle lut.

Un des anges est assis sur mon lit. Elle est rousse avec des cheveux frisés, elle a une peau pâle et une robe blanche. Pas d'ailes. Même pas pliées. Derrière elle il n'y a que de l'air. Jack nous a rendu visite aujourd'hui. Je préfère qu'il ne vienne pas. Il est plus grand que mon papa et j'ai peur qu'ils se battent. Au début il me plaisait. Nous étions dans la rue où acheter des nouvelles tongs. Les miennes avaient une belle fleur orange au milieu. Jack s'est approché et il a mis une main sur l'épaule de maman. Puis il m'a donné ainsi qu'à Fleur une sucette. J'ai prié l'ange pour qu'il l'éloigne, mais il est revenu. C'était la nuit où je les ai vus dans le lit.

Lydia referma le cahier et suivit du regard un gros papillon de nuit qui tournicotait en direction d'une lanterne. Elle la regarda jusqu'à en avoir mal aux yeux. Assise sur la véranda dans l'air chaud et humide, observant les petits nuages parcourant le ciel comme dans les aquarelles de ses filles, elle fut incapable de poursuivre sa lecture. Elle avait su. Emma avait su.

19

C'est une froide journée d'hiver, les champs sont perdus dans un brouillard blafard tellement épais qu'en approchant de l'école nous n'apercevons aucun bâtiment. Si seulement les choses pouvaient rester ainsi. Cachées pour toujours. Mon père emprunte une allée bordée de chênes qui apparaissent peu à peu avec leurs feuilles rouge vif et or.

Pour Fleur et moi, l'automne est une saison inconnue. Mon dernier jour à la maison, ma sœur a couru sur le gazon avec un balai pour chasser les feuilles que le vent soufflait le long de la clôture où poussent des orties. Un hêtre orange est planté en bas du jardin. Nous sommes les seuls de la rue à posséder un aussi grand arbre. Granpa a installé une balançoire au début de l'été et Fleur s'y balance pendant des heures.

La nuit avant mon départ, Granny m'a aidée à faire ma valise. On a empaqueté des vêtements de rechange comme il est écrit sur la liste, l'uniforme de l'école et une tenue ordinaire, mes pantoufles, mon pyjama, mes cahiers et un stylo. J'emporte aussi la lettre de maman que j'ai pliée en deux et sa photo dans un cadre que j'ai réussi à prendre dans notre maison de Malacca. Comme ils ne sont pas sur la liste, ils seront mon trésor secret. Granny m'a serrée fort quand nous avons fini. Sa peau sentait le muguet et ses yeux étaient remplis de larmes.

Penridge Hall est un grand bâtiment d'aspect sévère de trois étages. D'après Granny il a été utilisé comme hôpital pendant la guerre et maintenant c'est un pensionnat, surtout pour les enfants « difficiles », partiellement dirigé par des bonnes sœurs. Voilà ce que je suis devenue : une fille difficile.

Quand papa gare sa Morris Oxford, j'essaie de me retenir. Je veux ne rien dire parce que ça ne servira à rien mais à la fin, je m'accroche à sa veste et les mots me sortent de la bouche :

— Ne me force pas ! Je serai sage. Je te le jure ! Papa, je t'en prie !

Il repousse sèchement ma main, mais s'adoucit un peu :

— Emma, c'est pour ton bien. Tu devais t'attendre à être punie pour avoir attaqué M. Oliver.

— Mais je n'ai rien fait de mal de tout l'été. Je te promets de ne jamais recommencer.

Il serre la mâchoire, ses yeux lancent des éclairs :

— On a déjà discuté de tout ça. Tes promesses arrivent trop tard. Je t'ai demandé pourquoi tu avais agi comme ça et tu n'as pas pu me répondre. Je ne peux pas avoir confiance en toi. J'espère qu'ici on va te mettre un peu de plomb dans la tête. Allez, sors de la voiture et pas la peine de bouder. C'est parfaitement inconvenant.

Je relève le menton et ignore la rangée d'yeux qui m'observent depuis une fenêtre du haut. Pourtant, la peur me fait transpirer des mains. J'ai peur d'être engloutie en longeant le gazon bien tondu et en montant les marches du perron. Les portes en verre dépoli se referment derrière nous et une femme nous attend, tenant un petit terrier contre elle.

— Bonjour, madame la directrice! dit papa en lui tendant la main.

Il est évident qu'il l'a déjà rencontrée.

— J'ai appelé sœur Ruth, dit-elle.

— C'est très gentil de votre part.

Quand elle parle, on dirait qu'elle hennit. Je garde la tête baissée mais je regarde par en dessous. Elle est bizarre, avec des cheveux noirs coupés au carré et des plaques rouges sur la peau. Elle me détaille derrière ses lunettes d'acier.

Je tends la main pour caresser le chien.

Elle me lance un regard noir:

— Ne le touche pas! La sœur sait tout à ton sujet et je lui ai donné des ordres très stricts pour qu'elle t'ait à l'œil.

Papa intervient:

— La principale m'adressera un rapport mensuel et nous verrons si tu fais des progrès.

J'ai mal au ventre et je n'ose plus respirer.

— Ça veut dire que je pourrai revenir à la maison ?

— Peut-être.

Papa confie ma valise à la principale. Il se dandine d'un pied sur l'autre. Il a l'air gêné d'être là et n'arrête pas de loucher vers la porte. Puis il se force à sourire, salue la directrice et s'en va. Je cligne des yeux en m'efforçant de ne pas pleurer. Je n'ai pas eu droit à un baiser sur la joue. Il ne m'a pas prise dans ses bras. Rien pour me réconforter. La directrice m'ordonne d'attendre et disparaît dans un bureau.

Je trouve assez de courage pour relever la tête et observer le vestibule. Dans un coin, trois femmes papotent. Elles ont des jupes en tweed trop amples, des cardigans bleus, des blouses blanches informes et leurs grosses chevilles débordent de leurs chaussures trop serrées. Une fille se tient près d'elles. Une pancarte qui annonce qu'elle est paresseuse pend à son cou. Je la regarde droit dans les yeux. Elle m'adresse un clin d'œil et j'en fais autant.

Quand une sonnerie à vous crever les tympans retentit, les trois femmes s'en vont.

— C'est qui ? j'ose demander à la fille punie. Les tantes d'une élève ?

— Anglais, français et musique.

— Des profs ? je hoquette, car je suis habituée aux profs très chics du Holy Infant College.

Nouvelle sonnerie. La fille disparaît. Je ferme les yeux. Mon père n'a donc jamais rien fait de mal ? Il n'est pas capable de comprendre ?

La première nuit dans ce bâtiment froid et graisseux, je me couche tout habillée. Les fenêtres
restent ouvertes et le froid transperce mes os.
Recroquevillée sous une maigre couverture et un
mince édredon je grelotte dans mon lit de fer. Quand
je ne dors pas, penser à maman me réchauffe. C'est
comme si j'avalais un bol de porridge arrosé de
sirop de sucre de canne de chez Lyle's. J'ai du mal
à croire que je n'ai pas vu la Malaisie *et* maman
depuis neuf mois. Je pense à notre maison et à
notre jardin là-bas. Les bougainvilliers mauves, les
pâles orchidées, les lézards qui rampent partout. Il
ne faisait jamais glacial, en tout cas pas comme ici.

La pension est aussi froide le jour que la nuit. Les
radiateurs font un bruit sourd, mais ne chauffent
pas les pièces. Les filles forment des petits groupes
qui m'ignorent sauf deux méchantes qui m'ont
arraché mon cartable et l'ont caché pendant toute
une journée. Samedi, après la plus longue semaine
de ma vie, une tablette de chocolat Cadbury arrive
par la poste, envoyée par Granny. Elle a collé
une pièce de deux shillings sur le dos. Plein de
filles viennent de loin, aussi bien d'Inde que du
Worcestershire. Comme elles n'ont pas toutes la
chance de recevoir du chocolat, je propose de
partager ma tablette avec la fille à l'écriteau. J'ai
raison. Elle me sourit en se présentant :

— Je m'appelle Susan Edwards.

Ma nouvelle amie est brune, les cheveux crépus,
un nez plutôt gros et des yeux enfoncés.

On s'assied dehors sur les marches pour le
manger.

— Est-ce qu'on s'habitue ? je demande.

191

— On est bien obligées.

— Et la nourriture ?

— Infecte. Il n'y a rien d'autre à en dire.

Elle a raison. L'odeur du chou-fleur bouilli se répand partout. Ce jour-là, on a un ragoût d'agneau et de pommes de terre avec de la viande cartilagineuse et une pellicule de graisse qui flotte en surface et puis une tarte à la noix de coco râpée et à la confiture. La pâte est molle.

— Il faut que tu trouves une façon de rigoler, me conseille Susan. Moi, je suis adoptée. Et toi ?

— Parfois, j'aimerais l'être.

Elle rit :

— À ce point-là ?

Je fais une grimace.

Papa ne vient jamais, mais il m'écrit des lettres sévères qu'il signe *Ton père*. Il ne dit pas que je lui manque. Il ne mentionne jamais la lettre de Malaisie et ne parle plus de M. Oliver, comme s'il avait cessé d'exister. Pourtant je pense souvent au sang qui coulait le long de son cou. Les lettres traduisent le mécontentement ou la satisfaction de papa, ça dépend de la religieuse ou du prof qui a rédigé le rapport. Mais en voici une différente du lot habituel.

Quand elle arrive, il fait beau et j'espère pouvoir jouer dehors à l'heure du déjeuner, mais on m'oblige à la lire dans le bureau où une secrétaire m'apporte une tasse d'Ovomaltine et un de ses biscuits à la confiture. À cause de ce traitement de faveur, je devine que la lettre est importante. Pendant un moment je me fais du souci et je n'ose pas l'ouvrir, mais la secrétaire ne me lâche pas, alors je l'ouvre. À l'intérieur, une seule feuille de beau papier bleu et pendant que je grignote mon biscuit, je lis que Granpa n'est plus. Au début, je ne comprends pas, mais quand je pige, ma première pensée est pour papa. Ils ne se sont jamais bien entendus, mais maintenant que Granpa est mort, il est trop tard pour que ça s'arrange.

Je pense au visage vieilli de Granpa avec ses taches brunes, ses mèches de cheveux blancs, ses poils sortant du nez. Je suis contrariée et je ne me sens pas très bien. La secrétaire étant appelée ailleurs, on va chercher sœur Ruth, la nonne toute pâle qui s'occupe de moi. Elle a des yeux gris et doux dans un visage banal, mais quand elle sourit elle devient belle. Elle n'est pas comme les autres profs. Elle est gentille et te donne l'impression qu'elle a de l'affection pour toi et qu'elle est de ton côté.

Ils m'emmènent à l'infirmerie et le lendemain à mon réveil, elle est penchée au-dessus de moi. La lumière venant des hautes fenêtres l'illumine :

— Je suis très malade ? je demande, terrifiée à l'idée de mourir.

— Tu as la grippe.

— Je ne l'ai jamais attrapée en Malaisie !

— Non, c'est une maladie typiquement anglaise. La faute au climat, ajoute-t-elle en souriant. Assieds-toi un instant. Je vais retaper tes oreillers et je te ferai ta toilette.

Le savon à gros grains qu'on nous donne pour nous laver entièrement matin et soir m'irrite la peau, mais je le supporte pour lui faire plaisir.

— Tu vas te sentir mieux, je te le promets.

Elle est prise d'une toux violente. Cela la secoue de la tête aux pieds et elle devient écarlate.

— Vous l'avez attrapée aussi ?

— Non.

— Pourquoi est-ce que je n'arrête pas de trembler ?

Elle étale sur moi une couverture supplémentaire et s'assied :

— Comment était la Malaisie ? J'ai souvent songé à partir pour l'Orient comme missionnaire.

Mes yeux se brouillent.

— Tu aimerais me parler de ta mère ?

Sœur Ruth mouille un linge dans de l'eau tiède et me le pose doucement sur le front puis elle se rassied, les mains croisées sur ses genoux.

Je me demande pourquoi elle me pose des questions sur maman et ce que je dois lui répondre. Mais finalement je suis heureuse car je n'ai jamais l'occasion de parler de maman.

— Elle est belle et s'appelle Lydia.

Je réfléchis un peu :

— Elle chante tout le temps et confectionne des déguisements magnifiques. Du moins elle le faisait. Fleur, ma petite sœur, était Miss Muffet et moi le bonhomme de neige.

— Vous avez dû bien vous amuser.

— Oui. J'ai gagné un prix. Maman et papa aussi pour Peter Pan et Capitaine Crochet. Elle a appris à coudre au couvent. Mais maman était triste d'être enfermée là-bas.

— Et pourquoi ?

194

— Parce qu'elle n'a jamais connu sa maman, juste son nom. Emma. Je m'appelle Emma à cause d'elle.

Sœur Ruth me regarde en souriant :

— Tu sais ce qui est arrivé à sa mère ?

— Non. Maman est née dans un couvent. Elle y a fait toutes ses études et les religieuses l'ont élevée.

— Comment s'appelait ce couvent ?

— Je ne suis pas sûre. Peut-être Saint-Joseph ou bien Saint-Pierre.

Je dois avoir l'air malheureuse, car sœur Ruth m'embrasse sur la joue.

— Si c'est le même endroit, il y a un Saint-Joseph pas loin d'ici. On y organise des retraites, mais ce n'est pas une école. Bon, nous avons assez bavardé. Il faut que tu te reposes.

Je la dévisage et je sais que j'ai une amie en sœur Ruth.

Quand elle va bien, elle nous donne les cours d'éducation religieuse et d'histoire. Quand elle est malade, elle est maigre et nerveuse avec des taches rouges sur les deux joues et des yeux brillants. Parfois, elle est remplacée par miss Wiseman. Haute comme trois pommes, les cheveux poivre et sel, un menton en galoche, un nez rouge, elle a un fort accent gallois que j'ai mis des semaines à comprendre. Maintenant, avec le soutien de Susan Edwards et de sœur Ruth, je suis contente de ne plus être complètement seule. Elles ne remplacent pas maman mais personne ne le pourrait.

20

Lili avait l'apparence d'une fleur mystique. Même sobre, comment Lydia pouvait-elle la concurrencer? Aujourd'hui, elle n'avait pas bu. Alors qu'elle attendait Jack, des rires lui parvinrent et elle se pencha à la fenêtre. Channa poussait Maz sur la balançoire que Jack avait accrochée à la branche la plus solide du jardin. Très vite, Lydia comprit que Maz avait envie de monter plus haut.

—Plus fort, Channa, plus fort! criait le garçon.

Channa l'ignorait.

—Plus haut! Plus haut! insista Maz.

Elle obtempéra et provoqua des hurlements de joie de la part de l'enfant.

—Encore! Encore!

—Fini! dit-elle en se reculant.

Mécontent, il tira sur les cordes, grimpa sur le siège et tomba par terre en criant.

— Attention! La balançoire pourrait lui heurter la tête! s'exclama Lydia.

Channa courut auprès de Maz pour l'empêcher de se relever :

— Tu rampes, précisa-t-elle en retenant le siège d'une main.

Il obéit et s'assit par terre pour se masser le genou.

Channa examina la plaie :

— Juste petite coupure!

Elle la couvrit d'un léger baiser.

Quand il se releva, il fit le tour du jardin en remplissant un petit panier de cailloux et de pierres.

— Je me protège. La vilaine balançoire ne pourra plus me faire de mal, lança-t-il à Lydia qui le regardait faire.

Et il entoura l'arbre où était suspendue la balançoire de nombreuses pierres.

Quand Jack arriva en retard, il se tint sur le seuil, les mains sur les hanches, se balançant d'un pied sur l'autre. La forte odeur de gin qu'il exhalait rappela à Lydia la nuit où elle avait confessé à Alec sa liaison. La nuit où elle lui avait tout avoué.

Ils étaient assis sur la véranda, après s'être aspergés d'anti-moustique. Le gin et une brise chargée de poussière n'avaient pas suffi à chasser l'odeur du produit chimique. Au loin, un engoulevent tambourinait sur un tronc, ses toc-toc se mêlant au bruit des vagues. Nerveuse, elle s'était fait un chignon tout en cherchant un moyen d'aborder la conversation. Alec, vêtu d'une robe de chambre écossaise, était tout à fait détendu. Il parlait de son assistant indien qui était devenu peu fiable depuis qu'on l'avait rétrogradé.

Elle s'était enfin lancée :

— Alec, j'ai quelque chose à te dire.

Elle avait marqué une pause. Au lieu de la regarder, il avait détourné les yeux. Il ne va pas me faciliter les choses, avait-elle pensé.

— Je suis désolée, mais je vois quelqu'un...

Il l'avait interrompue :

— Tu crois sans doute que je ne suis pas au courant ! Je ne suis pas un imbécile.

— Comment ?

— Je t'ai entendue quand tu téléphonais. Ce n'est pas moi que tu appelles « mon chéri » !

Il avait aboyé le nom de Jack.

— Alec, je l'aime. Je suis désolée.

Son air suffisant avait disparu et la détresse qu'elle avait lue dans ses yeux l'avait réduite au silence. Consciente de l'avoir déçu, elle s'était sentie rougir.

Tous deux s'étaient tus. Finalement Alec l'avait mise en garde :

— Les coucheries, ce n'est pas de l'amour ! Tu as vu suffisamment de planteurs ivres morts dans les bars avec leurs putains.

— Je t'en prie !

Et Alec d'ajouter une expression argotique de la RAF :

— Ces putes, *en fourrures et sans culotte* !

Lydia avait tremblé sous l'affront. Alec avait mordillé un glaçon et une veine de son cou avait commencé à palpiter.

— La puanteur des bordels. Jack n'est pas différent.

Son cœur s'était emballé. Ce n'était pas vrai.

— Lydia, tu as tout fichu en l'air! Regarde les choses en face!

Elle avait cru étouffer.

— Bien sûr, tu continueras à voir nos filles, fit-elle.

— Tu t'imagines que je vous laisserais partir avec un planteur de caoutchouc.

Elle s'était hérissée:

— Tu n'as pas le choix!

— Vraiment? Avant la guerre, c'était conce-vable, mais aujourd'hui, les rebelles tuent, ils attachent les hommes à des arbres et les débitent en morceaux à coups de *parang*. C'est ça que tu souhaites?

Elle avait eu un haut-le-cœur. C'était le genre de machette que le jardinier utilisait pour couper les hautes herbes.

Alec avait frotté un muscle de sa joue qui tres-sautait nerveusement. Avant de parler, il avait projeté son menton en avant:

— De toute façon, ta sale petite liaison t'inter-dira d'avoir la garde des enfants.

— Jack s'occupera de nous. Nous rentrerons en Angleterre.

— Au risque de rompre son contrat?

— Il fait des économies pour le racheter.

— En tout cas, tu n'obtiendras jamais la garde.

— Je trouverai un job.

— Sans diplômes, sans aucune expérience ?
Sans domicile ? Sans revenus apparents ? Et tous
les torts à ton actif. Arrête de rêver !

— Je suis désolée. Je n'avais pas l'intention de
te faire du mal. C'est arrivé comme ça.

— Non, Lydia. Ces choses n'arrivent pas comme
ça. Tu as fait un choix.

— J'ai essayé d'être loyale avec toi. Tu sais où
nous en sommes. Tu ne peux pas être heureux.

— Le bonheur ! Ce n'est pas une question de
bonheur, Lydia ! Mais de devoir.

Elle avait espéré faire appel à son bon cœur,
mais quand il s'était tourné pour agripper la balustrade, elle avait compris que ce serait impossible.
Alec ne disait jamais ce qu'il ressentait. Quand il
lui avait fait face, ses jointures étaient blanches.

Elle avait écouté les bruits de la nuit.

— Alors, tu es heureux ?

Sans ciller, la dévisageant d'un regard d'acier,
il avait ignoré sa question et s'était contenté de
faire la moue.

— Tu as une alternative. Soit tu restes avec moi,
soit tu pars et dans ce cas, c'est sans Emma et
Fleur. À toi te décider.

Elle avait retenu ses larmes. Pouvait-il lui
imposer ce choix ?

— Lydia, ne te fais aucune illusion.

Il s'était tu le temps de nettoyer ses lunettes
avec son mouchoir.

— Ne te fais aucune illusion. Je veillerai à ce que
tu ne revoies jamais ni l'une ni l'autre de tes filles.

Abasourdie, incapable de prononcer un mot
de plus, elle avait croisé ses bras sur sa poitrine

comme pour se protéger d'un coup de poing. Puis, reprenant courage, elle s'était redressée :

— Tu ne peux pas faire ça.

— Mais si. Tu verras que je peux. Bois donc un verre de gin pendant que tu réfléchis.

Perdant son sang-froid, folle de colère, elle avait saisi la bouteille de gin et l'avait balancée contre la balustrade. Un grand silence avait suivi.

Reniflant l'odeur violente du gin qui s'était répandu par terre, il lui avait enfin demandé :

— Si je comprends bien, tu as choisi de rester ?

Elle avait évité de le regarder. Elle n'avait pas eu le choix et Alec l'avait su. Liée à ses filles comme toutes les mères, il avait escompté qu'elle ne les quitterait jamais. Le cœur serré, elle avait eu une pensée pour Jack. Pour sa peau dorée, pour son dynamisme. N'ayant pas prévu de tomber amoureuse, elle n'avait pas imaginé qu'elle serait bouleversée à chacune de leurs rencontres. Tant pis si Alec avait raison. Tant pis s'il couchait ailleurs. Tant pis s'il la faisait marcher.

Elle avait appuyé sa tête contre le dossier du fauteuil :

— Alec, tu ne me parles jamais. Je ne sais jamais ce que tu penses.

— Alors tu me reproches de ne pas te faire la conversation ? C'est ça que tu fais avec Jack ?

Elle s'était redressée. Les mots étaient sortis de sa bouche sans qu'elle ait pu les arrêter :

— Non, Alec. Pour une fois dans ma vie, j'ai baisé comme une reine.

Ils s'étaient dévisagés.

201

— Non, Lydia, ça ne marche pas. Je refuse de porter le chapeau. En m'épousant, tu savais à quoi tu t'engageais.

— À l'époque, tu avais besoin de moi.

— C'est si difficile de continuer ? J'ai toujours besoin de toi.

— Pour m'occuper des filles !

Il s'était détourné.

— Lydia, nous avons été heureux. Mais tu es trop impulsive. Ça te joue des tours.

Elle avait contemplé le dos d'Alec. Il chérissait le sport et il s'admirait. Il survivrait à ce coup de canif dans le contrat. Il était revenu vers elle et lui avait tendu la main, mais elle avait baissé les yeux, trop en colère pour le regarder.

— Allons, reprends-toi ! Je ne veux pas que les enfants soient perturbées. Demain, nous devons assister à un mariage.

Lydia se rendit compte que Jack était toujours sur le seuil, les joues rouges, la regardant d'un air interrogateur. Pendant des jours, elle avait ressassé sa discussion avec Alec. Tout était de sa faute à elle. Tout. Si elle n'avait pas eu cette liaison avec Jack. Si elle n'avait pas répondu quand Suzanne avait téléphoné. Elle était la seule coupable.

Elle dévisagea Jack :

— Je croyais que tu avais plus de couilles !

— Pardon ?

— Alec avait raison. Tu n'es pas capable de faire la différence, n'est-ce pas ?

La lampe projetait une ombre sur son visage. Il était trop maigre. Il était devenu trop maigre.

— De quoi parles-tu, bon Dieu ? fit-il, ébahi.

Elle rougit, mais continua :

— L'amour et les coucheries, c'est kif-kif pour toi.

Il fronça les sourcils :

— Voilà que c'est de ma faute.

— Tu ne pouvais pas me le dire ?

Le visage de Jack s'éclaira soudain :

— Ah oui ! Lili ! À quoi cela aurait servi ? Tu étais retournée auprès d'Alec, ma cocotte. Nous n'avions aucun avenir. Tu me l'as bien expliqué.

— Mais quand tu étais avec moi. C'était moi dont tu avais envie ? Ou elle ?

— Lydia, je t'en prie. J'aimais bien Lili. On fait parfois des erreurs.

Elle alla se planter devant son fauteuil. Comme Alec aurait jubilé s'il avait su que Jack avait une autre fille dans sa vie. Jack se leva en lui tendant les bras. Au lieu de se laisser enlacer, elle le gifla à toute volée.

Il se massa la joue :

— Pourquoi me faire tourner en bourrique ? Je n'y suis pour rien.

Il avait raison. Ses filles étaient mortes et c'était sa punition.

— Je pensais que tu étais la seule personne au monde qui me comprenait. Je croyais que nous étions faits l'un pour l'autre.

— Ce n'est pas trop tard. Viens ici, bon sang !

Elle ne bougea pas, se battant avec ses ombres.

— Ta Lili, tu l'as trouvée dans un bordel ?

Il tourna ses paumes vers le plafond avec un haussement d'épaules.

Souhaitant en finir, Lydia eut à peine conscience que Jack la prenait dans ses bras et la portait sur son lit. Il l'y allongea puis s'assit près d'elle, la tête dans ses larges mains. Quand il se redressa, un rayon de lune éclairait ses joues creuses. Elle tendit la main et dessina le contour de son profil du bout des doigts. Quelle salope je suis, se dit-elle. Je ne m'occupe même pas de ce que Jack peut ressentir.

Il lui enleva sa robe et l'aida à se glisser entre les draps.

Être en vie lui procura un mélange de rage et de honte ; encore éveillée, elle appela les visages de ses filles comme si tout cela n'était qu'une affreuse erreur, comme si elles n'étaient pas mortes. N'en doutant plus, elle réveilla Jack d'un petit coup de coude.

Il se frotta les yeux, se redressa et fronça les sourcils :

— Lyddy, il faut que tu dormes. Nous avons tous les deux besoin de sommeil. Quelle heure est-il ?

— Tu pourrais retourner à Ipoh ? Demander la preuve que mes filles et qu'Alec étaient là-bas.

— Lydia... Arrête ! Tu sais ce que George a dit. Ils y étaient. Personne n'a vu ni entendu parler d'Alec depuis l'incendie. Les autorités n'ont pas pu dresser une liste des victimes car les archives sont parties en fumée. Il n'y a pas eu de survivants, tu le sais bien.

Lydia secoua la tête :

— Je n'arrive pas à y croire. Répète-moi ce qu'elles ont déclaré.

— Tu veux que je sois franc ?

204

— Oui.

— Les restes des corps ont été emportés par des animaux pendant la nuit.

— Quelle horreur !

— Même George a dit que toute recherche était vaine.

Elle baissa la tête, se mit à trembler en se rappelant le rire rauque d'Emma, le nez en trompette de Fleur et la fossette de son menton. Elle se laissa aller à pleurer. Suis-je folle, songea-t-elle, folle de chagrin ? Ou alors je ne sais plus qui je suis ?

Ils firent l'amour au petit matin. Pendant une heure, elle se fondit en lui, se perdit dans un tourbillon d'émotions. Elle caressa sa peau, prise de frissons comme si c'était la première fois. Quand il la pénétra, elle en fut bouleversée et soulagée. Pendant une heure, elle oublia son chagrin pour jouir de chaque instant. De toutes ses forces, elle voulait découvrir comment être heureuse avec Jack. Comme il s'était couché sans se doucher, elle trouva des petits filaments de caoutchouc quand elle lui passa la main dans les cheveux.

— Merci, Jack. Je vais essayer.

L'après-midi, elle regarda de gros nuages noirs descendre le long de la montagne. Des cris d'enfants lui parvinrent. Maz s'amusait à pourchasser Burhan. Quand l'orage éclata, elle leur cria de rentrer. Elle leur lut une histoire en anglais d'une voix presque trop gaie, Maz assis en tailleur au pied de son fauteuil. De temps en temps, elle lui ébouriffait les cheveux, mais à son contact il avait appris à rester tranquille, s'abstenant de faire des commentaires sur tout ce qu'il voyait, et quand il

205

comptait, c'était à voix basse. Burhan, qui ne tenait pas en place, rejoignit sa mère.

— Mem, je vais avec lui.

Lydia voulait retrouver la confiance de Maz mais les apparitions de ses filles la tourmentaient à tel point qu'elle s'aperçut qu'elle n'écoutait plus le garçon.

L'ouragan s'étant éloigné, l'atmosphère, calmée, les silhouettes de ses filles se dissipèrent peu à peu, sans rien laisser derrière elles. Le soleil réapparut et Lydia se sentit mieux. Un soulagement momentané. Mais sa guérison ne tenait qu'à un fil. Un fil ténu et insaisissable. Peu après, alors qu'elle entamait le long processus pour réparer sa vie brisée, Maz vint la rejoindre. Il lui désigna un passereau qui perçait la corolle d'une fleur, sa tête aux reflets métalliques bleu-noir penchée pour sucer le nectar. Elle lui sourit. Elle ferait plus d'efforts. Promis.

21

En Malaisie, le matin, on commence par sentir les fortes odeurs des animaux de la jungle. Ici, c'est le porridge brûlé. En Malaisie, on grimpe dans un arbre à pluie en se cachant des démons qui sucent la lumière du monde. Ici je fais des lignes en imaginant que je rentre à la maison de Malacca en évitant les dragons qui se nichent dans les fissures et te mordent si tu marches dessus. Je ne demande plus à papa quand revient maman car il change toujours de sujet quand je veux savoir qui a envoyé la lettre de Malaisie ou alors il me dit de m'occuper de mes affaires. Je ne lui pose plus de questions car ça l'énerve, mais je décide de garder l'œil ouvert au cas où une autre lettre arriverait.

J'ai maintenant treize ans et demi. Pendant l'année que j'ai passée au pensionnat j'ai dû faire des lignes une douzaine de fois. En général pour miss Wiseman. Ce qui n'est pas énorme comparé à

Susan qui détient le record. Nous sommes toujours les meilleures amies du monde bien qu'on n'arrête pas de se chamailler.

En classe je dois faire plus attention et ne pas regarder par la fenêtre. En classe je dois… Une fois de plus je suis collée à l'heure du déjeuner. Cette fois-ci on m'a exclue du cours d'arts ménagers parce que j'ai jeté de la farine dans les cheveux crépus de Susan. Elle s'en fiche et je déteste le cours de cuisine. Sans réfléchir, je dessine un visage au bas de la feuille. Oh non! Miss Wiseman va me faire recommencer. Alors que la plupart des profs sont sympas, elle me déteste. Mon crayon ayant une gomme dure à un bout, j'efface le visage souriant. Quand trois filles font leur entrée, je suis tellement surprise que je fais un trou dans la feuille.

Elles sont plus vieilles que moi, mais je n'en connais qu'une. Encore elle! je me dis. Elle s'appelle Rebecca et c'est une des punaises qui ont caché mon cartable à mon arrivée. Elle a des jambes en forme de troncs d'arbres et habite pas loin d'ici, comme moi. Il paraît qu'elle a collé un œil au beurre noir à une institutrice de primaire. En tout cas, elle me hait.

Pendant qu'elle saisit ma feuille, une de ses copines me prend par les cheveux, bascule ma chaise et me tire en arrière. La troisième me maintient, mais je lui donne des coups de pied.

— Lâche-moi, sale vache! je crie en shootant dans son menton.

Elle rit jaune, me bascule encore plus en arrière, puis me relâche et me tire encore. Je pousse un autre cri.

— Ha! Je t'ai eue! se vante une des méchantes.

Je continue à lui flanquer des coups de pied jusqu'à ce que je voie Rebecca inscrire quelque chose sur ma feuille. Je réussis à me débarrasser de la fille, je tente de récupérer ma punition, mais Rebecca ne se laisse pas faire.

— Arrête, je t'en supplie. Mon père va me tuer.

— Tant pis pour toi! Et si tu caftes, on recommencera, me menace une des mauvaises.

— Alors, quand t'as pas ta Susan, t'es moins fanfaronne! D'ailleurs, elle est ton amie uniquement parce que personne ne peut la blairer.

La cloche de la fin du déjeuner les arrête. Elles bousculent les pupitres, poussent des cris de joie, claquent la porte en quittant la salle en quatrième vitesse. Leur bruit de cavalcade et leurs hurlements me parviennent encore alors qu'elles sont déjà loin. J'ai mal au cœur, comme si j'étais à nouveau en mer, à tanguer et à rouler d'un bord à l'autre.

Reprenant mes esprits, je contemple ce qui reste de mon travail. Oh! Malheur! Dessinés sur toute la surface de la feuille, le zizi d'un garçon et des seins de fille me sautent aux yeux. Si je n'avais pas aussi peur, j'éclaterais de rire. Au lieu de ça, j'ai la tête comme une fanfare. Que faire? Il faut tout déchirer et recommencer à zéro. Je regarde partout. Il n'y a pas de feuilles supplémentaires. Qu'est-ce qu'il y a de pire? Déchirer ma feuille en des milliards de morceaux ou garder ce dessin obscène? Je commence à la découper. Des bouts de fesses, de seins, de pénis s'éparpillent sur le sol comme des confettis.

La porte s'ouvre brutalement.

Cette naine de miss Wiseman entre, l'œil mauvais. Mon cœur s'arrête, et pourtant ses colères ne sont rien comparées à celles de mon père.

Les mains sur les hanches, ses yeux noirs exorbités, elle aboie :

— Qu'est-ce que tu fiches ? Donne-moi ça !

Je transpire à grosses gouttes en lui tendant le reste de la feuille.

Elle me l'arrache des mains et je jure que je vois des poils pousser sur son menton.

Je passe en revue rapidement mes différentes options.

— Je… je… trouvais que c'était mal écrit. J'allais recommencer.

— C'est un mensonge éhonté. Je vois des dessins.

Elle recule en chancelant de quelques pas. Les bouts de papier se répandent par terre. Son corps étriqué chancelle, ses cheveux raides se hérissent, ses joues se gonflent, elle baisse et relève la tête. Ses membres semblent dotés chacun d'une vie indépendante. Pendant un instant, je crois qu'elle a une crise cardiaque, que de l'écume va jaillir aux coins de sa bouche, que je pourrais ramasser les morceaux et m'enfuir. Mais elle se tord les mains et d'une voix étranglée, comme si elle étouffait, elle me crie :

— Sors d'ici ! Va dans ton dortoir. Je m'occuperai de toi plus tard.

Je sors comme une flèche. Ils vont prévenir mon père. Je pourrais m'expliquer, raconter ce qui s'est passé, mais les filles me feraient encore des misères. Et puis, après ça, papa ne me laisserait jamais quitter la pension.

Au lieu de me rendre au dortoir, je fonce jusqu'au bout du couloir pour atteindre l'extrémité du bâtiment. J'ouvre une porte marquée *Privé*. Dans cette pièce où sont rangées les provisions, je pique un paquet de biscuits secs. Je me cache dans un recoin près de la porte de service. Entendant les pas d'une femme de service, je retiens mon souffle. Est-ce qu'elle s'amène pour fumer une sèche ? Seigneur, faites qu'elle ne vienne pas ! Sinon elle va passer devant moi et me voir. Faites qu'elle entre dans la resserre à provisions !

À ce moment quelqu'un l'appelle de la cuisine. Elle s'arrête, fait demi-tour, hésite un instant :

— Je suis venue chercher une motte de beurre.

— Dis plutôt que tu voulais en griller une. Allons, au boulot !

Dès qu'elle referme la porte de la cuisine, je pousse un profond soupir et me faufile à l'extérieur.

Je dois traverser les jardins sans être vue par les élèves qui ont classe de ce côté. Pas facile quand je sais que des douzaines de filles qui s'ennuient surveillent l'extérieur dans l'espoir d'être les témoins d'un incident juteux. Surtout qu'elles ont de quoi cancaner au sujet du nouveau jardinier. Il est à tomber avec des cheveux noirs et frisés et un air de Gitan. Les filles les plus âgées en bavent d'envie, mais d'après les rumeurs il aurait emmené au cinéma la mademoiselle française et ils se tenaient bras dessus bras dessous. Nous, les plus jeunes, les espionnons pour essayer de les

211

surprendre et narguer les grandes. J'inspecte les pelouses – heureusement il ne travaille pas de ce côté. Ce que j'ai de mieux à faire, c'est d'attendre la cloche de la fin des cours et tenter ma chance.

J'ai dans l'idée de foncer dans les bois où avec Susan on a trouvé des abris. C'est là qu'on se glisse quand nous voulons sécher les randonnées à travers la campagne. Il y a des arbres creux et de grands tas de branches que nous avions empilées. Si j'arrive jusque-là, je me cacherai en attendant de décider ce que je veux faire.

La meilleure solution est de me planquer à l'arrière de l'école, où une allée de rosiers mène dans la forêt. Ils me dissimuleront un peu. Ce n'est pas épatant mais c'est ma seule possibilité.

La voix d'un homme me stoppe net. Je pivote et cache mes biscuits dans un pli de ma chasuble. Pour une fois, je suis contente d'avoir des vêtements flous. C'est seulement le boulanger qui retourne à sa camionnette.

À l'instant où j'entends la cloche et où je devrais me mettre à courir, il me tend un beignet.

— Merci beaucoup, dis-je. Je le garde pour plus tard.

Et, sans me retourner, je détale comme un lapin.

Dans la forêt, je trouve un endroit pour m'asseoir sous un grand chêne. J'engloutis mon beignet, gardant mes biscuits pour plus tard. Je n'ai toujours pas de plan.

À la tombée de la nuit, j'entrevois des gens qui avancent entre les arbres en tenant des torches et en criant mon nom. Je songe aux hommes qui abattaient les crocodiles ou plongeaient pour attraper des écrevisses. J'imagine la jungle, les bandits cachés sous les feuilles, tout comme moi. Je pense à Malacca et à l'odeur du poisson frit et à notre vieux jardinier qui enterrait des bols de riz pour nourrir les esprits de la terre. Par-dessus tout, je veux maman, mais je me recouvre d'encore plus de feuilles et de branches et j'écoute le vent souffler.

Je suis protégée par les chênes et les ormes, pourtant en respirant l'odeur de moisi et d'humidité, les grattements de créatures inconnues me rappellent les *hantu hantuan*, ces horribles fantômes de la forêt. Le noir qui m'entoure me terrifie. Je n'ai jamais eu aussi peur de ma vie. Je me pelotonne en rêvant d'une tasse de chocolat chaud et d'œufs brouillés.

Embarquer comme passager clandestin et retourner en Malaisie, voilà mon projet. Trouver ma mère. Mais je ne suis qu'une enfant. Que faire ? Veronica a beau être gentille, elle ne va pas m'envoyer en bateau vers un pays en guerre. J'étouffe un sanglot. Ce n'est pas juste ! Je n'ai rien fait de mal.

Le lendemain matin, papa, la directrice et deux policiers arpentent les bois. Trempée jusqu'aux os, je suis finalement contente de les voir.

—Emma, sors de là, nous savons que tu es là.

La voix de papa est ferme et contrôlée, mais je sais qu'en réalité il est fou de rage.

— Sors donc, mon enfant. Tu ne risques pas d'ennuis. Mieux vaut sortir maintenant, me prie un policier d'une voix plus douce.

— Emma Cartwright, montre-toi immédiatement! C'est la directrice.

J'hésite, mais quand j'ai l'impression que le policier est le plus près de moi, j'écarte les feuilles et les branches et je me lève.

Les jambes en coton, je réponds :

— Je suis là!

Puis mes jambes me lâchent et je ne me souviens plus de rien.

Une fois de plus à l'infirmerie. Dès mon réveil, je vois papa assis raide comme la justice. Un docteur lui parle à voix basse de tension artérielle.

— Elle est dangereusement basse. Vous avez eu des problèmes cardiaques dans votre famille?

— Mon père est mort d'une attaque.

— Et ses autres grands-parents?

À travers mes paupières mi-closes, je remarque que papa a la bouche pincée.

— Mon épouse a été élevée à Saint-Joseph. Elle ne connaissait pas ses parents.

J'aimerais leur parler, mais mes lèvres sont comme cousues. Je perds un peu conscience pendant qu'ils continuent à discuter à voix basse. Questions, réponses, notes se suivent. Une infirmière s'agite, transporte des trucs, range un peu.

— Pourrions-nous avoir l'adresse actuelle de votre femme? demande le médecin.

Papa prend une forte inspiration et marque un temps d'arrêt avant de répondre tout bas :

—Malheureusement, la mère d'Emma a abandonné sa famille. Elle a disparu, sans doute est-elle morte.

Le plafond semble me tomber dessus, je me sens tomber en arrière. La fenêtre n'est plus qu'un vague halo de lumière. L'éclairage bat comme un pouls, jaune avec des bords orange, s'amenuisant sans cesse pour ne devenir qu'une tête d'épingle. La pièce est maintenant noire. On me fait tomber dans un sombre puits, je lève les bras pour demander du secours. Je me débats, chercher désespérément la lumière de la fenêtre. Elle se rétablit un instant et j'entends ma propre voix crier : Maman! Maman! Sauve-moi!

Mais ma voix et mon corps sont loin. En Malaisie, dans l'île, où j'entre dans la mer et en sors, où maman est assise sur la plage avec des bouteilles de bière glacées sous ses bras pour calmer les piqûres des méduses. Le sable est blanc et fin, la mer aussi chaude que dans une baignoire. Le temps est superbe et j'ai l'impression de vivre une vraie vie.

Quand je reprends conscience, je suis choquée de voir que je ne suis pas là-bas. Où étais-je? Qu'est-ce qui m'est arrivé? Deux poches reliées à des tubes étroits remplies de liquide qui entre dans mes bras. Quand les poches sont vides et que d'autres les remplacent, je me souviens. *Maman! Maman! Maman!* Des larmes coulent sur mes joues, j'ai le cœur brisé.

22

Septembre 1956. Le jour où l'espoir revint, dix-huit mois s'étaient écoulés depuis l'incendie. Lydia, debout au centre du salon, regarda par la fenêtre puis fit quelques pas. Elle ne s'attendait à rien de particulier. La première chose qui surgit dans son esprit fut l'envie de manger. Se retournant, elle surprit un lézard gris qui courait sur le plafond. Il disparut aussitôt dans une fissure. Sans y penser, elle saisit une mangue sur une table basse. Elle caressa brièvement la surface lisse de la table, puis tâta le fruit pour vérifier qu'il était mûr. Doux sous son pouce mais encore ferme à l'intérieur, il était parfait.

Une fois dans la chambre, elle posa la mangue et ouvrit le tiroir du bas de la commode. Les affaires de Lili avaient disparu, bien sûr. Remplacées par ses simples corsages et ses jupes bien pliées. Elle regretta ses anciens vêtements, les délicieuses soies indiennes, les satins lumineux, les vestes de harem. Des souvenirs l'oppressèrent. Quand elle allait avec ses filles acheter des tissus. Quand elle palpait un satin rose où couraient de fougueux dragons. Quand Cicely, sa vieille amie de Malacca, choisissait une étoffe identique mais couleur lilas.

La veille, Cicely de retour d'Australie était arrivée sans crier gare. Comme toujours d'un calme olympien, vêtue d'une robe en lin turquoise, une chaîne en argent autour du cou, elle lui avait déclaré qu'elle s'était arrêtée alors qu'elle était en route pour Penang. Quand Lydia lui avait demandé ce qu'elle allait y faire, elle avait haussé les épaules et détourné la conversation. Mais elle avait promis de rester plus longtemps au retour. Lydia s'était excusée de ne pas être plus élégante.

Cicely avait pris la balle au bond :

— Ma chérie, si tu as besoin de quoi que ce soit, un toit, de l'argent, une épaule secourable, je serai à Malacca.

— Pour le moment, je n'ai besoin de rien. Jack a été extrêmement généreux. De toute façon, je ne t'ai pas encore remboursé les bijoux que tu as mis en gage.

— Ma chérie, oublie tout ça ! Et mon offre tient toujours s'il y a du changement.

En songeant à ces retrouvailles, Lydia sourit. Pourtant, sans vraiment se l'expliquer, elle n'avait pas envie de passer du temps avec sa vieille amie. Sans doute parce que Cicely faisait partie de son ancienne vie. Puis elle enfila sa seule jolie jupe coupée dans une simple cotonnade imprimée, se mit du rouge à lèvres et sortit sur la véranda malgré la bruine.

Une petite brise soufflait. Maz était là à surveiller une troupe de singes qui semblaient jouer à cache-cache. Le sang lui monta à la tête et elle dut s'agripper à la balustrade en bois. Sous ses paupières closes, les couleurs des hévéas continuèrent à tournoyer. Quand le vertige cessa, elle essuya la rosée qui s'était accumulée sur les chaises pendant la nuit et s'assit pour regarder les arbres. Elle se demanda comment Jack arrivait à se repérer parmi tous les sentiers qui sillonnaient la forêt.

Maz fut le premier à entendre le sifflet de Jack qui traversait la pelouse.

— Jack! s'écria-t-il en courant à sa rencontre.

Jack leva la main pour arrêter le gamin:

— Ne t'approche pas!

Quand Jack s'avança, Maz se recula d'un pas. Lydia s'étonna de la violente odeur de pipi qui lui parvenait aux narines:

— Qu'est-ce qui se passe?

— Tu ne me croiras jamais!

Elle haussa les sourcils. Il avait une chemise kaki froissée, les manches retroussées, les mains sur les hanches, un grand sourire. Il n'était donc pas ivre.

— Nous nous sommes arrêtés en revenant d'Ipoh pour enlever des arbres brûlés.

— Et alors?

— D'abord on a cru que c'était de la pluie, mais il y avait du boucan dans les arbres. En relevant la tête, j'ai vu une bande de singes.

— Quoi?

— Une douzaine de macaques à longues queues qui geignaient, montaient et descendaient des branches et s'arrêtaient pour nous pisser dessus !

Lydia sourit.

— Je suis content de te voir sourire, Lyddy. Mais désolé, pas de nouvelles fraîches à te communiquer.

Lydia haussa les épaules. Convaincu que ses démarches étaient inutiles, Jack était quand même retourné dans les administrations d'Ipoh pour se renseigner sur l'incendie. Mais la destruction avait été totale et les éventuels témoins étaient morts. De plus, il n'y avait aucune trace du travail d'Alec à Ipoh. Son département s'était envolé en fumée.

L'après-midi, Lydia se familiarisa avec la maison de Jack, consacrant quelques minutes à chaque pièce qu'elle visitait scrupuleusement. Elle écouta les sons qui provenaient de l'extérieur, sans doute du village. Et puis il y eut une heure de calme, véritable état de grâce. Maz la suivait à quelques pas. Quand elle s'adressa à lui, ses yeux pâles et vigilants l'étonnèrent. Elle fut bouleversée. Alors, dans le bureau boisé de Jack, une idée lui vint. Très vite, elle réunit du papier, des crayons, des stylos.

Dans le salon, elle repoussa un bol de mangues sur la table basse, s'agenouilla et étala les crayons et les feuilles de papier. D'un trait léger, en lettres bien dessinées, elle commença à transcrire l'alphabet. Elle appela Maz mais il ne franchit pas la porte. Elle continua à écrire lentement, avec application.

— Maz ! Viens ici. Je vais te montrer comment on écrit. Tu as envie d'apprendre ?

219

Il fit non de la tête sans pour autant cesser de la surveiller.

Se concentrant sur son œuvre, en arrivant à la lettre *K*, elle entendit un bruissement. Elle ne releva pas la tête. Quand il s'approcha, elle lui tendit un crayon noir et gras. Il le refusa mais s'assit, ses maigres coudes plaqués sur ses maigres genoux. Lydia se mit à repasser les lettres qu'elle avait déjà tracées. À la lettre *M*, il voulut un crayon.

— M c'est pour Maz, annonça-t-elle. Et pour manger, moto, mule.

Il dessina le *M* en s'appliquant. Puis, sans quitter la feuille des yeux, il ajouta :

— *M* c'est pour maman.

Lydia se mordit les lèvres.

— Tu as raison, mon enfant. C'est vrai.

Maz apprenait vite. Lydia prit sa tâche très au sérieux. Sans livres d'enfants ou véritables manuels, elle lui apprit l'alphabet, l'encouragea à copier des mots de base, à dessiner des animaux et des objets pour les illustrer. Un singe qui ressemblait à un chien. Un cobra à deux têtes. Un hérisson à longue queue de Malaisie avec un sourire aux lèvres. Ils s'amusèrent des étranges animaux qu'ils créaient et il recommença à jacasser.

Elle l'exhorta à dessiner des images de sa vie : sa maman, sa tante, sa vieille maison. Puis, attribuant des noms à ce qu'il dessinait, les leçons prirent corps. Bientôt, un nouveau stade fut franchi.

Il représenta une hutte avec sept personnages en forme d'allumette.

— Explique-moi !

—Voici ma maman, mon oncle, ma tante et ces quatre-là sont mes cousins.

Puis il refit un dessin, identique au précédent mais où il manquait une personne.

—Maz, regarde, tu as oublié quelqu'un!

Il baissa la tête.

—Maz?

Silence.

—Tu veux me dire qui manque?

Les yeux noyés de larmes, il regarda Lydia:

—Mon oncle. Il a été tué.

Le petit garçon sanglota contre la poitrine de Lydia qui sortit un mouchoir propre et lui essuya les yeux. Il était évident qu'il avait beaucoup aimé son oncle.

—J'ai habité avec ma tante et mes cousins.

—Pourquoi ta mère est-elle allée dans la jungle?

Mais l'enfant ne donna pas d'explications. Sans doute ne sait-il pas, songea-t-elle.

—Maz, on continue la lecture?

Il acquiesça et Lydia lui caressa la tête. Bien qu'une partie d'elle-même fût brisée à jamais, elle prit conscience que l'enfant l'aidait à prendre un virage sur la route sinueuse qui menait à la guérison. Je veille sur toi. Tu veilles sur moi. N'est-ce pas ce qu'il avait dit?

Le lendemain, Jack apporta un gros carton. Il s'était fait beau et semblait satisfait de lui. Il déposa son fardeau sur la table basse, puis, après avoir tendu à Lydia un disque et des partitions qui dépassaient de l'emballage, il en extirpa un tourne-disque Black Box.

—Il n'est pas tout jeune mais il devrait encore marcher.

Quelques minutes lui suffirent pour brancher l'appareil, poser un disque sur le plateau, appuyer sur le bouton. Rien ne se produisit. Embêté, il essaya une autre prise électrique. La voix de Frank Sinatra emplit la pièce. Un large sourire fendit le visage de Lydia qui commença à taper des mains en mesure. La prenant par la taille, la joue contre sa tempe, Jack la fit valser tout en lui marchant sur les pieds et en renversant une table où étaient posés magazines et tasses à thé. Pendant un instant, Lydia songea que tous les espoirs lui étaient permis. Au point de fredonner «Three Coins in a Fountain», qu'il reprit en chœur.

—Mon pauvre Jack! s'exclama-t-elle. Tu n'as aucune oreille!

En lui donnant des petites tapes amicales elle crut que son ancienne existence était revenue. Elle s'imagina de retour au club, un soir de réveillon, avec ses hauts talons, sa robe noire moulante fendue des deux côtés, ayant ingurgité bien trop de cocktails, les yeux fixés sur les larges épaules et les mains puissantes de Jack. Une vie innocente, enfin façon de parler, qui ne laissait pas présager l'avenir.

Jack interrompit sa rêverie:

—Ce n'est pas tout.

Il disparut dans le vestibule, en revint, chargé d'une vieille machine à coudre Singer.

—Allons, dis un gentil merci à l'oncle Jack!

Lydia se moqua de lui:

—Dieu sait où tu l'as dégotée!

— J'ai également du tissu.

Gênée de son manque d'argent, se souvenant de la proposition de Cicely de l'aider, elle devint écarlate. Quand elle tenta de lui expliquer ce qu'elle ressentait, il sourit comme s'ils étaient un vieux couple.

— Tu n'as rien à demander à Cicely. Tout ce qui est à moi t'appartient. De toute façon, on ne peut pas dire que tu passes ta vie à faire des emplettes.

Puis Jack lui montra où il mettait l'argent pour racheter son contrat.

— Je le gardais dans mon bureau, mais maintenant il est sous cette latte branlante recouverte par le tapis. Tu n'as qu'à te servir si tu en as besoin.

Il en fit la démonstration. Roulant le tapis, soulevant la lame mal ajustée, il sortit plusieurs liasses épaisses de billets de dix dollars retenues par des élastiques.

— Ouah! Tu as une fortune!

— Oui, une gentille somme. Je t'ai dit que je travaillais pour acheter ma liberté.

— J'aurais dû te prendre plus au sérieux.

Elle l'embrassa sur le bout du nez.

— Merci!

Qu'aurait-elle fait sans lui? Qu'aurait-elle pu faire? Il veillait sur elle financièrement, affectivement et de bien d'autres manières. Ils menaient une existence retirée, sans beaucoup de visites. Pourtant Jack lui avait proposé de sortir un peu à Ipoh ou d'aller voir un couple d'amis qui s'occupait d'une plantation voisine. Tout en sachant que Jack avait besoin de se distraire, elle n'avait aucune envie de papoter avec des inconnus. Jack était un type bien. Elle avait appris à attendre la fin de ses coups de cafard occasionnels.

— Viens donc au marché d'Ipoh ? proposa-t-il. Tu trouveras tout ce que tu veux. Ça te ferait du bien. Il n'y a plus de danger.

Elle le regarda dans les yeux avec un profond soupir.

Jack se crut obligé de s'excuser :

— Oh ! Je sais qu'il te faut du temps !

Elle se mordit les lèvres. Elle ne voulait pas que ça prenne du temps. Surtout pas. À chaque jour correspondait sa dose de chagrin, l'absence de ses filles emprisonnée depuis longtemps au fond de son être. Elle craignait que leur disparition lui semble bientôt normale. Parfois, en se réveillant, elle sentait en elle ce vide, mais elle était choquée de ne percevoir rien de concret : après tout, il ne lui restait que le cahier d'Emma et les photos dans son médaillon. Elle s'obligea à penser à autre chose.

— J'ai appris à faire le curry de légumes, dit-elle d'une voix un peu trop gaie.

Les yeux clos, Jack acquiesça.

— Jack, tu es fatigué. Allons faire une grande sieste après le déjeuner, suggéra-t-elle en lui effleurant le bras.

Il ouvrit les yeux :

— Écoute, on ira se baigner ce soir.

La tête penchée sur le côté, elle lui sourit. Voilà quelque chose de nouveau.

Alors qu'elle suivait Jack à travers bois avec Maz, Lydia se rendit compte qu'elle ne retrouverait jamais son chemin parmi la multitude de sentiers.

Tandis que ça ne poserait pas de problème à l'enfant. Pour ne pas se perdre, comptait-il les arbres? Ou bien les hommes, même jeunes, possédaient-ils un sens de l'orientation plus affirmé?

D'abord, elle n'aperçut qu'un scintillement à travers la forêt, puis elle vit que l'eau provenait d'une source plus élevée et qu'amenée par des tuyaux elle jaillissait dans un profond étang protégé par des arbres et des bruyères géantes. Des rideaux de papillons orange et pourpre flottaient dans l'air et l'eau reflétait des millions de nuances vertes. Au fond et sur les bords de l'étang reposaient quelques formes sombres. Jack vit Lydia faire la moue.

— N'aie pas peur! Seulement des tortues à carapace molle. Elles ne mordent pas.

Une fois totalement nu, il sauta dans l'eau.

— Allez, rejoins-moi!

Maz suivit son exemple et plongea en criant très fort.

— Allons, Lyd! Qu'est-ce que tu attends?

Elle hésita, puis se débarrassant de ses vêtements poisseux, elle se glissa dans l'étang, ses cheveux flottant dans son sillage.

— Formidable! s'écria-t-elle en éclaboussant Jack qui la fit couler.

Maz, riant à gorge déployée, sautillait dans l'eau, pointant son doigt vers l'un puis vers l'autre tout en parlant très fort en malais.

— C'est fantastique, non? dit Jack en faisant des pirouettes pour montrer ce dont il était capable.

Battant des jambes et des bras, pataugeant gaiement, ils firent mine de lutter. Soudain, Lydia perdit pied. Quand elle refit surface, Jack l'embrassa légèrement sur le front. Puis il nagea autour d'elle et la tira à lui par les cheveux. Vaincue, elle se nicha dans ses bras, tandis que Maz leur tournicotait autour, poussant des cris, les aspergeant, chassant des papillons. Rien de tel que la fraîcheur de l'eau pour apaiser les brûlures du soleil.

Je ne connais rien de plus proche de la paix, songea Lydia en plongeant à nouveau tout en faisant de grosses bulles. Maz gloussa et s'amusa à les poursuivre alors que Jack, impitoyable, maintenait la tête de Lydia sous la surface, tout en en profitant pour lui caresser les seins. Après avoir vérifié que le gamin ne le verrait pas.

Ensuite, ils sortirent de l'étang, essuyèrent leurs yeux, essorèrent leurs cheveux et s'assirent dos à dos dans une petite clairière toute proche où Jack alluma une cigarette. Quand a-t-il recommencé à fumer ? se demanda Lydia.

Elle se rappela la mer étincelante de ses vacances avec les filles dans une île à peine peuplée, l'eau turquoise, les dauphins et la plage bordée de palmiers. Fermant les yeux pour jouir de ce moment de tranquillité, elle eut l'impression désagréable d'être épiée. Elle soupçonna des singes mais quand une longue langue survola l'épaule gauche de Jack, il poussa un hurlement en bondissant sur ses pieds. Pivotant sur elle-même, elle entrevit des narines fendues et une lourde créature à la peau claire. Maz, fou de joie, riant et se tenant les côtes, hurla :

— Un *biawak* ! Un *biawak* !

À ce cri, le varan disparut dans l'étang.

Lydia en profita pour taquiner Jack :

— Je ne t'ai jamais vu réagir aussi vite !

Jack fit la grimace :

— Très drôle !

La bruine avait cessé. De légères taches de lumière éclairaient le visage de Jack. Laissant partir Maz devant, il retint Lydia par le coude. Bientôt, ils entendirent le garçon chanter en malais, le ciel vira au rose, l'air se remplit de centaines de petits papillons noir et blanc qui flottaient tels des morceaux de papier de riz.

— Ça va aller, tu sais.

Il lui tendit les bras. Enlacés sous le grand parasol formé par la végétation, s'embrassant et tanguant, ils ignoraient les coassements des grenouilles qui les entouraient.

23

Réintégrer la maison n'a jamais été facile, mais cette fois-ci je prévois que ce sera encore plus dur. À cause de maman, à cause de ma maladie, ils m'ont accordé des vacances. Dans mon soulagement d'échapper à Penridge Hall, j'en ai presque oublié l'existence de ma sœur. Je pleure en me rappelant que nous nous arrêtions à Malacca dans une boutique qui vendait des miroirs, des plumes, des tambours et des flûtes. Je me vois avec maman et Fleur quand on achetait du papier crépon et du fil de fer pour fabriquer des ailes. Maman nous laissait nous déguiser et nous dansions pour papa. Très vite, j'en avais assez et j'allais me cacher sous la maison pour espionner Amah. Maintenant que plus rien ne sera comme avant, j'ai envie de retourner dans le passé avec l'impression que le monde a pris fin.

Granny nous accueille à la porte et me serre si fort que je ne peux plus respirer. Fleur est plantée derrière elle. Elle a un sourire prudent et des nouvelles lunettes en plastique rose. Granny sèche ses larmes du revers de sa main et me libère. Fleur m'enlace mollement. Elle dispose de sa propre chambre et je dois dormir avec Granny.

— Depuis la disparition de Granpa, je n'ai plus besoin de l'autre lit, m'annonce-t-elle en regardant tristement la couche de mon grand-père. Ton père l'a déplacé près de la fenêtre. Il est à toi, mon canard.

Je fronce les sourcils :

— Mais je croyais qu'il achetait une maison pour nous.

— En ce moment, les affaires ne marchent pas trop fort pour lui. L'argent manque.

— Si je revenais pour de bon, il n'aurait plus à payer ma pension.

— Mais non. Ton père n'est pas…

— Pas quoi, Granny ?

Elle couvre sa bouche de sa main et se redresse :

— Mon Dieu ! Je suis en train de papoter alors que je dois m'occuper du déjeuner.

— Mais, Granny ?

— Ma mémoire me joue des tours maintenant. En résumé, j'ai dû passer un examen.

— Tu t'en es bien sortie ?

Elle me martèle les côtes en riant :

— Ne te fais pas de soucis, mon canard. J'ai été brillante. Tout le monde sait que Winston Churchill est Premier ministre, non ?

Sa réponse n'est pas claire. Je ne sais pas si elle me fait marcher car elle sait que c'est Anthony Eden ou si elle croit vraiment que c'est toujours Churchill. Je n'ai pas envie de lui demander de préciser. Par contre, sa mémoire est assez bonne pour m'annoncer que Veronica et mon père se voient souvent.

— Je pense que c'est plus qu'un feu de paille.

Je baisse la tête.

— Désolée, mon canard. Au sujet de ta mère.

Ne sachant pas quoi dire, je marmonne n'importe quoi. Granny me tapote le dos :

— Allons, allons, ne t'en fais pas. Va donc te brosser les cheveux, arrange-toi un peu et je te ferai un bon sandwich à la confiture de groseilles à maquereau.

Fleur peut compter sur papa et maintenant sur Veronica et on peut la soudoyer avec des bonbons à la réglisse. Moi, j'ai besoin de maman et j'ai honte de ce coup de colère que je ressens à son égard. C'est injuste. Comment a-t-elle pu nous abandonner ? Comment a-t-elle pu mourir ?

Je me brosse les cheveux sans conviction. En Malaisie, je me suis plainte une fois que ça ne faisait aucune différence. « Ne discute pas ! » m'a dit maman d'une voix sévère. Elle a pris la brosse et s'en est servie brutalement. C'était le jour du mariage, le jour où nous avons eu l'accident et elle était bizarre.

Fleur, qui me regardait bouche bée, a demandé à maman :

— Et moi ?

— Avec toi, c'est facile.

En deux coups d'un peigne fin, Fleur était bien coiffée d'une raie à droite et d'une barrette avec un nœud à gauche.

—Je peux avoir une barrette moi aussi? j'ai demandé.

—Inutile, Em. Avec ta masse de cheveux ce serait peine perdue. Et pour l'amour du ciel, arrête de paresser.

Elle a ri et j'ai été bêtement blessée.

Je n'en peux plus, me dis-je. Mon esprit bouillonne de questions qui tournent en rond. Qu'est-ce qui est vraiment arrivé à maman? Personne ne le sait? Je décide de demander à Fleur si elle a entendu quelque chose. Je me rends dans sa chambre et reste sur le seuil. Assise sur son lit, elle colorie une carte de Grande-Bretagne, en appliquant plein de bleu autour du bord pour montrer que c'est la mer.

Je la reprends en songeant à la couleur rouge indigo de l'océan à la tombée de la nuit:

—La mer n'est pas comme ça, Mealy.

Elle me regarde froidement:

—Ne m'appelle plus Mealy. Je ne suis plus un bébé. Et puis, décampe! Je suis occupée. Je dois avoir fini pour la fête de l'école.

—Est-ce que je t'ai manqué?

—Un peu.

Je traîne quelques minutes, mais à part deux ou trois soupirs, elle ne s'occupe pas de moi. Je quitte sa chambre. Inutile de l'interroger. Je ne suis même pas sûre qu'elle m'en parlerait. Les sœurs ne se feraient donc pas confiance? Ça m'attriste mais j'aimerais une frangine plus comme moi, qui me parlerait, me dirait que tout va bien et que maman n'est pas morte. Pas morte du tout. Ou au moins qui serait au courant de ce qui s'est passé.

Je n'attends pas longtemps avant d'avoir l'occasion d'en apprendre plus. Granny et papa vont à l'école primaire avec Fleur. C'est un bel après-midi pour une fête avec des gâteaux et du thé. Je dispose donc de pas mal de temps.

La chambre de papa n'est pas fermée à clé, mais, en bonne espionne, je n'entre pas tant que leurs voix dehors n'ont pas disparu.

Le mobilier consiste en une penderie en chêne sombre, une coiffeuse assortie et une chaise, des lits jumeaux avec leurs tables de chevet. Un rayon de soleil éclaire le sol et révèle l'usure du tapis. Je fouille les tables de nuit. Juste des demandes d'emploi et des lettres de refus. Je comprends ce que Granny voulait dire quand elle m'a confié que les choses allaient mal. J'inspecte la penderie : costumes, chemises, manteau, chaussures noires et marron sont alignés comme à la parade. Des cartons sont empilés au-dessus. Je monte sur une chaise. Ils sont soigneusement scellés. Restent la coiffeuse et ce qui pourrait être sous le lit.

Comme le matelas est lourd et mou, je glisse ma main dessous pour me rendre compte qu'il n'y a rien. J'ouvre le premier tiroir de la coiffeuse. Un nécessaire à chaussures se répand par terre : un chiffon, deux brosses, une douce et une dure, un vaporisateur et quatre pots de cirage de couleurs différentes. Papa rangeant « tout au carré » selon son expression, je grimace. Comment remettre le tout dans l'ordre? Je croise les doigts et fais au mieux. Je passe au tiroir du dessous. Ça doit être là. Je n'y croirai que si je le vois de mes propres yeux. J'examine le contenu : un calendrier, un répertoire, un flacon de lotion autobronzante et, tout au fond, un livre. Je souris en agitant la bouteille : papa adore paraître bronzé toute l'année. Je soulève le livre : *L'Année du jardinier*. Il devait appartenir à Granpa. Papa ne jardine pas. En le feuilletant, une enveloppe *air mail* s'en échappe. J'hésite, la ramasse, la retourne, découvre le cachet de la poste de Malaisie. Je sors la lettre. Mon cœur cesse de battre. Pas d'adresse mais la date sur l'enveloppe indique qu'elle a été postée il y a plus d'un an, avant que j'enfonce la fléchette dans le cou de M. Oliver. C'est la lettre que j'ai crue envoyée par maman.

Cher Alec,
Je me suis occupé de tout. Tu n'as plus de souci à te faire de ce côté-ci. Je pense que nous sommes quittes, mon vieux.
Bien à toi,
George

Comme j'ai retenu ma respiration, j'expire lentement. Ça veut dire quoi? Il s'est occupé de quoi? Rien n'est dit. Vraiment étrange. Est-ce que ça concerne maman? Ou ça n'a rien à voir avec elle? Il n'y a pas d'autre lettre annonçant à papa qu'elle a disparu, qu'elle est présumée morte ou qu'elle nous a abandonnées. Je reste là au moins une heure à réfléchir et à devenir folle en imaginant le pire. Je ne cesse de penser au tunnel du musée de cires de Malacca. Quelqu'un a-t-il réduit la tête de maman ? Chaque fois que j'ai cette image devant les yeux, j'ai envie de mourir. Au point de presque en manquer le bruit de leurs conversations quand ils rentrent de l'école.

Juste à temps, j'entends Granny dire :

— Elle travaille très bien, n'est-ce pas ? Le jour où elle ira au lycée, elle n'aura pas de difficultés.

Transie de peur, je remets la lettre dans le livre, le range dans le tiroir et quitte la chambre de papa sur la pointe des pieds. Je m'assieds sur mon lit, les bras croisés sur mon ventre.

Un peu plus tard, dans la cuisine, sans élever la voix, je demande à papa à voir le certificat de décès de maman. J'ai droit à un regard sévère.

— Il n'y en a pas. Elle est *présumée* morte.

J'insiste avec une pointe d'espoir :

— Alors comment le sais-tu ?

— C'est ce qu'on nous a dit.

— Mais qui ça ?

Papa se prépare à partir :

— George Parrott avait les renseignements.

Je m'obstine à le suivre à l'extérieur :

— Écris-lui ! Demande-lui.

— Emma, je n'ai pas d'ordres à recevoir de toi. George Parrott m'a averti. Point final. Et maintenant je suis occupé.

Je ne me laisse pas intimider et ne tiens pas compte de son air irrité :

— Quand est-ce qu'il t'a écrit ? Montre-moi sa lettre !

Papa inspire à fond et je vois qu'il livre un combat intérieur. Puis il sourit comme pour me dire : que tu es bête de faire autant d'histoires. Un sourire destiné à me tourner en ridicule.

— Alors Emma ? Si j'ai bien compris, tu ne crois pas en la parole de ton père ?

Je sais que je m'enfonce encore plus mais je ne peux pas m'en empêcher :

— Je te demande seulement de lui écrire. Il n'y a pas de mal à ça, si ?

— J'ai reçu sa lettre il y a un mois. Allons, mademoiselle, pour votre bien, je vous conseille de vous taire.

Il me tourne le dos et ferme la porte du hangar.

Pourquoi papa me ment-il ? Je n'ai pas trouvé la trace de cette lettre dans sa chambre, rien de George Parrott au sujet de la mort présumée de maman. Bien sûr, si une telle lettre était arrivée, il aurait pu la jeter. Mais est-ce logique ? Je suis malheureuse et j'ai encore en tête des tas de questions sans réponses.

Je monte dans ma chambre, m'assieds à nouveau sur mon lit, ouvre mon cahier que je cache sous mon oreiller, hors de la vue de Granny. Parfois quand je trouve que le monde est trop injuste et que les choses vont mal, j'écris des histoires. J'adore la façon dont on peut inventer ce qu'on veut. En tout cas, je serai écrivain quand je serai plus grande. Quand j'imagine des histoires, je peux choisir le personnage que j'ai envie d'être.

Je me perds dans un conte où des statues aux yeux gris naissent à la vie et étranglent les gens avec leurs mains de pierre. L'une d'elles est sur le point de s'en prendre à papa quand je l'entends rentrer dans la maison. Il se met à discuter avec Veronica. Je prête l'oreille et l'entends dire que Granny doit aller dans une maison de retraite et que les autorités locales lui proposeront bientôt une place. Quand Veronica vient me dire bonjour, je suis presque en larmes. Elle s'approche, passe un bras autour de mes épaules, me caresse la joue. J'ai un mouvement de recul.

— Comment ça se passe dans ta pension ?

— Pas mal, je réponds en reniflant.

— Je ne te promets rien mais si tu fais des progrès, il est possible que ton père accepte que tu reviennes à la maison.

Je la dévisage :

— D'après lui, l'école lui a dit que je n'étais pas prête.

— Je sais, mais les choses peuvent changer… Emma, je suis désolée. Je ne remplacerai jamais ta mère, mais si tu me le permets, je ferai de mon mieux.

Je n'ose pas ouvrir la bouche.

— Je te comprends. Un jour, je viendrai te chercher à la pension et nous passerons la journée à Cheltenham. Le grand jeu. Thé à l'Oriental Café sur la Promenade puis un film au Gaumont. Ça te dit ?

Je réfléchis. Est-ce que ça signifie qu'elle est de mon côté ? Qu'elle veut vraiment remplacer maman ? Ou seulement faire semblant ?

— Pourquoi ferais-tu ça pour moi ?

— Je n'ai pas oublié que j'ai été jeune.

Je contemple ses joues légèrement poudrées, ses ongles rose nacré, ses cheveux aux boucles parfaites, en me demandant si c'est vrai. Il doit falloir des années pour acquérir des boucles pareilles! Et je passe mes doigts dans mes cheveux en bataille. Toujours roux, toujours rebelles.

— Voilà ce que je te propose. Je te montrerai ma vieille école si tu veux. Le Wellington College pour filles de Pittville Circus. Mon Dieu, on s'est tellement amusées à se cacher dans le labyrinthe des couloirs. Je me souviens de l'enfilade de hautes fenêtres donnant sur la rue. Treize en tout. Ou peut-être quatorze. On préférait les salles de classe en façade.

Elle sourit, plaque ses lèvres froides sur mon front et me fait un clin d'œil en partant:

— Je t'emmènerai là où nous attendions les garçons du lycée.

Dès qu'elle m'a quittée, j'ouvre la fenêtre en grand et efface le rouge à lèvres de mon front. Le monde extérieur brille dans la lumière du soir avec ses arbres, son clocher, même ses champs. Mais en moi, c'est le doute et la confusion. Si je fais amie-amie avec Veronica, est-ce que ça veut dire que je trahis maman?

24

Quelques semaines plus tard, en rentrant de l'étang, Jack encouragea Maz à courir devant alors que lui-même ralentissait l'allure. Le ciel était doré et l'air parfumé. Pour une fois, on pouvait oublier le tapis de mouches au-dessus des marais nauséabonds et les épines, aussi grosses que des crochets de boucher, prêtes à vous fendre la peau. Lydia ressentit une nouvelle forme de paix. Elle adorait la chaleur après la fraîcheur de l'eau, sa brûlante sensualité. Et caresser le corps de Jack en marchant sur le sentier.

S'arrêtant, il prit le visage de Lydia dans ses deux mains puis l'embrassa sur le front et les lèvres.

—Attention à Maz!

—Il ne peut pas nous voir. Il doit déjà être arrivé à la maison.

Elle se laissa embrasser à nouveau et ils se remirent en route lentement, main dans la main.

Ils approchaient de la maison quand Maz fonça à leur rencontre, les yeux pétillant d'excitation :

— Channa m'a laissé entrer.

Il se mit à parler à toute vitesse tout en sautillant sur place.

Jack éclata de rire :

— Qu'est-ce qui se passe, Maz ? Tu as des fourmis dans la culotte ?

Lydia le prit dans ses bras, mais Maz pointa son doigt vers la porte de service.

— Lydia, attends-moi ici. Ce n'est sans doute rien mais sait-on jamais.

Maz se tut. Se contentant de renifler, il enfouit sa tête dans sa jupe. Quand un oiseau s'égosilla dans un arbre, Lydia sursauta.

Jack revint bientôt :

— Viens donc te rendre compte !

À l'intérieur, Lydia n'en crut pas ses yeux. De la vaisselle brisée par terre. Livres et vêtements épars, un jupon accroché à un abat-jour. Maudissant ces mains étrangères qui avaient touché à ses affaires, elle ramassa une théière cassée qu'elle jeta à toute volée dans la corbeille à papier. Le fracas qui en résulta la réconforta.

— Qu'est-ce qu'ils cherchaient ? demanda-t-elle.

Jack bomba le torse et sortit son revolver.

— Réponds-moi ! Je ne suis pas une petite chose fragile.

Il se frotta la joue.

— Aucune idée. Ils n'ont pas trouvé l'argent sous le plancher et à part quelques documents de l'exploitation, il n'y a pas grand-chose à voler. Rien qui justifie ce fatras.

Jack prévint la police, répara le trou dans la clôture, remplaça la serrure de la porte de service. Jack, Lydia et Maz dînèrent en silence, puis après avoir raconté une histoire au gamin, elle le coucha de bonne heure malgré ses protestations.

Sur la véranda, ils brûlèrent un produit anti-insectes qui répandit dans l'air une odeur d'anti-septique à laquelle s'ajouta celle du latex et des feuilles pourries. Des papillons de nuit géants vole-taient autour de l'unique lanterne qu'ils avaient placée loin de leurs sièges. Cette semi-obscurité et les sifflets des oiseaux de nuit déprimèrent Lydia.

— Dans deux jours, la maison sera protégée par une nouvelle clôture de barbelé. Il était temps de la remplacer. Mais en attendant, la sécurité n'est pas idéale malgré les gardes supplémentaires.

Elle se tassa. En général, elle adorait boire un verre le soir, surtout quand elle s'était baignée dans l'étang et que sa peau la picotait après son exposition au soleil et à l'eau. Ce soir, rien n'allait. Sa peau la démangeait et ses habituelles plaques rouges étaient réapparues sur sa poitrine. Sans y faire attention, Jack se gratta les bras. Il n'avait pas l'air dans son assiette.

Après avoir bu une seconde bière, il s'ouvrit à Lydia :

— Lyd, ce n'est pas seulement le cambriolage. J'ai reçu ceci.

Il sortit de sa poche-revolver une lettre qu'il lui tendit. Elle provenait de Jim Dobson, le patron de

Jack. Lydia la parcourut une fois puis la relut à haute voix.

Il m'a été rapporté que vous hébergez une Européenne et un enfant indigène à la maison. J'ai le devoir de vous rappeler les termes de votre contrat. Je prends en compte les circonstances particulières actuelles, mais je vous conseille de prendre d'autres dispositions, au moins pour l'enfant. Je vous recommande donc un couple écossais vivant près de Penang. Il dirige une école locale pour enfants déplacés et pourrait accepter de le recueillir.

— Jim est un type bien, commenta Jack. Il ne me recommanderait pas ce couple s'il ne l'estimait pas. Mais ça ne veut pas dire que je doive tenir compte de cet avertissement. Évidemment dans ce cas, je perdrais mon job et comme je n'ai pas mis suffisamment d'argent de côté, je pourrais être sévèrement pénalisé. Le bon côté des choses, c'est que la mer est magnifique à Penang. On pourrait y jeter un coup d'œil.

Lydia leva les yeux vers le ciel noir d'encre et se rappela la plage avec une femme en robe bleue, la femme qu'elle avait toujours prise pour sa mère. Une simple visite au bord de la mer ne serait pas son seul contact avec Maz. Elle y veillerait.

Elle regarda Jack droit dans les yeux :

— Tu es en train de m'annoncer que je peux rester mais que Maz doit partir.

Jack se racla la gorge, contracta les muscles de son visage :

—Tu connais les règles. Pas de femme, pas d'enfants. Pas pendant la première mission.

—Impossible qu'il parte. Il a besoin de moi.

—Je dois répondre à Jim demain. Voilà trois semaines que sa lettre est arrivée.

—Tu aurais dû me le dire.

—Tu lui es très attachée. Les choses allaient mieux. Je ne voulais pas…

Il haussa les épaules.

Lydia avait pris l'habitude de voir Jack dormir avec son revolver à portée de main. Mais cette nuit-là, l'arme lui parut de mauvais augure. Alors que les choses avaient été calmes dans l'ensemble, elle prit conscience du danger qui les entourait. La police avait promis à Jack des gardes supplémentaires : étaient-ils déjà installés à la périphérie de la propriété ?

Dormant d'un sommeil agité, elle n'entendit pas Jack se lever. Mais réveillée au milieu de la nuit, elle s'aperçut qu'il était parti. Elle enfila une robe de chambre et traversa le salon en prenant garde où elle mettait les pieds.

Il était recroquevillé sur le canapé. Ses lunettes à monture dorée pendaient au bout de son nez, l'arme reposait sur ses genoux, le livre qu'il avait lu était tombé à ses pieds. Regardant par-dessus ses lunettes, il lui adressa un sourire en biais.

—Jack ! Vraiment ! Que diable t'arrive-t-il ? Tu pues le whisky !

—On ne peut pas continuer comme ça.

De son regard fiévreux, il inspecta la pièce avant de claquer son poing dans sa paume :

—Tirons-nous d'ici. Tant pis pour ce foutu contrat.

—Pour partir où?

—Lyd, j'en ai plus que marre. Des moustiques, de la chaleur, des marais. Surtout de ces satanés hévéas. Tentons notre chance. On emmènera le petit. On prétendra que c'est le nôtre.

—Facile à dire!

—Pourquoi pas? Toi-même tu répètes qu'il n'est de nulle part. Il n'est ni chinois, ni malais, ni blanc.

Lydia remarqua les traits tirés de Jack, son teint anormalement pâle. Et son air vaincu.

Il saisit son arme et appliqua le canon contre sa tempe:

—Bang! Bang! Bang!

Puis il la laissa choir sur la table.

Lydia s'approcha de lui, le berça.

—Oh! Jack!

Il continua à fixer l'endroit où reposait son revolver.

—Tu l'as dit toi-même. Les choses ne vont-elles pas un peu mieux? Entre nous.

Un long silence suivit. Quand Jack était déprimé, il n'était guère expansif.

Finalement, il s'excusa en grommelant:

—La faute à la boisson. Lyddy, tu sais que je ferais n'importe quoi pour toi.

Il reprit son arme, souleva Lydia et la porta jusqu'à son lit. Alors qu'il s'endormait rapidement, elle demeura éveillée, nichée contre lui à écouter sa respiration.

Après le départ de Jack pour une réunion matinale, elle rangea le désordre, sursautant à chaque craquement. Dans le salon, elle feuilleta le livre que Jack avait lu la veille : *Guide de survie*. Sur le plancher du vestibule, elle trouva un livre anglais de recettes où le ragoût de queue de bœuf et le pudding à la vapeur étaient cornés. Ce serait bon pour Jack qu'il mange des plats qui lui rappelleraient le pays et lui remonteraient le moral.

Elle prépara des crêpes à la cannelle et au sucre puis alla réveiller Maz. On prendra notre petit déjeuner sur la véranda en regardant les lézards, songea-t-elle. Elle jeta un coup d'œil par la fenêtre du vestibule avant d'ouvrir sa porte. Un épais brouillard limitait la vue.

Elle pénétra dans la chambre de Maz.

La fenêtre était ouverte, son lit était vide. Lydia en eut le souffle coupé. Ce n'était pas le genre de Maz. Ayant compris que cela conservait un peu de fraîcheur, il fermait toujours ses volets. Après les avoir clos, elle parcourut la maison en l'appelant. Aucun signe de lui.

Sur la véranda, comme des branches craquaient, elle fit volte-face mais ne vit rien. Elle sentit la présence de la jungle se refermer sur elle.

Se précipitant dans le couloir couvert, elle rejoignit la chambre de service de Channa : elle était assise en tailleur, les yeux fermés.

— Maznan est avec toi ? Je ne le trouve pas.

La servante dévisagea Lydia de ses yeux marron foncé. Elle était calme et concentrée. Avec un hochement de tête, elle se leva :

— Moi aider chercher.

—Tu crois que c'est grave? Tu sais. Après ce qui s'est passé hier soir.

Channa prit Lydia par le bras:

—Maz probablement tout près. Moi regarder derrière.

Lydia acquiesça. Elle continua à appeler Maz. On lui avait souvent dit de ne pas s'éloigner mais s'il avait désobéi? S'il s'était perdu? S'il ne retrouvait plus son chemin?

Channa revint de l'arrière de la maison.

Lydia se précipita vers elle:

—Quelque chose?

Channa tendit son bras et ouvrit sa main.

Respirant à fond, Lydia lui prit les perles du bracelet de cheville de Maz.

—Sur le chemin. Près trou dans fil de fer.

—Est-ce qu'il se serait enfui? demanda-t-elle.

—Garçon heureux ici. Pas enfui.

Elle a raison, songea Lydia, il se sent chez lui ici. Il ne serait pas parti tout seul.

Channa posa la main sur l'épaule de Lydia et la serra. Les deux femmes se regardèrent. Toutes deux savaient ce que l'autre pensait, mais aucune n'avait le courage de l'exprimer. Lydia se souvint du visage souriant de Maz, pendant qu'il traçait ses lettres et qu'ils riaient ensemble en dessinant les animaux.

—Les rebelles, dit-elle enfin.

Channa haussa les épaules, mais Lydia lut dans ses yeux qu'elle était du même avis.

—Que faire maintenant?

—Aller intérieur. Attendre.

—Je vais appeler la police.

Elles rentrèrent. Inutile de chercher Maz sans l'aide d'un guide. La plantation s'étendait sur des milliers d'hectares et pour un œil inexpérimenté tout se ressemblait. À l'infini.

Au téléphone avec la police locale, elle fit part de la situation aussi calmement que possible, s'interdisant de pleurer. Mais quand elle donna au policier le nom de famille de Maz, ses yeux se remplirent de larmes et elle hoqueta. Un autre souvenir l'envahit : celui d'une maison désertée. Celle de Malacca. Ses filles disparues. Sa gorge se serra. Ça ne va pas recommencer. Pas une seconde fois. Impossible.

— Madame, s'agit-il de votre fils ?

— Non, je m'occupe de lui, dit-elle en butant sur les mots.

— Prenez votre temps.

Il se tut quelques instants avant de reprendre :

— Est-il anglais comme vous ? Maznan Chang n'est pas un nom anglais.

— Non, il est à moitié malais et à moitié chinois.

Le policier se suçota les dents.

— Nous verrons ce qu'on peut faire.

Lydia raccrocha, arpenta le jardin en espérant apercevoir l'enfant. Un papillon atterrit sur son genou et elle sentit l'angoisse revenir.

Quand Jack arriva pour déjeuner, elle était installée sur la véranda, se balançant dans un fauteuil à bascule.

— Lyddy, qu'est-ce qui se passe, bon sang ?

Elle arrêta son balancement :

— Maz a disparu.

— C'est le bouquet !

246

—Ton chauffeur aurait-il pu l'emmener au village?

Jack se laissa tomber sur un siège et se pencha en arrière.

—C'est le mari de Channa. Elle le saurait si Tenuk l'avait emmené.

—Et si elle l'ignorait?

—Bon, on le saura quand Tenuk sera là.

Lydia se leva et le dévisagea:

—On dirait que tu t'en fiches?

—Pas du tout.

—Tu as une drôle de manière de le montrer!

Furieuse, elle quitta la véranda, claqua la porte, alla s'asseoir sur le rebord de sa baignoire. Là, elle s'en voulut. Elle n'aurait jamais dû emmener Maz ici. Les visages anxieux de ses filles apparurent devant ses yeux, aussi nets que si elles se trouvaient auprès d'elle: Emma, l'air contrariée, Fleur se rongeant les ongles. Ces images s'évanouirent, la laissant en larmes.

Jack entra et lui tendit les bras:

—Je suis désolé.

Elle se mit à trembler quand il lui prit la main.

—Jack, c'est insupportable. Qu'est-ce qu'ils en ont fait?

—On va le retrouver. C'est promis.

Il la serra un moment contre lui, lui conseilla de rester là.

—Je vais à sa recherche et j'emmène deux assistants.

Elle s'essuya le visage et se regarda dans la glace.

L'après-midi s'écoula lentement. Vint le crépuscule. Le vent souleva les feuilles, fit tourbillonner la poussière. Elle fit les cent pas sur la véranda tandis que les arbres se noyaient dans les ténèbres. Se massant les tempes, elle songea aux marais et aux cruelles piqûres d'insectes. Et si les rebelles avaient capturé Maz? S'ils l'avaient forcé à traverser des rivières de boue avec de l'eau jusqu'à la poitrine? S'ils l'avaient emmené dans des camps de misère où les bandits utilisaient des cris d'oiseaux pour communiquer entre eux et des fils de fer pour étrangler les gens?

Un craquement la fit sursauter. Elle se représenta les visages maigres de ces rebelles qui n'avaient que du riz pour toute nourriture. Comment Maz pourrait-il survivre?

Comme la tension devenait insupportable, elle se força à mettre un frein à son imagination. Il avait peut-être rejoint sa mère. Elle tenta de voir quelque chose à travers les arbres mais la nuit était trop dense. Avec l'obscurité, tout semblait différent. La jungle était aux abois, immense et noire, peuplée de créatures hostiles. Pour Lydia, tant que la pleine lune n'éclairait pas les tunnels d'arbres et que les étoiles n'apparaissaient pas, les ténèbres étaient propices à tous les crimes, aux gorges que l'on tranchait, aux enfants que l'on volait.

25

Le but des nouveaux camps était d'isoler les terroristes de leurs partisans. Tout en le sachant, Lydia fut choquée par les rangées de bambous taillés en pointe et fichés dans des douves, elles-mêmes entourées par trois clôtures grillagées. Le tout surmonté de hauts miradors.

Elle jeta un coup d'œil à Jack. Vêtu d'une chemise blanche impeccable, il était beau mais pas vraiment à sa place.

—La police nous avertira si elle a des tuyaux. Mais je pense que ce camp est notre meilleure chance. À moins que Maz se trouve dans la jungle.

Après avoir franchi les barrières de sécurité, ils commencèrent leurs recherches.

Lydia se boucha le nez :

—Ça pue!

—Les latrines. Il n'y a pas d'eau courante.

L'endroit, plus vaste qu'elle ne l'avait imaginé, était bruyant et bondé.

— Ça équivaut à chercher une aiguille dans une meule de foin, dit-elle, découragée. Combien sont-ils ?

— Deux mille, sans doute.

— Ils font quoi toute la journée ?

— J'ai là quelques-uns de mes saigneurs.

— Et tous les autres ?

— Ils posent des tas de problèmes.

Chassant les moustiques de ses bras, Lydia observa les rangées sordides de huttes à peine plus hautes que des abris de jardin.

— On se croirait dans un camp de concentration !

Une cloche sonna et des haut-parleurs diffusèrent une annonce. La foule s'épaissit et le bruit augmenta. Les gens commencèrent à affluer vers une scène édifiée à une extrémité d'un grand espace nu. Il était six heures et la nuit tombait.

— Regarde ! Là-bas ! fit-elle, le cœur battant.

Un jeune garçon à la peau foncée se tenait à l'entrée d'une hutte.

— Maz ? C'est toi ? cria-t-elle en s'approchant.

Le garçon s'avança, un pauvre gosse déguenillé aux yeux sombres.

Lydia soupira profondément :

— Je me suis fait des illusions !

Jack la prit par les épaules.

— Et si Maz était blessé ? Tu crois qu'il y a un médecin ? s'inquiéta-t-elle.

Jack fit non de la tête.

—À mon avis, ça ne vaut pas la peine de s'éterniser ici. Si Maz était dans les parages, il nous chercherait.

—Pas s'il est prisonnier.

—Alors, comptons sur le hasard et prévenons les gens. Mais, si possible, prends un air décontracté.

Se joignant au flot de gens qui se dirigeait vers le podium, Lydia tenta d'ignorer l'odeur de transpiration de tous ces corps mal lavés. Jack réussit à se faufiler dans les premiers rangs où des lanternes recouvertes de saris verts et orange recréaient l'ambiance de la jungle. Des coups de gong signalèrent le début du spectacle.

Des danseurs chinois, en tenues traditionnelles et coiffés avec recherche, sortirent de derrière un rideau improvisé. Au lieu de s'intéresser à leur performance, Lydia scruta les spectateurs. Des douzaines d'enfants ressemblaient à Maz. Chaque fois, croyant l'avoir reconnu, elle souriait, tout excitée, et à chaque fois elle était déçue.

L'assistant du commissaire régional monta sur scène.

—Il va s'agir d'une pièce de propagande pour notre parti, expliqua Jack. Afin de persuader les jeunes filles de ne plus idolâtrer les rebelles.

Mais Lydia s'en fichait. Seul le sort de Maz lui importait.

Le spectacle débuta.

—Souris! Tâche de te comporter normalement, murmura Jack.

Lydia ne lui prêta pas attention. Ses oreilles bourdonnaient. Elle avait reconnu quelqu'un. Pas

Maz. Mais dans la foule, de l'autre côté de la scène, se tenait Lili flanquée de deux solides gaillards. Plutôt dépenaillée et épuisée. Lydia donna un coup de coude à Jack :

— Regarde ! C'est Lili. En piteux état !

Mais l'instant d'après, Lili avait disparu.

— Ce n'était sans doute pas elle, dit Jack. Lili sait se débrouiller dans la vie. Je suis certain qu'elle s'en tire. Allons, partons d'ici. Maz n'est pas là.

— Et maintenant ?

— On va chercher à la périphérie du village. Et revenir vers le centre.

Ils jouèrent des coudes pour échapper à la foule, longèrent un grand container métallique de la taille d'une hutte et bardé de serrures. Des dizaines d'oiseaux picoraient dans la poussière.

— C'est un silo à grains, dit Jack en voyant l'air interrogateur de Lydia. La police contrôle les fournitures de vivres.

Ils continuèrent jusqu'au bout du camp où ils furent assaillis par la puanteur d'un marécage qui s'étendait au-delà des douves. Les sentiers entre les huttes étaient boueux, l'air infesté d'insectes. Lydia, remarquant l'absence d'enfants, sonda du regard la lisière de la jungle à l'étouffante verdure. Le silence la déprima plus que le bruit. Maz, où es-tu ? songea-t-elle. Pourvu que tu ne sois pas dans cet enfer.

— Il n'y a pas d'espoir dans ce secteur, affirma Jack.

Lydia croisa les doigts en espérant qu'il se trompait.

Revenant sur leurs pas, ils s'arrêtèrent devant une échoppe.

—Reste ici, fit Jack. Je vais interroger le propriétaire.

Des douzaines de tracts traînaient sur les tables. Elle en prit un, contempla les photos d'ex-terroristes au gros ventre paradant devant des camarades à moitié morts de faim. Les mots en chinois en haut du tract devaient être un appel à la reddition. Elle s'assit en attendant Jack et suivit des yeux un groupe d'enfants qui couraient le long d'un étroit sentier. Maz serait-il parmi eux? Elle cria son nom. Aucun gamin ne se retourna. Mais un homme s'approcha, puant le tabac. Il tendit la main, s'approcha encore, farfouilla dans la poche de son ample pantalon noir. Avec la peur qu'il ne la menace d'un couteau, Lydia eut un mouvement de recul. Mais tout ce qu'il exhiba fut un vieux portemonnaie en tissu.

Fouillant dans son sac, elle mit une pièce de dix cents sur la table. Elle se sentait mal à l'aise. Il faisait presque nuit, les lanternes de paraffine allumées dans les huttes ne lui apportaient que peu de réconfort.

Jack ressortit avec deux tasses de café.

—Enfin te voilà! Tu as des nouvelles?

—Non, mais regarde. C'est Bert.

Il désigna un policier qui surveillait la foule de l'autre côté d'une rue étroite tandis que deux soldats allaient de hutte en hutte en expulsant parfois des gens.

—Ils cherchent tout ce qui peut être illégal. Ils veulent interdire aux marchandises de toute nature

253

de sortir du village et de profiter aux rebelles. Les contrevenants risquent dix-huit mois de prison.

— Sans procès ?

— Sans doute.

Rejoignant Bert, Lydia l'interrogea au sujet de Maz.

— La police malaise locale m'a parlé d'un enfant disparu. Désolé, mais je ne sais rien de plus. Attendez, je vais chercher avec vous et ensuite je vous escorterai jusqu'à la sortie.

Cent mètres plus loin, ils entrèrent dans une autre échoppe. Elle n'était éclairée que par deux lampes à pétrole. Jack posa des questions au propriétaire et lui demanda de rester sur le qui-vive.

Pendant la demi-heure suivante, ils s'arrêtèrent dans toutes les petites boutiques, puis Bert les fit passer près du marécage nauséabond avant de regagner le poste de garde. Une foule compacte semblait les accompagner. Lydia avait la chair de poule. Un bébé hurla, une rangée de mendiants se tenait le long de la rue jonchée de déchets. Jack, guidant Lydia par le coude, se fraya un chemin à travers cette marée humaine.

Lydia, elle, ne songeait qu'à trouver Maz.

Lui manquaient ses yeux confiants, son doux visage, la façon dont il comptait et chassait les papillons. Il lui était insupportable qu'il soit perdu dans ce monde étranger. Elle pria pour que sa mère l'ait repris, mais pas pour vivre dans la jungle avec les rebelles. Elle leva la tête. Le ciel pourtant sombre servait de fond à la jungle, toujours noire, toujours hostile. Des oiseaux de proie tournoyaient au-dessus de leurs têtes. Elle aurait aimé pleurer.

Un groupe agglutiné à la sortie parlait à tue-tête. La peur s'empara d'elle. Jack se raidit et elle tendit le cou pour voir ce qui se passait. Horrifiée, elle saisit le bras de Jack.

Deux corps avaient été jetés dans la boue à l'intérieur de l'enceinte : ils étaient nus et criblés de balles. Lydia ne put détacher son regard de leurs cadavres émaciés et de leurs yeux sans vie. Le fils d'une mère, le frère d'une sœur, se dit-elle. Entendant qu'on comptait à voix haute, elle se retourna. Une file de vieilles femmes en noir désignaient du doigt les impacts de balle.

— C'est très dissuasif, expliqua Bert en regardant les morts.

Lydia lâcha le bras de Jack et se recula :

— Alors, d'un côté on leur offre un spectacle et de l'autre on leur fait une peur bleue.

— C'est tout à fait ça, commenta Jack.

— Mais ce sont des êtres humains !

— Sans doute les mêmes qui ont incendié la Maison coloniale, intervint Bert, le visage de marbre. Ils veulent nous effrayer, nous faire sentir que nous ne sommes pas en sécurité et nous forcer à nous rendre.

Perplexe, Lydia cessa d'écouter. L'odeur, les horreurs, le bruit la terrassèrent. Elle se sentit perdre pied, remarqua de la colère dans l'œil de Jack qui cependant la retint pour qu'elle ne tombe pas.

— Ne te fais pas d'illusions. Ils appellent ça l'état d'urgence pour des histoires d'assurance mais, crois-moi, c'est la guerre. Et tout le monde cherche à en tirer profit.

— Que le ciel nous garde, murmura Lydia.

Jack ricana :

— Le ciel ? Je n'y crois pas.

Les projecteurs des grilles s'allumèrent et un homme de haute stature, au crâne rasé, leur fit traverser les douves. Lydia pensa à Adil, qu'elle avait rencontré dans le train. Un instant, elle crut même que c'était lui. Si seulement c'était vrai, espéra-t-elle, si seulement il était venu nous aider avec sa connaissance des mœurs du pays. Les épauler pour trouver Maz. Hélas, il n'en était rien. La ressemblance n'était que vague. Ils étaient livrés à eux-mêmes. Certes, Jack ferait de son mieux, mais il ne pourrait s'attendre à aucune forme d'assistance pour récupérer le jeune métis. Ni de la police, ni de personne.

26

La disparition de maman me cause une douleur insupportable que je dissimule la plupart du temps au pensionnat. Il est possible qu'elle se soit volatilisée, mais je ne crois pas qu'elle soit morte. La nuit, je retourne en Malaisie où la pluie tombe si fort qu'elle rebondit à un mètre de haut. Et où, pendant la mousson, les égouts débordent et véhiculent une eau crasseuse. J'entends la voix de maman, ensuite je me réveille en sueur, tremblante de l'avoir perdue, terrifiée à l'idée qu'elle ne m'a jamais aimée.

Pendant la journée, avec Susan Edwards, nous nous moquons des profs *et* des élèves. C'est notre seule façon de survivre. Elle m'a raconté que sa mère était enceinte en arrivant d'Inde et qu'elle avait accouché dans un centre pour mères célibataires de Birmingham. Les services sociaux lui avaient trouvé une famille qui recherchait une petite fille. Mais après avoir été adoptée, Susan s'était révoltée. Comme punition, on l'avait expédiée à Penridge Hall.

— Qui paie tes études ?

Je lui pose la question pendant un arrêt interdit au milieu d'une marche forcée dans la campagne. Ils appellent ça un exercice de cross.

— Les autorités locales. C'était le seul endroit où me fourrer. Rebecca est dans le même cas, bien qu'elle ne l'avoue pas. J'ai entendu la dirlo dire à une prof que personne d'autre ne voulait d'elle. En fait, ses frais sont réglés par une œuvre de charité pour enfants inadaptés. C'était soit ici, soit la maison de redressement.

Je suis surprise. Mais Susan confirme avec une grimace. Pourtant quelque chose m'intrigue.

— Granny m'a dit que papa est fauché comme les blés. Et elle a failli laisser échapper que ce n'était pas lui qui payait pour moi. Enfin, c'est ce que j'ai compris.

— Pose-lui donc la question.

— Tu ne connais pas mon père.

— On pourrait le savoir.

— Comment ?

— Grâce à mon petit doigt.

— J'ai attaqué cet homme. Tu crois que c'est ça qui fait une différence ?

— Je pensais qu'on t'aurait envoyée en maison de redressement pour un truc pareil.

— Il n'a pas porté plainte. Sa sœur est la petite amie de papa.

— C'est peut-être le Conseil de l'Éducation ou une œuvre de charité qui paye pour toi, comme pour Rebecca.

— Mais je croyais que ses parents étaient riches.

— C'est ce qu'elle raconte !

Nous nous tenons à l'ombre d'un marronnier, le meilleur arbre pour récolter les marrons en automne. Je contemple les champs lavés par la pluie et les nuages sales.

— Si l'école veut qu'on fasse du trekking, elle devrait nous envoyer en Malaisie.

Je redresse le menton en ajoutant :

— Dans la jungle.

— Oh ! La ferme avec ta Malaisie. Et si on rentrait en vitesse en passant par le chemin direct, à travers bois ? Qu'en penses-tu ?

Je me rappelle la nuit que j'ai passée seule dans les bois :

— Bof !

— Ou alors on peut prendre par-derrière. Allons, Em. Tu n'as pas envie de savoir si c'est ton père ou si c'est le Conseil qui paie pour toi ? Ça serait marrant. En ce moment les bureaux sont vides. Et on serait à l'abri de cette foutue bruine.

J'adore quand elle jure, ses yeux sombres pétillent. En plus, c'est vrai que ce ciel gris est dur à supporter. Et puis tous les mercredis, l'école entière, y compris les profs, va marcher dans la campagne.

Nous escaladons une clôture affaissée, sautons le fossé au bord de la route, traversons un pré où les hautes herbes rafraîchissent nos jambes et rejoignons l'allée de derrière. Une demi-heure plus tard nous atteignons la seule ouverture qui nous permette d'entrer dans les jardins de l'école sans être vues.

À l'intérieur du bâtiment, nous nous glissons dans les couloirs, nous cachant dans les recoins. Nous communiquons entre nous en sifflant comme de véritables espionnes.

Susan me donne ses instructions :

— Je reste ici pour surveiller les alentours. Va vérifier que la porte du bureau n'est pas fermée à clé.

En allant chez la directrice, nous sommes prises d'un fou rire que nous avons du mal à arrêter. Je tourne la poignée, ouvre la porte. L'intérieur est bourré de dossiers, du sol au plafond. Je dis à Susan de me rejoindre.

Elle fait la grimace :

— Oh merde ! Il y en a des centaines. Impossible de trouver le tien, même en mille ans.

— Alors ne perdons pas de temps ! Mais remets-les exactement là où tu les as pris.

— Je préférerais flanquer une pagaille d'enfer ! jure-t-elle en ouvrant des tiroirs au hasard.

Elle extirpe un magazine d'une corbeille à papier.

— Ouah ! Elle lit *Woman and Home*. C'est très comme il faut !

Elle me montre une photo d'une femme bien coiffée, portant un tablier, un sourire figé aux lèvres.

Je le lui prends des mains et lis à haute voix :

Pour toutes les femmes, le bonheur et l'épanouissement se trouvent dans la cuisine et la chambre

d'enfants, les lieux les plus gratifiants et les plus
satisfaisants qui soient. Et un supplément détachable
de huit pages de modèles à tricoter ainsi qu'une
nouvelle romantique de Lucilla Smythe-Watkins.

Susan me tire la langue.

Saisissant une chaise, je manque de mettre les
pieds dans une gamelle. On ne voit que rarement
le terrier de la directrice. Grimpée sur mon siège,
j'examine les dossiers et m'aperçois qu'il est inutile
de les bouger. Il suffit de se pencher en se tordant
un peu le cou. Chacun est doté d'une étiquette
avec le nom de l'élève et son année d'arrivée, le
tout proprement tapé à la machine.

— Ils sont en ordre alphabétique?

— Certains. Je vais continuer à regarder en haut.
Toi, occupe-toi du bas.

— Mais ils remontent à des années. Et ils sont
tous de couleurs différentes.

Tandis que le soleil se met à briller et projette
des ombres sur un journal étalé sur le bureau,
Susan fouille parmi les magazines empilés sur une
chaise.

— Vise ça! Marilyn Monroe en couverture!
s'exclame-t-elle.

— Je croyais qu'on cherchait mon dossier.

Elle lit le titre:

«*La star au firmament, la vérité derrière le rêve!*»

— Mon Dieu, je crois que je l'ai trouvé!

Je sors un dossier où mon nom est inscrit en
grosses lettres sur deux côtés.

La voix de la directrice s'élève du jardin.

Susan se fige.

261

—File! dis-je.

Susan se retourne, me sourit et sort en courant. Quelques secondes plus tard, d'autres pas dans le couloir et la voix hennissante que je redoute :

—Que fais-tu dans ce couloir ?

—Je me sens mal, répond Susan d'une voix suffisamment forte pour que je l'entende.

—Tu as demandé la permission de quitter la promenade ?

—Non, mademoiselle. Je vais être malade.

—Bon, dépêche-toi d'aller à l'infirmerie. Mais je ne comprends pas ce que tu fais par ici.

Je regarde tout autour de moi. Et si elle a son chien avec elle ? Il va sûrement aboyer.

Derrière le bureau, deux fenêtres à guillotine donnent sur les terrains de sport. Elles sont munies de rideaux qui descendent jusqu'au sol. Je n'ai pas le choix. Pas d'autre cachette. Je me glisse entre les rideaux à moitié fermés et la fenêtre, le dossier plaqué sur ma poitrine. J'espère que la directrice ne va pas les tirer complètement au crépuscule. Sinon, je vais passer un sale quart d'heure. Je retiens mon souffle, paniquée à l'idée qu'avec ses yeux si perçants elle puisse me repérer à travers le tissu.

Elle allume une lampe et une lumière dorée remplit la pièce. Dieu merci, pas de chien. Elle s'assied à son bureau, à seulement un mètre de moi, repousse le journal et commence à écrire. Une heure s'écoule quoique je n'ose pas regarder ma montre. Les élèves rient et se font des niches en revenant du trekking. Les profs les houspillent, fatiguées par cette longue marche. Une voiture accélère au loin. Bientôt, elles feront l'appel du soir. Je meurs d'envie de faire pipi et j'ai un pied engourdi. J'ai l'impression que ça ne finira jamais. Les rideaux sentent tellement la craie que j'ai du mal à ne pas éternuer. Quand le téléphone sonne, l'espoir revient. Je retiens mon souffle.

— Bonjour. Mademoiselle Watson à l'appareil, de Penridge Hall.

Seigneur, je vous en supplie, faites qu'elle soit obligée de sortir !

Elle se balance dans son vieux fauteuil, parle pendant quelques minutes puis se lève et bâille. Elle met un siècle à ranger son bureau. Enfin elle éteint la lumière, sort et ferme la porte à clé derrière elle. Oh non ! C'est mon arrêt de mort ! On va me trouver. Demain matin. Il va falloir que je fasse pipi dans la corbeille à papier. Tout à coup, je me rends compte que je suis seulement au premier étage et que juste en dessous, sur la gauche, il y a la remise à vélos. Je lève suffisamment la fenêtre pour regarder sur le côté et voir le ciel bleu foncé. Je baisse les yeux et je soupire de soulagement. Avec un peu de chance, je devrais être capable d'atteindre le toit.

27

Pendant les six mois qui suivirent la disparition de Maz, Lydia ne sut pas s'il lui fallait se réjouir que le garçon soit avec sa mère ou craindre qu'il ne le soit pas. Et cela sans savoir ce qui la tourmentait le plus. Les nombreux appels qu'elle passa au bureau du commissaire régional, aux services de police, à tous les gens auxquels elle pouvait penser, n'aboutirent à rien. Et les recherches que Jack fit à Ipoh et dans les villages des alentours ne donnèrent aucun résultat. Maz avait purement et simplement disparu.

Son moral était au plus bas. Le ciel gris acier, la température étouffante n'avaient rien pour la réconforter. Cet après-midi-là, on avait même signalé des attentats terroristes sur la plantation. Jack en parlait justement à son boss au téléphone et tentait de le persuader d'autoriser Lydia à rester plus longtemps. Il passa sa main dans ses épais cheveux en désordre pour les aplatir. Puis il soupira. La discussion était orageuse. Le fait que son patron ait découvert que la corruption régnait parmi la police malaise de Jack n'arrangeait pas les choses.

Jim était charmant, mais il ne pouvait supporter que la présence de Lydia empêchât la plantation de tourner rond. Il fallait du temps pour qu'un directeur-adjoint tel que Jack trouve ses marques, qu'il accepte la solitude, qu'il comprenne les tenants et les aboutissants du fonctionnement d'une plantation, qu'il inspire confiance. Physiquement, c'était dur également. Il devait être résistant, avoir la force de patauger dans les sous-bois, traverser les étendues de hautes herbes, tenir tête aux saigneurs qui n'étaient qu'hostilité. Sans compter les menaces quotidiennes des rebelles chinois. Si le danger était présent, et il l'était, Jack n'avait pas d'autre choix que de l'ignorer.

Quand il raccrocha, Lydia releva la tête. Jack haussa les épaules :

— Il me fera savoir sa décision.

Songeant à toutes les occasions où elle l'avait tenu à l'écart, elle se sentit coupable. Il avait un bon fonds, mais, quand il l'avait rencontrée, il n'avait pas prévu la suite des événements. Elle le couva du regard. Désormais, alors qu'ils n'étaient plus qu'eux deux, Jack parlait de leur avenir avec enthousiasme.

— Viens te coucher. Par cette chaleur, il n'y a rien de mieux.

Leur façon de faire l'amour avait évolué. C'était maintenant un acte doux et tendre. Ils reposèrent leurs têtes sur les oreillers, Jack plaça sa main bronzée sur le ventre de Lydia. De sa paume, elle caressa les poils blonds du bras de Jack. Son bracelet d'argent étincela. Le soleil filtrait à travers les volets. Il se mit à la chatouiller, l'amenant à pleurer de rire. De l'autre côté de la fenêtre un oiseau de paradis s'en donnait à cœur joie. Jack se leva et accrocha un sari orange et or sur le volet. La chambre devint rose.

— J'aime tes cheveux longs, murmura-t-il en tirant sur un des fils d'argent qui se multipliaient dans sa chevelure rousse.

— Aïe!

Il repoussa la masse de cheveux qui recouvrait le visage de Lydia, puis porta sa main à ses lèvres et en embrassa le creux:

— Oui, je les adore! fit-il en tenant un cheveu qui brilla d'un éclat de nacre rose à la lumière.

Elle fronça les sourcils:

— Quel toupet! C'est à peine si j'en ai.

Ils se turent. Suivant du bout du doigt les veines du poignet de Lydia, Jack lui demanda:

— Parle-moi encore de tes filles.

Son cœur bondit de joie. Leur présence silencieuse ne lui faisait plus peur. Au contraire, elle la souhaitait. Pour revivre encore et encore les jours de la naissance de ses petits bébés grassouillets. Les noëls, les fêtes. Alors que le pire était passé, leurs morts étaient devenues une part d'elle-même. Mais la routine de leurs anciennes existences était en train de se perdre. Leurs premiers mots, leurs yeux immenses et leurs joues brûlantes quand elles étaient malades. Leurs regards en coin, leurs rires.

Aujourd'hui, elle était heureuse d'en parler, de peur d'oublier. Jack le savait et il l'enlaça pendant qu'elle se souvenait. Elle appuya son dos contre lui et sentit son souffle sur sa nuque.

— Emma se couchait toujours sur le ventre pour lire, remuant son pied gauche en l'air. Nous avions cette vieille commode qui sentait le camphre. C'est là que je rangeais leurs déguisements. Elles se battaient pour savoir à qui revenait le tour de porter le costume de crocodile de Peter Pan.

Les jours des confitures lui manquaient. Et la façon dont Fleur tendait la main en disant : « Maman ! Je t'aime ! » Et Emma qui rentrait couverte de boue et de piqûres d'araignée. Elles seraient des grandes filles aujourd'hui : Emma presque quatorze ans, Fleur, dix. Elle tenta d'imaginer à quoi elles ressembleraient mais cela la fit trop souffrir. Elle préféra penser à Jack. Il était beau et fort. Quelle chance qu'il l'ait recueillie ! Elle adorait ses cheveux blonds lui tombant dans les yeux, ses mains puissantes quand il les repoussait.

Il la serra fort contre lui, comme s'il faisait partie d'elle. Puis il s'écarta, les yeux humides. Il prit des pétales de fleurs sous le lit et les dispersa sur les draps.

Lydia se mit à rire :

— Qu'est-ce que tu fabriques, toi qui as la beauté du diable ? Une nouvelle technique de séduction ?

— On pourrait se marier. Quand ma mission sera terminée.

— Tu ne plaisantes pas ?

Il y eut un instant de silence.

—N'a-t-on pas besoin du certificat de décès d'Alec? George m'a dit qu'il s'en occuperait mais ça fait un moment que je n'ai pas de nouvelles.

—Rappelle-le-lui. Mais que penses-tu du principe?

Elle l'embrassa de toutes ses forces sur la bouche, le cœur battant de plaisir:

—Je n'en pense que du bien.

—Dans ce cas, madame la directrice de la plantation, j'ai quelque chose pour vous.

Un grand sourire éclaira son visage, trahissant ses intentions. Plus tard, comblé, il fuma une cigarette, les yeux au plafond.

—Mon démon de la chair, dit-elle en reposant son menton sur son épaule.

Bandant ses muscles, il rit:

—J'ai une question à te poser.

—Encore une?

—Où veux-tu habiter?

—En Malaisie?

—Dans le monde.

Elle haussa les sourcils:

—Je ne sais pas. Je n'y ai pas songé. Et toi?

—À Perth en Australie. Il y a de l'argent à gagner là-bas. Un de mes potes ouvre une mine de cuivre. Il cherche un associé.

—C'est comment?

—Je l'ignore. Des collines, bien sûr. Et la mer.

—Au bord de la mer?

—Ouais. On aurait un bateau.

Elle se blottit contre lui.

—Jack, ça serait épatant.

Une idée la transporta soudain. Un immense espoir jaillit en elle : s'ils se mariaient, elle pourrait avoir un bébé ! Ensemble, ils commenceraient une nouvelle vie. Ce qui s'était brisé en elle se réparerait. Bien sûr, la perte de ses filles était comme une cicatrice si profonde que pendant longtemps elle n'avait pu envisager l'existence sans leur présence. Et pourtant elle avait survécu. Et le jour arriverait sans doute où leur absence ne l'obséderait plus du matin au soir.

En pleine chaleur de l'après-midi, alors qu'ils dormaient comme des bienheureux, le téléphone les réveilla. Jack descendit dans le vestibule pour répondre.

Elle entendit quelques bribes :

— Oui, certainement. Je pars immédiatement en voiture.

Quand il remonta, il était tout sourires :

— C'était Bert. Tu n'en croiras pas tes oreilles, mais on a retrouvé Maz !

Bouche bée, Lydia se redressa.

— Oh Jack ! C'est vrai ?

— Il faut que je me dépêche. Je dois partir avant le couvre-feu. La communication était quasiment inaudible et j'ai eu du mal à comprendre ce qu'on me disait. Un saigneur semble causer des ennuis. Mais tu t'imagines ? Après tout ce temps, on va récupérer Maz !

— Demande à Tenuk de te conduire.

— En fait, il n'est pas de service.

— Va voir quand même.

Jack revint du quartier des domestiques, l'air contrarié.

— Il n'y a personne.

— C'est bizarre. Mais tant pis. Je vais t'accompagner. J'en ai très envie.

— On va prendre la camionnette. Le réservoir de la voiture est presque à sec.

Elle s'habilla en vitesse, enchantée de revoir Maz. Un bonheur que Jack aurait du mal à comprendre. En effet, comment aurait-il pu connaître l'empire incroyablement doux-amer d'un enfant sur son cœur ? La jouissance de donner la vie en un instant ? Et quand vos filles meurent, l'impossibilité de respirer ?

À l'extérieur, le chœur des grenouilles avait repris et de gros nuages ourlés de lumière descendaient du sommet des collines. Elle attendit que Jack ait amené la camionnette. Les vitres latérales étaient recouvertes par d'épaisses tôles percées d'étroites meurtrières. Elle était mieux protégée que la voiture, quoique Jack se déplaçât rarement sans son chauffeur ou ses gardes du corps fournis par la police. S'ils n'étaient pas disponibles, il embarquait des *mata-mata* malais, surtout lorsqu'il avait recours au gros camion pour transporter le personnel. Jack avait coutume de dire qu'il ignorait de qui, de la police locale ou des rebelles chinois, il se méfiait le plus. Mais cette fois-ci, ils n'iraient pas plus loin que le village.

Les petits déjeuners avec Maz avaient manqué à Lydia, tout comme la vue des arbres ombragés et le chant des oiseaux qu'ils appréciaient ensemble jusqu'au moment où la chaleur les chassait de la véranda et les obligeait à rentrer. Maintenant, tout s'arrangerait. L'allégresse la saisit. On avait retrouvé Maz. Il suffirait de le récupérer et il serait à nouveau en sécurité. Elle épouserait Jack *et* ils auraient un enfant. Ils vivraient tous ensemble. Tout à coup, elle se demanda si Jack voulait être papa.

Elle s'apprêta à monter à l'avant de la camionnette.

— Non, Lyd! Installe-toi à l'arrière. Il est plus prudent de suivre le règlement.

Elle râla pour le principe mais, toute à ses espoirs de bonheur, obéit.

— Où Channa peut-elle se trouver? demanda-t-elle en parlant par l'ouverture dans la cloison d'acier. Normalement, elle se repose avant de préparer le dîner.

— Elle est peut-être allée voir de la famille. Il lui arrive de sortir à vélo après le déjeuner. Pense plutôt à cette grande nouvelle, cria Jack.

Mais Lydia eut du mal à l'entendre à travers la lourde plaque. Toutefois, excitée à l'idée de revoir Maz, elle voulut en savoir plus:

— Est-ce que Bert t'a dit autre chose?

— Non. Il se passe un truc pas clair.

Ce n'était ni le lieu ni le moment, mais elle ne put s'en empêcher. Et comme elle ne fut pas certaine qu'il l'ait comprise, elle répéta:

— Ça te plairait d'avoir un bébé?

La voiture fit une embardée et Lydia retint son souffle. Et s'il n'en voulait pas? Et s'il préférait un bateau ou jouer au cricket ou au rugby au lieu d'être père? Les hommes faisaient du sport, les femmes avaient des enfants. C'était dans l'ordre des choses.

— Bon sang de bois, Lydia! Il y a de quoi vous donner une crise cardiaque!

Jack marqua une pause avant de dire :

— Récupérons d'abord Maz, ensuite nous envisagerons l'avenir.

— On pourrait peut-être l'adopter.

Il continua à conduire en silence tandis que Lydia, ravie de revoir Maz, était remontée comme une pendule. Elle lui confectionnerait une petite tenue de page. Elle ne se mettrait pas en blanc, mais ils se marieraient dès que sa première mission serait terminée, ce qui ne tarderait plus. Et ils essayeraient tout de suite d'avoir un bébé. Pour la première fois, l'avenir était plein de promesses et c'était un monde aux multiples possibilités qui les attendait. Ils commenceraient une nouvelle vie à Perth, là ou ailleurs à y bien réfléchir. Elle se laissa aller à élaborer toutes sortes de plans. Autour de leur vie commune. Autour de Maz et de leur enfant à naître. Un petit frère ou une petite sœur pour lui. Autour de leur jardin avec une grande pelouse, des pommiers et une balançoire pour les deux enfants.

Un énorme vacarme interrompit ses pensées. La camionnette fit une embardée vers la droite et termina sa course le capot dans le fossé.

— Lydia, couche-toi! ordonna Jack en passant sa tête par l'ouverture de la cloison.

— Qu'est-ce qui se passe?

— Je ne sais pas.

Il lui envoya un baiser et lui tendit son revolver de secours.

Elle le prit en tremblant.

— Vise à travers une des meurtrières et n'hésite pas à l'utiliser. Surtout, ne sors pas !

— Et toi ? fit-elle, le cœur battant.

— Il faut que j'aille voir.

— Non ! Jack !

Elle l'entendit se démener pour ouvrir la portière puis des cris en chinois. Elle tenta de voir quelque chose par les meurtrières, mais aucune n'ouvrait vers l'avant. Une fraction de seconde avant la détonation, elle fut certaine d'apercevoir Lili sur la route, à moitié dissimulée derrière un hévéa. La Chinoise parut surprise puis elle plaqua une main sur sa bouche. Son regard était horrifié.

Mille images se bousculèrent dans la tête de Lydia : Jack sain et sauf auprès d'elle. Mariés. Heureux. Un bébé. Leur bébé. Elle perçut à peine la seconde détonation. Un silence anormal s'ensuivit. Elle se figea, gardant son index sur la détente du revolver. Son cœur battait à mille à l'heure. Elle eut la nausée, une nausée violente, comme si son corps refusait d'admettre la vérité derrière ce coup de feu.

Ce n'était pas possible. Pas Jack. Pas après avoir perdu ses filles. Elle ferma les yeux. Sa seule vision ? Lili et son air effaré.

Recluse dans la camionnette, elle se mit à trembler. Elle ferma les poings et les enfonça dans ses yeux, refusant d'y croire, priant Dieu pour qu'Il lui permette de sentir la chaleur de son corps, les caresses de ses larges mains, de voir la lumière de ses yeux bleus. Et son sourire coquin quand il voulait faire l'amour. Bien que paralysée par le choc, elle se décida à bouger. Sortir de là. Retrouver Jack. Être auprès de lui.

Fermée à clé, la portière arrière refusa de s'ouvrir.

Bien sûr, elle ne s'actionnait que de l'extérieur. Elle réussit à se faufiler à l'avant en passant par l'ouverture dans la cloison. En se redressant, elle vit du sang, une mare de sang sur le macadam de la chaussée. L'air en était imprégné et diffusait une odeur doucereuse et aigre. Une main sur la bouche, de l'autre elle ouvrit la portière étrangement penchée, grimpa en haut du fossé. Puis elle se précipita, tomba à genoux à côté de Jack, couché sur le ventre. Il se mit à pleuvoir, la pluie entraînant sa vie vers un ruisseau en bordure de la route.

Avec douceur, elle le retourna pour contempler son visage. Ses lèvres étaient blanches, ses yeux vides. Des yeux morts. Pas une lueur d'indignation. C'était arrivé trop vite. Bien trop vite. Elle se rappela la chaleur de ses lèvres sur les siennes, son sourire, la façon qu'il avait de la chatouiller. Des larmes jaillirent de ses yeux et ruisselèrent le long de ses joues.

Oh, Jack!

La pluie cessa, laissant l'atmosphère chargée du bruit des gouttes. De la vapeur s'éleva de la terre. Elle se redressa pour aller faire pipi, s'accroupit dans les hautes herbes sans jamais le quitter du regard. Tant pis s'ils l'abattaient, elle aussi. Elle le méritait. Elle était responsable. Si elle ne l'avait pas harcelé au sujet de Maz, s'il avait pu se concentrer sur son travail, rien ne serait arrivé. Elle ne remarqua pas que le jour baissait. Mais quand la nuit vint, elle bénit le rideau noir qui les séparait du reste du monde. Se couchant sur le macadam à son côté, elle se nicha contre lui une dernière fois, l'étreignit, veilla sur lui. Ses vêtements s'imbibèrent de son sang.

On ne la retrouva qu'à l'aube. Ils étaient quatre. Deux policiers en tenue kaki, Bert et un chauffeur dans un véhicule blindé. Quand elle ouvrit les yeux, elle aperçut des oiseaux argentés voletant au-dessus de la tête de Bert qui la toucha du bout des doigts avant de la soulever. Bert, avec son fort accent du Nord et sa démarche énergique. Comme les Anglais détonnent dans la jungle malaise, songea-t-elle.

Il lui frotta les mains pour les réchauffer.

— Allons, Lyd! Nous ne pouvons plus rien pour Jack.

Elle ressentit physiquement la perte de Jack comme si elle avait reçu un coup de pied dans l'estomac qui aurait fait éclater ses entrailles. Au contact de Bert, elle tressaillit, se plia en deux, soudain folle de rage. Un bras autour de sa taille, elle se força à se tenir droite. Quand il l'entraîna vers sa voiture, elle se tourna vers lui, mais fut incapable de le regarder pendant un long moment.

— Nous étions en route pour vous voir, murmura-t-elle enfin.

Bert sembla perplexe.

Carrant les épaules, elle se plaça devant lui et le fixa d'un air courroucé :

— Vous avez téléphoné à Jack. Pour lui dire qu'on avait retrouvé Maz. Vous devez vous en souvenir. Vous l'avez appelé. Lui disant de venir au village.

—Non!

Elle agrippa sa chemise:

—Vous devez vous souvenir!

Avec une grande douceur, il écarta sa main et la prit par les épaules:

—Lydia, je n'ai jamais téléphoné à Jack.

La détonation résonna dans la tête de Lydia. Il se trompait. Il devait se tromper.

—Nous ne pouvons rien faire. Jack a sans doute été victime d'une sorte de piège. Je suis navré.

Ses jambes tremblaient si fort qu'elle eut peur de s'écrouler. Reprenant ses esprits, elle crut en la parole de Bert. Mais il y avait un point sur lequel elle n'était pas d'accord. Elle pouvait faire quelque chose. Elle trouverait qui avait trahi Jack, qui l'avait appelé. Celui ou celle qui savait qu'il serait sur la route sans escorte policière. Elle y consacrerait toutes ses forces. En commençant par dénicher Lili.

Elle se détourna lorsque les deux autres policiers s'approchèrent de Jack, incapable de les voir peiner pour soulever son cadavre ou remuer la tête en constatant la perte d'une autre vie.

Les funérailles eurent lieu le lendemain. L'orage était passé et c'était une belle et chaude journée. Les formalités furent réduites au minimum en raison de la température. Un petit groupe, détournant le regard de la fosse béante, hésitait à se sourire. Tenant dans sa main un bouquet d'arums un peu fanés, elle salua Bert, un autre policier, un ou deux collègues de Jack qu'elle ne connaissait pas, Jim son patron et une belle Chinoise qui répandait des pétales de rose sur le sol. Cette femme ne s'adressait à personne mais se parlait à elle-même, le regard sans expression.

Une brève cérémonie religieuse eut lieu. L'herbe, encore humide, brillait au soleil. Le vent soulevait des particules de terre autour de la tombe. Comme la vie est cruelle, se dit Lydia en fixant ses pieds. Jim se mit à lire un poème.

Ne vous tenez pas autour de ma tombe en pleurant
Je ne suis pas là – je ne dors pas.
Je suis présent dans le silence matinal.
Je suis présent dans la gracieuse envolée
Des superbes oiseaux qui tournent dans les airs.
Je suis présent dans l'étoile brillante de la nuit.
Ne vous tenez pas autour de ma tombe en pleurant
Je ne suis pas mort.

Un poème approprié. Jack croyait en la nature, mais ni en Dieu, ni en l'au-delà, enfer ou paradis.

« L'enfer, c'est ici ! » disait-il en grognant.

On descendit son cercueil dans la fosse. Lydia l'avait choisi très orné et payé avec une partie de l'argent que Jack avait laissé sous le plancher. Tout en sachant qu'il aurait trouvé ça du gaspillage. Le reste lui servirait à vivre tant qu'il y en aurait. Elle songea à ce qu'il lui avait dit quand il lui avait montré la cachette : sers-toi si tu en as besoin. Du fond de la forêt leur parvint une sorte de fracas. Puis, pendant un instant, comme suspendu, le monde sembla s'immobiliser. Effritant un peu de terre sèche du jardin sur le cercueil et jetant les arums par-dessus, elle ressentit une sourde douleur entre les yeux. À ses pieds, dérangée par la fosse, une colonie de fourmis s'égaillait. Sans bouger, humant l'odeur de la terre et des arums, bouleversée par la vue du cercueil, incapable de dire un mot, elle pensa à l'endroit où se trouvait le cœur de Jack quand il battait encore. Puis, inspirant profondément, elle écouta à nouveau les bruits de la jungle : les chocs, le brouhaha, les tintouins, les bourdonnements.

Bert la guida doucement vers l'endroit où quelqu'un avait apporté des brochettes de poulet au piment et des dattes enrobées de miel qu'ils mangèrent avec leurs doigts, assis par terre en tailleur. Après le départ du prêtre, ils burent du gin à la bouteille, chacun se souvenant à haute voix de Jack. Les fossoyeurs achevèrent leur travail puis se retirèrent à l'ombre pour les regarder. Au loin, un chien aboya. Un cri désespéré. Quand le jour baissa, quelqu'un alluma une lanterne et Lydia contempla les papillons de nuit orange dansant autour de la lumière. Une brise légère rafraîchit l'air.

Au bout d'un moment, Bert se tourna vers elle :

— Il faut que j'y aille. Jim vous ramène ?

— Il me dépose chez Jack pour que je prenne mes affaires, mais demain je pars vers le sud.

— Ça va sur le plan financier ?

Elle acquiesça. Tout d'un coup, par-delà les épaules du policier, elle aperçut une silhouette se déplacer entre les arbres. Une bouffée de colère la saisit et c'est furieuse qu'elle l'interrogea :

— C'était Lili, non?

— Désolé, mais je n'ai rien vu. À propos, savez-vous où se trouve l'autre revolver de Jack? Il n'est nulle part.

— Je l'ai rendu à Jim.

Alors qu'elle rejoignait la voiture, elle se rappela que la Chinoise n'avait pas participé à leur petite beuverie. Sous l'effet de l'alcool, elle osa demander à Bert qui c'était.

— Un ancien flirt de Jack, sans doute. Mais qu'importe maintenant, non?

C'était vrai. Désormais, plus rien n'avait d'importance.

Pendant quelques minutes le monde étincela sous la lumière frisante du soleil. Elle songea à l'ombre portée de Jack qui n'en finissait pas et à leurs rires secrets. C'était si loin, avant tout ça. Elle songea à son dos, à ses puissantes épaules, à la façon dont elle se blottissait contre lui : leur amour les faisait respirer à l'unisson. Le cœur battant, s'emballant presque, elle se retourna pour voir le léger monticule de terre qui le recouvrait.

— Adieu, mon amour, murmura-t-elle sans retenir ses larmes. Pardonne-moi.

Des mots usés, mais elle ne put faire mieux.

28

Évitant de consulter le cahier de textes, je fixe le dossier que j'ai «emprunté». Il est si épais que je n'ose soulever sa couverture sépia. Les gens indiscrets découvrent des choses qu'ils ne doivent pas connaître, disait Granny. En tout cas, il est probable que mes frais de scolarité sont payés par les autorités locales. Je n'ai donc pas de surprise à attendre de ce côté-là. Mais je me pose soudain une question: et si c'était Veronica? La porte s'ouvre brutalement.

Susan, un grand sourire aux lèvres, fonce à travers la pièce:

— Comment as-tu réussi à t'en sortir?

— En sautant.

— Bravo! Bravo!

Je lui passe le dossier et la regarde l'ouvrir, parcourir la première page, le feuilleter un moment. Son sourire s'évanouit.

— Quoi?

Sans un mot, elle le referme et me le rend.

Les premières pages sont couvertes des noms, des adresses, des âges des élèves et des renseignements sur les parents. Je me fige à la page suivante. Je dévisage Susan puis reprend ma lecture, feuille après feuille. Des notes rédigées par les profs. Des copies de lettres envoyées à mon père, donnant des détails sur mes progrès en classe et se plaignant de quelques occasions où j'ai désobéi. Si ma conduite peut s'améliorer, je travaille plutôt bien et il est temps que je rentre à la maison. Ils ont fait tout ce qu'ils pouvaient. À la maison, soulignent-ils, je pourrai m'améliorer plus facilement.

Je lâche bêtement:

— Mais papa m'a juré qu'ils avaient dit que je n'étais pas prête à rentrer!

Les narines pincées, Susan remarque:

— C'est méchant de sa part.

Une lettre de mon père explique que ma mère a disparu. Mais qu'il ne faut rien me dire. Il déciderait, le moment voulu. Il valait mieux que je reste au pensionnat pour me stabiliser.

— Si je n'avais pas surpris sa conversation, me l'aurait-il jamais dit? je demande à voix haute.

Susan me tapote le dos pour me réconforter.

— Papa veut faire de la place pour Veronica. C'est pour ça qu'il tient à ce que je reste ici.

Cette perspective me fait horreur. Je me lève et vais appuyer ma joue contre le mur du dortoir pour me rafraîchir.

— Il veut aussi que Granny aille dans une maison de retraite.

Quelle tristesse d'imaginer Granny obligée de quitter la maison où elle a vécu si longtemps! Alors qu'elle va encore bien. Je vois le visage blanc d'une Veronica rayonnante. Et si c'était elle derrière tout ça, donnant à papa l'argent pour ma pension, le poussant tranquillement à se débarrasser de Granny?

— Papa veut faire de la place.

— Quoi?

Je serre les lèvres. J'ai parlé tout bas, oubliant la présence de Susan.

— Il ne veut garder que Veronica et Fleur auprès de lui. Tous les autres doivent partir.

— Tu le crois vraiment?

— Je ne sais pas.

— Tu as vu des factures?

— Pas encore.

Je ne sais plus sur quel pied danser. Si Granny a raison, papa n'a pas les moyens de payer mes études. Mais si je suis prise en charge par les autorités locales, elles auraient dû suspendre les paiements quand ça n'était plus absolument nécessaire.

Susan semble impatiente d'en apprendre plus:

— Allez, Em, regardons la suite.

Elle saisit le dossier, feuillette quelques pages, stoppe sur les dernières.

— Quoi encore?

Elle me fourre le dossier dans les mains. Sa voix vacille:

— Regarde, elles viennent toutes d'un avocat.

J'examine une série de lettres auxquelles sont épinglées des factures. Trimestre après trimestre, elles disent la même chose : *Nous vous prions de trouver ci-joint un chèque en paiement des frais de scolarité de miss Emma Cartwright, pour le compte de notre client.* Elles sont toutes envoyées par un certain N. Johnson de chez Johnson, Price & Co de Kidderminster.

— Je ne comprends pas. C'est qui ce client ?

— Mystère et boule de gomme.

— Et si j'écrivais à cet avocat ?

— Ils ne te répondraient pas. Ils ne donnent pas les noms parce que c'est confidentiel.

Nous nous asseyons sur le lit pour profiter des derniers moments de paix. Puis à l'autre bout du dortoir, la porte s'ouvre et les filles commencent à entrer. Immédiatement, Susan se place devant moi, comme pour me protéger.

L'une des filles nous demande :

— Qu'est-ce qui vous est arrivé à toutes les deux ?

D'autres font des commentaires rigolos, puis Rebecca, d'une voix furieuse, lance :

— Petites cachottières ! Comment avez-vous fait pour rentrer si tôt ? Vous manigancez quelque chose, hein ?

Je me sens rougir. Heureusement, j'ai glissé le dossier sous mes couvertures en espérant que personne ne m'a vue.

29

L'atmosphère de la gare était un mélange de vociférations, de roulements de wagons, d'appels de vendeurs, le tout dans des relents de fer et de sueur. Néanmoins Lydia, plus déterminée que jamais, se mit à la recherche d'une cabine téléphonique. Après avoir composé le numéro de Cicely, elle prit une grande inspiration en entendant la voix de son amie et s'efforça de parler normalement. Pendant un instant le ton désinvolte de Cicely la désarçonna, mais appuyant le combiné contre sa joue, elle se lança :

— Je n'ai nulle part où aller.

Cicely parut interloquée :

— Alors, c'est vrai. Où es-tu à l'heure actuelle ?

— Ici. À la gare.

— Ne bouge pas !

Lydia essuya les perles de transpiration de son front et remercia Jack qui, grâces en soient rendues à une heureuse prémonition, lui avait montré son trésor de guerre. Elle aurait besoin de se trouver un travail, mais en attendant elle pourrait tenir plusieurs mois. Au moins son voyage vers le sud s'était déroulé sans incident. Il n'y avait eu ni guet-apens, ni déraillements, ni détournements : tout s'était passé d'une façon anormalement normale. À tel point qu'elle avait dû se pincer pour se rappeler que Jack et ses filles avaient disparu et qu'elle ne retournait pas chez elle auprès d'Alec.

Lydia sirotait une citronnade glacée quand une Cicely fraîche et élégante fit son apparition.

Elle déposa un léger baiser sur la joue de Lydia :

— Tu me raconteras tout en route.

Cicely ouvrit en grand la porte de sa maison, vieille demeure patricienne située dans un des beaux quartiers de la ville, et jeta un coup d'œil circulaire :

— Parfait ! Pas trace de Ralph ! Les hommes ne savent jamais ce qui se passe. Ma chérie, tu as l'air vannée. Il te faut un bain et ensuite une collation.

— Je croyais que les hommes étaient les seuls à savoir ce qui se passait, répliqua Lydia.

Cicely éclata de rire en pointant un doigt vers son amie :

— Ma fille, tu as beaucoup à apprendre.

Elles traversèrent un vestibule silencieux.

Se penchant vers Lydia, Cicely lui prit la main :

— Ma chérie. Tu sais déjà combien j'ai été désolée pour Emma et Fleur. Et maintenant pour

Jack. Ç'a dû être atroce, mais au moins il est mort comme il a vécu.

Lydia eut un haut-le-cœur.

—Un après-midi, on lui a tendu un piège sur la route.

—Tu soupçonnes quelqu'un?

Le visage de Lili lui apparut, mais elle se contenta de hausser les épaules.

—Ce n'est pas tout. Un petit garçon dont je m'occupais a également disparu. Je dois m'assurer qu'il va bien.

Elle s'appuya contre un mur.

—Je pourrais commencer par Harriet Parrott. Elle pourrait m'être utile avec les contacts de George. Tu veux bien m'aider?

—Je vais lui téléphoner et lui annoncer ta visite pour demain à midi pile. Au fait, tu peux rester chez moi aussi longtemps que tu le désires. D'accord?

Un large sourire accompagna sa proposition:

—Les amies sont là pour ça, non?

Elle précéda Lydia jusqu'à la suite ravissante du dernier étage.

—Cela conviendra-t-il à madame? Inutile de redescendre. Je ferai monter à madame une collation.

Après le départ de Cicely, Lydia laissa tomber son sac par terre et tenta d'apercevoir le lointain détroit de Malacca. Mais la pluie limitait la vue, peignant le paysage de teintes bleues et lilas. En sentant ses épaules se relâcher, elle prit conscience de l'état de tension dans lequel elle avait vécu. Sa chambre donnait sur un jardin clos de murs, un jardin aquatique aux immenses nénuphars, orné d'une fontaine. Lydia parcourut sa suite. Décorée dans les rose pâle et les ors, elle ne ressemblait en rien à la maison de Jack. Ici, elle disposait d'une chambre, d'une salle de bains, d'un salon particulier. Pour le moment, c'était d'un sanctuaire qu'elle avait besoin.

Chaque fois que le souvenir de l'assassinat de Jack menaçait de l'anéantir, elle posait une main sur son cœur et respirait à fond. Cette technique la calmait et peu à peu son pouls ralentissait et la panique s'éloignait. Puis, pour éviter de devenir une sorte de morte-vivante et bien que cela la fasse pleurer, elle songeait aux grands moments de bonheur et à leur amour. Tout pour chasser l'image de son cadavre étendu sur la chaussée. Y penser la détruisait.

Un ciel magnifiquement ensoleillé la réveilla. Aucune menace d'orage, mais une belle journée comme elle les aimait.

Dans la salle de bains, les quatre coins d'un miroir bien éclairé étaient décorés de nénuphars peints tandis que des feuilles de palmier grimpaient sur ses côtés. Son reflet la fit frémir. Elle était cette chose maigrichonne, aux yeux bouffis, à la peau marquée! Se rappelant l'espoir naissant d'un avenir meilleur – sa jolie jupe, son rouge à lèvres – c'était avant l'assassinat de Jack, elle jeta son cher flacon de *Shalimar* dans la poubelle. Son parfum était trop douloureux. Elle s'aspergea le visage d'eau froide et passa la main dans ses cheveux. Dans le couloir, de hauts talons claquèrent et Cicely entra, entourée d'un nuage de Chanel *N° 5* et chargée d'un plateau d'ébène incrusté d'argent.

Lydia pénétra dans la chambre totalement nue en ouvrant grands ses bras :

— Regarde-moi ! Regarde !

— Quelle horreur ! s'écria Cicely en riant. Mais on peut arranger ça. J'ai pris rendez-vous pour toi chez le coiffeur à huit heures puis nous irons faire des courses. Mais d'abord, il nous faut établir un plan d'action.

Se laissant tomber dans un canapé de chintz pastel près de la fenêtre, elle tapota un coussin à côté d'elle.

— Je pensais à Jack.

Cicely fit la moue :

— Je sais, ma chérie. C'était la faute à pas de chance. Tu peux prendre la robe de chambre accrochée là-bas.

Lydia l'enfila. De la soie évidemment, songea-t-elle. Puis elle poursuivit :

— Tu sais, il m'avait demandé de l'épouser.

Sa gorge se serra, comme si les larmes qu'elle retenait risquaient de l'étrangler.

Fraîche comme un gardon, vêtue d'un tailleur bleu glacier et arborant un collier d'émeraudes, Cicely la gronda :

— Ma chérie, tu dois oublier Jack.

Lydia soupira :

— Bien plus facile à dire qu'à faire !

— Le mieux est de penser à d'autres choses, de faire des plans. Sinon, le désespoir va t'entraîner au fond du trou.

Une certaine gêne s'ensuivit.

Lydia préféra changer de sujet :

— Quel est ton secret ? Le climat n'a pas l'air de t'atteindre.

— L'eau. Je me douche à tout bout de champ.

— Je ne m'habituerai jamais à cette chaleur, douche ou pas.

Elle songea à l'étang où elle s'amusait avec Jack et Maz. Le délicieux contraste entre l'eau frisquette et l'air bouillant qui leur permettait de supporter la chaleur torride. Puis lui revint en mémoire l'homme rencontré dans le train. Adil. Leur voyage, il y avait si longtemps. Elle se sentit rougir. C'était avant la succession de drames. Avant la mort d'Emma et de Fleur. Avant celle de Jack.

— À quoi rêves-tu ?

Sans trop bien savoir pourquoi, Lydia choisit de ne pas révéler ses pensées les plus intimes à Cicely.

— Oh, rien de particulier. Juste quelques souvenirs. J'ai rencontré quelqu'un qui ne transpirait jamais. Comme toi.

— C'était qui ? Je croyais être la seule Reine des Glaces de Malaisie !

— Pas une femme mais un homme. Il s'appelait Adil. J'ai fait sa connaissance en voyageant dans le nord du pays. Au début, je ne savais pas quel genre d'oiseau c'était.

Un bref éclair passa dans les yeux de Cicely :

— Le Roi des Glaces, alors ?

— Il a sauvé la vie d'une passagère. Dans le train. Je m'en souviens encore.

— On dirait un type bien. Un indigène bien sûr. Avec un nom pareil.

— Cette femme allait se jeter dans le vide. Il l'a agrippée et l'a ramenée à l'intérieur. Il a été aussi très gentil avec moi. Sans raison apparente. Il était juste prévenant.

— Pourquoi se rendait-il dans le Nord ?

— Quelqu'un à voir, il m'a dit…

Cicely l'interrompit en lui montrant son collier :

— Tu l'aimes ? Il est superbe, non ? Ralph me l'a donné la nuit dernière. Pour se faire pardonner.

— Il te trompe ?

Elle haussa les épaules :

— Il n'arrête pas. Avec des Chinoises.

Cela rappela à Lydia la présence de Lili auprès de Jack.

— Plus d'une fois ?

— Ma chérie, tu me prends pour une menteuse ?

— Non. Mais tu le supportes ?

— Ne sois pas naïve, ma chérie. Ça arrive tout le temps et je lui rends la monnaie de sa pièce.

Lydia se souvint des ragots qu'Alec-le-vertueux lui rapportait sur les coucheries de Cicely.

— Au moins, Ralph fait ça avec des filles. Dans les hautes sphères, c'est différent. Garde-le pour toi, mais c'est Harriet que je plains.

Lydia en resta bouche bée.

— Allons, Lyddy! Tout est à vendre dans ce satané pays. Surtout maintenant que nous sommes près de la sortie.

— La fin d'une époque?

— Plutôt la fin d'un empire.

Cicely leva les yeux au ciel en riant.

Lydia contempla les pommettes saillantes de son amie, ses lèvres peintes, ses cheveux blonds étincelants. Rien ne la touchait donc?

— Alec avait plein de défauts, mais au moins il n'était pas comme Ralph ou George, dit-elle.

— Alec n'avait rien d'un petit saint!

Cicely enleva un grain de poussière de sa jupe et, l'œil amusé, observa son amie.

Lydia en eut le souffle coupé.

— Tu veux dire qu'il a essayé?

Cicely hocha la tête.

— Avec toi?

— Avec qui d'autre? ricana Cicely.

Lydia tenta d'en rire mais, mal à l'aise, se leva, ouvrit les portes-fenêtres et sortit sur le balcon avec sa balustrade en fer forgé. Une rumeur s'élevait de la rue: sonnettes de vélos, brouhaha du trafic, myriade de voix diverses, chinoises, malaises, indiennes.

— Lydia Cartwright, vous êtes une éternelle romantique. Et maintenant qui sera le prochain? C'est la grande question. Tu as une photo du gamin?

— Non.

— Bon, ferme la fenêtre et viens t'asseoir ici. On a une stratégie à établir. Je vais immédiatement

291

téléphoner à Harriet. Et, ma chérie, n'oublie pas! Si tu as besoin d'argent, il te suffit de me demander.

— Merci. Il me faudra trouver un job un de ces jours, mais en attendant j'ai de quoi me débrouiller.

Elle remarqua que Cicely ne la quittait pas des yeux.

— Avec Alec… il ne s'est rien passé.

Cicely peut prétendre ce qu'elle veut, je me demande pourtant si sa proposition n'est pas motivée par le remords, se demanda Lydia en se traitant d'idiote de n'avoir rien soupçonné.

30

Devant les murs hauts et gris de la maison de retraite, un vent glacial de janvier me pince les joues. Maintenant que je vais avoir quatorze ans, papa a décidé que j'étais assez grande pour prendre l'autobus seule quand je vais rendre visite à Granny. La nuit dernière, j'ai rêvé que j'étais avec Fleur et que, toutes petites, nous jouions à cache-cache dans le parc de Malacca. Je souris en pensant à l'époque où j'appelais ma sœur « la Sournoise » et que maman se pavanait en faisant mine de ne pas savoir où nous étions et qu'elle criait nos noms. « Où sont mes filles ? demandait-elle à voix haute. Je suis sûre qu'elles étaient là il y a une minute. » Et on se tenait serrées en poussant des petits cris.

Je regarde par une grande fenêtre à la peinture écaillée. J'espère que ce n'est pas un avant-goût de ce qui m'attend. L'intérieur ressemble à ce que je pensais : des fauteuils usés aux quatre coins de la pièce, comme de petits îlots.

On m'introduit dans une pièce qui donne sur le jardin de derrière, avec des rideaux à fleurs. Je m'assieds sur une chaise en bois au dossier droit. Les aiguilles d'une horloge se déplacent lentement. Comme c'est affreux de vivre entourée de l'odeur de renfermé des personnes âgées, à regarder s'écouler la vie, à ne manger que des gâteaux de semoule.

Quand une jeune préposée aux joues roses fait entrer Granny, j'essuie mes yeux humides. Granny n'a jamais été grande mais je souffre de la voir aussi frêle. Le dos voûté, les yeux au sol, elle hésite à mettre un pied devant l'autre. On lui a coupé les cheveux au carré, avec une mèche sur le côté qui n'a pas l'air à sa place.

Quand elle lève la tête, ses yeux bleu foncé s'éclairent :

— Ah ! Emma, mon canard ! Tu es comme un rayon de soleil.

Elle pose sa main qui tremble sur une veine gonflée de son cou.

Je l'embrasse avec précaution et la guide jusqu'à un canapé recouvert de nylon marron. Alors qu'elle s'installe au fond des coussins, je suis tendue : il y a peu d'espoir qu'elle puisse m'aider.

— C'est la faute de ma hanche. Je ne suis guère vaillante sur mes deux jambes. Mais n'en parlons pas. Tu restes combien de temps à la maison ?

Au moins elle se souvient que je n'habite pas là.

— Pas pour longtemps, Granny. C'est la fin des vacances de Noël. Est-ce que papa est venu te voir récemment ?

— Je ne sais plus très bien. Je crois qu'il était accompagné par cette femme.

— Veronica ?

— Oui, c'est ça. Pauvre petite. Elle voulait avoir une famille. Ils sont venus avec son frère. Un homme peu recommandable.

Mon crime encore frais à l'esprit, je me mords les lèvres et baisse la tête.

— Ne t'en fais pas, mon canard, je te pardonne d'avoir planté un couteau dans son cou. À ta place, j'en aurais fait autant.

— Granny ! Tu es incroyable ! D'ailleurs, c'était une fléchette.

On hurle de rire toutes les deux.

Elle me tapote le genou et va pour rajuster les cordons de son tablier, mais elle ne fait son geste que par habitude car elle n'en porte pas.

— De toute façon, il est reparti pour l'étranger, dit Granny. Je ne l'ai jamais aimé.

N'ayant pas eu l'occasion de bavarder avec Veronica, je n'ai pas de nouvelles de M. Oliver. Je laisse échapper un gros soupir sans pouvoir cacher mon soulagement.

Granny soupire aussi quand on apporte le thé. Il est bien trop chaud pour moi, mais elle l'avale bruyamment. Elle aime son thé bouillant, tout comme papa. Je la regarde grignoter ses biscuits secs. Des miettes tombent sur sa poitrine et sur sa jupe, mais à part ce côté désordre, elle me paraît aller bien, sa mémoire encore vaillante.

— Seulement des biscuits secs, alors que j'aime que les fourrés, se plaint-elle.

Puis elle tente de se souvenir d'un truc :

—Je voulais te parler de quelque chose, mon canard.

Je tends l'oreille.

—Oui, de quelque chose.

Je songe tout de suite à maman. Est-ce au sujet de ce qui lui est arrivé? Mais Granny fronce les sourcils et secoue la tête. Tant pis. Je suis presque certaine qu'elle ne sait rien au sujet de maman. Personne ne sait rien.

—Non, j'ai oublié.

—Pas grave. Si c'est important, ça reviendra.

—Exactement ce que ta défunte mère disait. Mais je ne peux plus compter sur ma mémoire. En tout cas pas quand j'en ai besoin.

Granny pose une main couturée de grosses veines sur mon bras et m'observe:

—À l'école? Comment ça va?

Je hausse les épaules en feignant l'indifférence et réponds d'un ton désinvolte:

—Ça va. Mais, Granny, je voulais te demander un truc. Au sujet de mon père et aussi sur qui finance ma pension.

—Oh, mon canard...

Ses lèvres tremblotent et quand j'ai l'impression qu'elle va me répondre, elle se détourne et regarde par la fenêtre:

—Le jardin est un peu gris aujourd'hui. Mais il va renaître bientôt.

Une larme coule le long de sa joue gauche.

—Ton grand-père me manque. Je pense à lui tous les jours. Un vieux râleur.

Je lui caresse la main.

—Granpa ne râlait pas. Pas autant que papa.

— Ils se disputaient tout le temps. Depuis toujours. Ça n'a pas arrangé les choses que ce type me quitte quand ton père était juste un gosse.

— Ah bon! Je n'étais pas au courant. C'est ça qui mettait papa de mauvaise humeur?

— C'est de l'histoire ancienne.

— Tu lui pardonnes?

— Bien sûr. On pardonne aux gens qu'on aime.

— Papa râlait avant?

— Quand ça?

— Quand il était jeune. Quand il était pilote.

— Un pilote, mon canard? Il n'a jamais piloté.

— Pendant la guerre, m'a dit maman.

— Ton père n'a jamais volé. Il était au contrôle aérien, c'est tout. Et j'étais très fière de lui.

Je me tais. Au fond du jardin, le vent siffle dans les branches. Granny se voûte, sa triste mine me surprend. Impossible de savoir si elle a dit vrai ou si sa mémoire lui joue des tours. Pauvre Granny. Elle ressemble à une feuille sèche qui s'accroche encore mais va bientôt tomber.

— Alors, qu'est-ce que tu voulais me demander?

— Qui finance mon école?

Un rayon de soleil éclaire le sol et Granny semble plus attentive:

— Écoute, dit-elle en plissant les yeux, gênée par la lumière, ça s'éclaircit. Mais habille-toi chaudement, il fait encore frais.

Elle secoue la tête. Je sais qu'elle m'a comprise, mais ce ne serait pas chic de la forcer à parler.

31

Peu habituée à des talons de cette hauteur, Lydia grimpa bruyamment les marches du perron de la maison coloniale d'Harriet Parrott, arborant un sourire que même ses chaussures trop étroites ne pouvaient effacer. Elle lissa sa jupe en satin de coton rouge choisie par Cicely. Sa forme droite impeccablement ajustée moulait ses jambes et ses hanches. Avec son chemisier blanc et sa nouvelle coiffure, elle se sentit plus élégante qu'elle ne l'avait été depuis des mois. Elle se retourna, jeta un coup d'œil au trafic incessant et inspira.

La petite bibliothèque aux murs vert d'eau récemment repeints donnait une impression de fraîcheur qui n'était pourtant pas parfaite comme en témoignait l'humidité qui demeurait sous le ventilateur à trois pales. Dommage, se dit-elle. La température en début de journée avait été très supportable, mais maintenant, les tonalités du jardin qu'elle voyait par la fenêtre semblaient comme dévorées par le soleil.

Pendant qu'elle attendait Harriet, deux chats siamois traversèrent le parquet en chêne ciré et vinrent se frotter à ses jambes nues. Harriet lui dirait qui contacter, quels étaient les gens influents. Elle se penchait pour les caresser quand, surprise par les pas de George dans le couloir, elle releva la tête. Il se tenait dans l'embrasure de la porte, faisant craquer ses doigts.

—Désolé, mais Harriet est sortie. Vous devrez vous contenter de moi. Je vous propose un verre?

Avec un signe de dénégation, elle s'assit au bord d'une chaise étroite en teck et posa son sac à côté d'elle :

—Je croyais qu'elle m'attendait.

—Je peux faire quelque chose pour vous? demanda-t-il en se préparant un whisky-soda.

Elle réfléchit un instant.

—Pour être franche, j'ai besoin d'aide pour découvrir pourquoi Jack a été tué.

Il se pencha vers elle, dévoilant un début de calvitie, et agita devant Lydia le verre niché dans sa main dodue.

—Mais, ma chère, vous connaissez la réponse. Des rebelles communistes. Il n'y a pas d'autre motif.

Il la regarda d'un air compatissant.

—Quelqu'un a bien planifié l'attentat.

—Ma chère, il me semble impossible de découvrir quoi que ce soit de nouveau. Je vous comprends. Il est normal que vous cherchiez à savoir. Mais ces gens ne restent jamais en place.

Et maintenant que la Malaisie est au bord de l'indépendance, qui sait le genre de chaos qu'ils nous promettent ? Je suis ravi de partir à la retraite.

Il retourna près de l'armoire à liqueurs.

—Vous êtes certaine de ne rien désirer ? J'ai l'impression que vous avez besoin d'un remontant.

De sa main en éventail, elle se rafraîchit le visage tout en étant consciente des battements accélérés de son cœur. Elle était gênée d'avoir à en parler à voix haute :

—George, il y a autre chose. Une Chinoise que Jack fréquentait. Elle devrait pouvoir me fournir une piste.

—Une Chinoise ? La jalousie personnifiée, on dirait !

—Tout à fait ce que je pensais.

—Non, ma chère, c'est vous que je visais.

Avec un sourire, il ouvrit la fenêtre en grand, mais la brise qui aurait pu rafraîchir l'atmosphère n'était pas au rendez-vous. Dans la maison, la sonnerie du téléphone retentit : personne ne décrocha. La transpiration coulant dans son cou, Lydia se pencha pour prendre un mouchoir dans son sac. Quand elle leva les yeux, elle le surprit en train de la dévisager.

George n'avait rien d'un bel homme avec ses oreilles décollées, son nez retroussé, ses grosses joues rouges et ses petits yeux enfouis sous des sourcils broussailleux. Il se racla la gorge :

—Je vous ai toujours prise pour le genre papillonnant. Je ne pensais pas que vous étiez jalouse.

Le silence embarrassé ne fut interrompu que par le bourdonnement aigu d'un moustique. Lydia, ignorant sa remarque, s'essuya le front du revers de la main. Comment savoir s'il se moquait d'elle ou s'il manquait de tact?

— Elle s'appelle Lili et il se pourrait bien qu'elle ait trahi Jack.

— Je vais passer le mot, tant que j'en ai encore le pouvoir.

— J'espérais que vous feriez un peu plus.

L'examinant de la tête aux pieds, il parut satisfait du résultat:

— Vous êtes en bonne forme. Un peu maigre mais suffisamment jeune pour refaire votre vie. Ma chère, pourquoi ne pas faire une croix sur le passé?

Elle n'en crut pas ses oreilles.

— Comment osez-vous dire une chose pareille? J'ai perdu mon mari, mes enfants, et maintenant Jack!

— Pas de quoi vous sentir insultée. Mais au contraire, flattée.

Un sourire apparut sur son visage et il leva un sourcil interrogateur. George était insupportable mais elle avait besoin de lui. Elle poursuivit sa démarche:

— George, ne serait-il pas possible de dresser définitivement… vous savez, la liste des personnes ayant péri dans l'incendie. Quand Jack vous l'avait demandée, vous lui avez déclaré que ça n'était pas faisable. Mais je me demande si…

Il redressa le dos, les yeux étrécis.

— Après tout ce temps? Même sur le moment personne n'a su exactement qui était présent cette nuit-là. Vos filles et Alec, c'est certain. Ainsi

301

que tout son service. Pour le reste, ce n'est que conjectures.

— Vous êtes sûr ?

— Vous ne croyez quand même pas que je vous mens ?

Elle cacha son irritation :

— Pas du tout. Mais pourriez-vous téléphoner au département ?

— Si vous insistez, mais c'est du temps perdu. Les gens se font tuer sans arrêt de nos jours, pour un oui ou pour un non.

— Vous m'avez laissé entendre que vous aviez commencé les démarches pour obtenir les certificats de décès.

— Mon Dieu, que n'ai-je dit ! Mille excuses. La femme qui s'occupe de ces paperasses est en congé maternité. Elle a tout laissé dans le désordre le plus complet. Je crains que nous soyons obligés de tout reprendre à zéro. Mais je vais les activer.

Pendant que George téléphonait de son bureau, Lydia fit le point. Un homme de pouvoir comme lui n'en savait-il pas plus qu'il ne l'avouait ?

Une fois de retour, il alluma une cigarette sortie d'un étui en argent et ivoire. Elle le regarda, pleine d'espoir.

— Navré. Il n'y a pas de liste, mais quelqu'un va recommencer à s'occuper des certificats de décès. Surtout, suivez mon conseil. Oubliez le passé.

Il s'était exprimé en choisissant ses mots, d'un ton neutre.

Lydia soupira :

—Donnez-moi au moins votre parole que vous ne pouvez rien faire de plus pour retrouver l'assassin de Jack.

Il vint s'asseoir à son côté, les jambes écartées, une main massant son genou. Elle s'écarta légèrement tant il empestait l'alcool et la transpiration. Cela ne l'empêcha pas de poser sa main moite sur la cuisse de Lydia.

—Vous êtes une femme très séduisante.

Lydia en eut le souffle coupé. Dehors, après un bref orage, le soleil avait réapparu, mais trop pâle pour assécher l'humidité de la pièce.

—Inutile de se mettre en chasse par cette chaleur. Je vous le répète. J'ai passé le mot et nous saurons bientôt s'il y a des pistes.

Elle ferma les yeux :

—Une chose encore.

—Quoi donc?

—Un petit garçon dont je m'occupais. Il a disparu.

Elle remarqua la sueur qui coulait le long de son cou rougeâtre quand il alla consulter un gros classeur.

—Il devrait y avoir quelque chose là-dedans. Personnes disparues. Il s'appelle comment?

—Maznan Chang.

—Européen?

—Métis : chinois, malais et quelque chose d'autre.

Il claqua la porte du classeur :

—Dans ce cas, impossible de vous aider. Ici, nous ne conservons que les personnes disparues de race blanche.

303

Quand Lydia se leva, la chaleur l'atteignit de plein fouet. Elle sentit sa peau rougir et la démanger.

— Enchanté de vous avoir vue, ma chère. Mais je vous le répète : laissez tout tomber. Tout est en train de changer en Malaisie. Inutile de creuser le passé. Songez plutôt à votre vie future.

Il dégrafa son col et, essuyant les perles de sueur de son front avec un mouchoir chiffonné, se mit à faire les cent pas.

— Quelle satanée chaleur !

Puis, les mains derrière le dos, il se planta devant Lydia. Un muscle de sa mâchoire tressautait.

Il enfonça le clou :

— J'ai appris que vous aimiez Singapour. D'après Alec, vous en parliez avec affection. Retournez-y. Prenez un job dans les bureaux d'une société en expansion. Je pourrais vous recommander. Votre beauté fera le reste. Une affaire de tabac peut-être.

Dans le silence qui suivit, elle songea aux ragots concernant les exploits sexuels hors normes de George. Les révélations de Cicely les avaient confirmés. Pouvait-elle les utiliser pour lui forcer la main ?

Son instinct lui souffla qu'il ne lui avait pas tout dit. Mais que cachait-il ? Elle n'en avait aucune idée. Soudain, prenant sa décision, elle s'avança d'un pas.

— Je suis au courant de certaines choses à votre sujet. Des choses que vous préféreriez ne pas mettre sur la place publique.

Les yeux de George devinrent deux étroites fentes.

— Voilà qui n'est guère charitable. Personnellement, je ne tire pas sur les ambulances. Et, si j'étais vous, je ne me mêlerais pas de mes affaires, ma chère. Faire resurgir le passé peut être malsain. Avec vos nerfs en mauvais état, vous devriez prendre des vacances. À Kuala Terengganu par exemple. Qu'en pensez-vous ? Palmiers, sable blanc, petite brise ? Je peux vous organiser ça.

Elle secoua la tête, ahurie par le mépris total avec lequel il avait accueilli ses menaces.

— Non ? Alors nous n'avons plus rien à nous dire. C'est toujours un plaisir de vous voir.

Il tendit la main et appela un boy.

Le loquet tomba derrière Lydia. La violence de la lumière l'incommoda un instant. Puis elle se mit en route, ses hauts talons martelant la chaussée. Avant de tourner le coin de la rue, elle s'arrêta pour reprendre son souffle, observer ce qui se passait autour d'elle et réfléchir. George aurait-il raison ? Devait-elle se contenter d'organiser sa nouvelle vie ? Rien ne ramènerait Jack sur terre et, si George ne l'aidait pas à retrouver Maz ou Lili, qui s'en chargerait ? Entendant la porte des Parrott se refermer une nouvelle fois, elle regarda au-dessus de son épaule. Un homme élancé se tenait dans la rue, éclairé à contre-jour par le soleil. Elle ne distingua pas son visage, mais ses longues jambes, son maintien très droit, son crâne rasé lui rappelèrent quelqu'un. Adil ! songea-t-elle immédiatement.

Hésitante, elle détourna la tête en rougissant. Devait-elle l'aborder pour lui dire bonjour ? Ou seulement le saluer de loin pour voir s'il s'approcherait d'elle ? Elle aurait tant aimé le revoir mais, après son entrevue avec George, elle était tourne-boulée. Vite, il faut que je me décide, se dit-elle. À l'heure actuelle, j'ai vraiment besoin d'un ami. Elle fit demi-tour mais l'homme avait disparu. S'était-elle trompée? Dans ce cas, c'était la seconde fois qu'elle le prenait pour quelqu'un d'autre. D'abord quand elle avait quitté le camp de réfugiés et maintenant ici même.

32

Malgré le beau temps et la fraîcheur de l'air, j'ai le cafard à cause de Granny. On est en avril et la première personne que je rencontre, après un week-end à la maison, c'est sœur Ruth. Elle erre dans le vestibule et, après avoir jeté un coup d'œil derrière elle, me saisit le bras et m'entraîne à l'extérieur.

— J'ai des renseignements pour toi. Mais promets-moi d'oublier qu'ils viennent de moi.

Étonnée, je fais oui.

Elle rosit.

— Retrouve-moi dans le jardin après le déjeuner, derrière les rhododendrons, à la lisière de la forêt.

Ça me remonte le moral. Sœur Ruth est droite comme la justice. Pas du tout le genre à faire des mystères et à dire : « Rejoins-moi dans la bibliothèque avec un chandelier. » Mais j'adore ce genre de jeu.

Après le déjeuner, je trouve l'endroit du rendez-vous et j'attends Ruth en me demandant ce qui mérite de telles cachotteries. Deux filles passent à côté de moi sans me remarquer. C'est un coin bien choisi pour des messes basses. Les rhododendrons me dissimulent des fouineuses. D'ailleurs je me cache même en voyant Susan, ce qui n'est pas très sympa de ma part.

Sœur Ruth arrive en portant un grand panier en osier et nous nous dirigeons vers les bois. Je n'y suis pas retournée depuis la nuit que j'y ai passée seule. Aujourd'hui, avec le soleil perçant à travers les nouvelles feuilles, ils me paraissent inoffensifs.

— Pourquoi tout ce mystère ? Et pourquoi ce panier ?

— Je vais t'expliquer. Le panier est une ruse. Ça nous donne une excuse.

Je lui souris.

— Comment s'est passé ton week-end à la maison ? demande-t-elle en tournant la tête dans tous les sens comme une pie voleuse.

— Très bien.

— Emma, que sais-tu au sujet de ta mère ? Elle s'appelle Lydia, n'est-ce pas ?

Je fais la grimace.

— Quelle drôle de question !

— Je veux dire, que sais-tu de sa naissance ?

J'enfouis mes pieds dans les feuilles mortes et les cailloux.

— Pas grand-chose. Elle est née dans un couvent et les religieuses l'ont élevée.

— Elle ne parlait jamais de sa mère à elle ?

—Non. Elle a mentionné une fois seulement une des sœurs du couvent.

—Sœur Patricia?

Je réfléchis un instant.

—C'est possible.

Elle me tient à bout de bras puis jette un regard aux bâtiments de la pension.

—Emma, écoute-moi bien. Pendant la retraite de Pâques, j'ai rencontré quelqu'un qui la connaissait. Elle s'appelle Brenda et, pendant cinq ans, elle a fréquenté le même couvent que sœur Patricia. Saint-Joseph. Hélas, sœur Patricia est morte.

—Comment savez-vous que c'est la même sœur Patricia?

—Brenda m'a dit qu'avant sa mort sœur Patricia lui a ouvert son cœur et lui a parlé d'un bébé appelé Lydia. Il semblerait qu'elle ait été présente au moment de la naissance de l'enfant.

Sœur Ruth penche la tête et me fait un signe d'encouragement. La voix de ma mère résonne dans mon crâne, comme si elle ne parlait qu'à moi seule. Bouleversée de voir comme maman me manque encore, je frissonne malgré le soleil.

Je me secoue.

—Mais qui était-ce, cette femme qui a mis un enfant au monde? Elle est morte?

—Brenda n'a rien pu apprendre de plus de la vieille religieuse, mais je crois qu'elle est encore vivante.

—Alors?

Elle m'adresse un nouveau sourire et me serre la main:

— Sœur Patricia a donné à Brenda un portrait. Une miniature de cette jeune mère. J'ai pensé qu'elle te revenait alors qu'il aurait été plus normal que je la remette à la directrice pour qu'elle la donne à ton père.

J'observe les sous-bois où un tapis de jacinthes sauvages perce sous le soleil.

Ruth protège ses yeux pour me regarder.

— Allons nous asseoir sur le banc.

Elle plonge la main dans sa robe et en ressort une petite peinture.

— Sœur Patricia l'a conservée toutes ces années. Regarde, il y a des initiales dans le coin droit.

Ses cheveux sont plus blonds, presque blond vénitien, mais mon cœur s'accélère en contemplant le regard de maman. Exactement la même couleur noisette mouchetée de bleu et de vert, les mêmes sourcils arqués, l'un légèrement plus haut que l'autre, le même ovale de visage, la même grande bouche. C'est étrange mais ce portrait me rappelle l'odeur de maman. Ainsi que le parfum de sa peau et de ses cheveux. Je la vois, debout dans notre jardin, une nuée de papillons gros comme des oiseaux volant au-dessus de sa tête et me revient aussi l'odeur du tabac de la pipe de papa s'élevant de l'endroit où il est assis pour lire le *Straits Times*.

— La mère de Lydia avait supplié sœur Patricia de prendre soin de la miniature et de ne la donner à ta mère que le jour de ses dix-huit ans. Mais ta mère s'est enfuie quand elle en avait dix-sept et sœur Patricia ne l'a plus jamais revue.

Je ricane :

—Mais c'est ridicule. Elle aurait pu essayer de la retrouver, non ?

—Oui, et c'est ce qu'elle a voulu faire, mais la mère supérieure de l'époque lui a dit de laisser les choses en l'état.

—Pourtant, il aurait été plus juste de chercher ma mère.

—À l'époque, elle a cru qu'obéir était la meilleure chose à faire.

Je détourne le regard. Les jacinthes sont maintenant à l'ombre et, malgré un beau début de journée, des nuages gris envahissent le ciel. Je plante mon soulier dans la boue qui entoure le banc et dessine des motifs avec la pointe.

—Le bébé est né quand ?

—Le 6 août 1924.

Je retiens mon souffle.

—Le 6 août, c'est l'anniversaire de maman. Et elle est née en 1924.

Sœur Ruth me caresse la joue.

—Comment s'appelait cette femme ? je demande.

Elle sourit.

—C'est le plus beau de l'histoire. Elle se prénommait Emma, mais malheureusement son nom de famille a été oublié.

Parle-t-elle vraiment de la mère de maman ? De cette femme que maman n'a jamais connue ? Je réfléchis à tout ça. Une religieuse du nom de Patricia, un bébé appelé Lydia avec la même date de naissance que maman et cette femme qui s'appelle aussi Emma. Maman m'a toujours affirmé que mon prénom me venait de sa mère à elle. Je suis presque sûre de tenir dans ma main un portrait de ma grand-mère. Une grand-mère dont, jusqu'à maintenant, je n'ai jamais rien su.

Bien que tout le monde soutienne que ma mère est morte, je ne l'ai jamais cru et maintenant j'ai terriblement envie de montrer à maman cette peinture que j'espère être celle de sa mère. Je n'ai pas envie de retourner en classe, d'être obligée de faire mes devoirs avec cette miniature scintillant dans ma tête. Mais quand la cloche retentit, je n'ai pas le choix.

— Merci, sœur Ruth.

Je l'embrasse sur la joue, traverse les pelouses en courant et entre dans l'école.

Avant d'aller en classe, je passe par le dortoir et contemple la peinture à nouveau. Cette femme ressemble vraiment à maman. En priant pour qu'elle soit toujours vivante, j'ai dans la bouche le goût sucré des hibiscus, j'entends le toc-toc des engoulevents, le bourdonnement des abeilles géantes. Surtout, j'entends le bruissement des serpents dans les hautes herbes, derrière la maison.

On prétend que la Malaisie est un pays dangereux, mais ce n'est pas ces dangers que je me rappelle.

Je me souviens comme c'était beau à la tombée de la nuit, quand le soleil avait la couleur de l'or et que la jungle était comme tapie derrière les sombres collines. Nous étions là quand a eu lieu l'accident de voiture, quand maman a perdu une de ses boucles d'oreilles en forme de lézard avec des yeux émeraude. Je l'ai encore en tête car c'est arrivé en revenant d'un mariage. C'était le lendemain du jour où papa et maman s'étaient disputés et l'ambiance était horrible.

Ensuite nous sommes venus en Angleterre.

Je pense à ma journée. J'avais le cafard mais maintenant je suis pleine d'espérance. Si j'ai de la chance et si ma grand-mère est encore vivante, je peux la retrouver. C'est incroyable, non? Je jette un dernier coup d'œil à la peinture. Trois initiales C.L.P. sont tracées à l'encre noire dans le coin droit. Ma première tâche est de dénicher l'artiste.

33

En plein marché, Lydia entendit soudain des bruits de pas se rapprocher d'elle. Les petites rues de Malacca ne lui étaient pas familières mais, ces temps-ci, elle s'efforçait de les parcourir afin de se familiariser avec les quartiers populaires. Aujourd'hui, elle arpentait les faubourgs du quartier chinois dans l'espoir de trouver quelqu'un susceptible de lui fournir une piste pour localiser Lili. S'arrêtant devant la boutique d'un prêteur sur gages pour arranger ses cheveux malmenés par l'humidité, elle remarqua le reflet d'une silhouette parmi des colliers bon marché et des perles. Elle lissa sa jupe.

—Lydia!

Elle se retourna. C'était lui. Le crâne rasé et la peau mate, il était vêtu à l'occidentale d'un pantalon sombre, d'une chemise crème à manches courtes et portait un collier d'or autour du cou.

Sans se presser, il s'approcha de Lydia en lui tendant la main.

Elle scruta son visage avant de lui octroyer un sourire hésitant :

— Adil, vous me suiviez ?

— Accompagnez-moi. Ça en vaut la peine.

En fronçant les sourcils, elle lui permit de la précéder dans une étroite allée où le brouhaha du trafic était moindre. Il s'arrêta devant un modeste café dont la porte était surmontée d'une enseigne en arabe bleu et or.

Ils se perchèrent sur des tabourets peu confortables à l'extrémité la plus éloignée du bar embué, se tenant ainsi à distance des joueurs de mah-jong réunis à l'autre bout de la salle. Il lui sourit. Elle en fit autant avant de saisir un exemplaire du *Straits Times*, oublié par un client.

Adil lança la conversation :

— Vous êtes surprise que George ne vous ait pas aidée ?

Observant son front dépourvu de rides, Lydia remarqua qu'en revanche deux profonds sillons couraient de son long nez à sa bouche pleine.

— Comment ?

Penchant sa tête d'un côté, il la regarda droit dans les yeux, puis versa du café sucré et aromatisé d'un pot en cuivre avant de parler en détachant ses mots :

— Nous savons tous les deux de quoi je parle.

Lydia détourna la tête pour échapper à son examen minutieux :

— Vous connaissez donc George ?

Il haussa les épaules.

— En réponse à votre question, il ne m'a pas aidée, et non, ça ne m'a pas surprise. En quoi ça vous regarde ?

Le soleil qui s'infiltrait par une unique fenêtre formait un carré de lumière sur le bar. Pour soulager la tension qui montait en elle, Lydia se massa les tempes du bout des doigts. Elle sentit le regard d'Adil s'attarder sur son décolleté trop plongeant alors que sa peau se couvrait de ses rougeurs habituelles. Décidément, elle ne s'habituerait jamais à l'humidité ambiante.

Pendant quelques instants, ils se turent.

Puis Adil se gratta le menton en lui adressant un sourire compatissant :

— Je sais bien que les mots sont inutiles, mais sachez que je suis désolé de ce qui est arrivé à votre ami.

Elle poussa un soupir.

— Ça va aller, ajouta-t-il.

Les visages de Fleur et d'Emma lui apparurent. Toutefois, malgré son cœur qui s'emballait, Lydia s'efforça de garder son calme.

— Bien sûr, vous avez déjà connu ce genre de drame. Je suis navré.

— Ne vous apitoyez pas. D'ailleurs, comment êtes-vous au courant pour Jack et pour mes filles ?

— Oh ! Tout se sait un jour.

Alors qu'elle n'avait pas envie, à cet instant précis, de penser à Jack, la radio diffusa une chanson de Pat Boone. Une des préférées de Jack. Du coup, les circonstances de leur première rencontre lui revinrent en mémoire.

— Je vous propose un marché, dit Adil en interrompant ses pensées. Sans négociations possibles. Vous allez me faire confiance?

Avant de finir son café, Lydia essuya la sueur de son front. Elle avait envie de lui demander son aide, mais pouvait-elle se fier à lui? Elle n'en était pas certaine quoiqu'il se soit montré très serviable par le passé. Incroyable comme la chaleur la rendait pataude! Surprise par le camion qui déchargeait à grand bruit sa cargaison dans la rue, elle lâcha son verre d'une couleur écarlate.

— Mon Dieu! Je suis désolée!

Le barman s'étant éloigné après avoir ramassé les éclats de verre, Adil prit un air sérieux:

— Pour quelles raisons exactes avez-vous rendu visite à George?

— Bien que ça ne soit pas vos affaires, sachez que j'avais des questions à lui poser. Et que je n'ai obtenu aucune réponse. Il m'a conseillé de prendre des vacances pour calmer mes nerfs.

— Il avait peut-être raison, remarqua Adil avec un demi-sourire, avant de continuer sur un ton amusé: Vous pourrez remonter la rivière en pagayant, des oiseaux feront des ronds au-dessus de votre tête, vous serez entourée de mangroves. Il y a beaucoup de choses à voir. Tenez, savez-vous que les racines des palétuviers poussent en partie au-dessus du sol?

Lydia plissa les yeux:

— Vous avez omis les moustiques et la chaleur suffocante.

—Non, je ne les ai pas oubliés. Faites également attention aux serpents corail bleus. Terriblement venimeux.

—Merci pour le sermon, mais dites-moi maintenant ce que *vous* faisiez chez George. J'ai cru vous voir devant chez lui, le jour où j'y étais.

—Je travaille pour lui. Enfin, quelquefois. Surtout je...

—George vous emploie! s'exclama Lydia. Dans ce cas, vous imaginez comme je vais vous faire confiance!

—Je travaillais pour lui. C'est désormais fini.

Déconcertée, elle s'écria:

—Vous mentez!

—Non. Désolé que vous le pensiez. Je vous raconterai toute l'histoire. Mais d'abord, sortons d'ici.

Ils se levèrent et se tinrent face à face. Lydia fut prise d'un léger vertige. S'en rendant compte, Adil la soutint et la couvrit d'un regard d'une grande tendresse. Pourquoi avait-elle oublié la chaleur de ses yeux? Parce qu'il n'était pas de race blanche? La prenant par le coude, il la guida dans une étroite allée.

—Et si nous allions dans le parc? Pour bénéficier de la fraîcheur.

En chemin, ils traversèrent le monde vibrant des échoppes chinoises, Adil écartant pour elle les rideaux de poissons séchés tendus dans les ruelles. Dans le parc, la foule était moins dense. Ils empruntèrent une allée bordée d'arbres que des rats noirs escaladaient pour se réfugier dans les hautes branches. Il lui indiqua un banc dans un endroit tranquille au bord d'un petit étang. Elle s'y assit, heureuse de reposer ses pieds blessés par ses chaussures neuves.

—Les hibiscus sont un symbole de paix, expliqua Adil en lui montrant un buisson. De paix et de bravoure.

Le soleil avait disparu derrière d'épais nuages qui s'avançaient menaçants, annonciateurs de pluies prêtes à s'abattre sur la ville. Un paon se pavanait au milieu des coquelicots, une symphonie de plumes bleues, vertes et or. Un dernier rayon de soleil illumina sa queue.

—Vous souriez, constata-t-il. Pourtant, vous ne semblez pas heureuse.

Se sentant poisseuse et en ébullition, elle envoya promener ses chaussures et fit jouer ses chevilles. Un silence embarrassé s'établit entre eux.

Elle se tourna enfin vers lui :

—Vous ne m'avez toujours pas expliqué comment vous m'aideriez.

—J'ai surpris une conversation de George au sujet du garçon, Maznan.

—Vous voulez dire qu'il était au courant ! Je m'en doutais ! Quel salaud pontifiant ! Désolée, mais je ne l'aime pas.

Elle se renversa sur le banc et recommença à se masser les tempes :

—Pourquoi m'a-t-il menti ?

Adil se renfrogna :

—Je ne peux pas tout vous dire.

—Adil, si vous savez la vérité, dites-la-moi.

Elle retint son souffle pendant qu'il réfléchissait.

— J'attendais dans le vestibule, dit-il enfin. Il était au téléphone dans son bureau avec la porte ouverte. J'ignore encore où se trouve l'enfant, mais j'ai toutes les raisons de croire qu'il est vivant.

Lydia pressa sa main contre son cœur en poussant un grand soupir :

— Pour moi, c'est tellement important. Merci.

Un groupe d'élèves, vêtues de robes chasubles bleu marine, l'ancien uniforme d'Emma et de Fleur, passèrent devant Lydia. Se donnant des coups de coude dans les côtes et ricanant, elles se tournèrent pour les observer. La vision de Lydia se voila et elle ferma les yeux. Son trouble disparut au bout de quelques instants, aidé par une légère brise soufflant de l'étang.

Sans tenir compte des regards inquisiteurs des gamines, Adil poursuivit :

— Je ferai mon possible. Vraiment tout. Une fois de plus, sachez combien je suis désolé pour votre ami Jack et pour vos filles. Je sais ce que c'est que de perdre un être cher, mais j'ai besoin de votre confiance.

Lydia avait du mal à respirer. Adil lui prit la main et la serra amicalement comme pour la convaincre de ses bonnes intentions. Un gecko à crête passa sur les pieds nus de Lydia.

— Ces filles ? Vous les avez vues ? demanda-t-elle.

— Il est utile d'acquérir une vision sélective, répondit-il.

Pendant un instant elle apprécia ses mains fraîches sur sa peau. Puis elle s'écarta de lui.

— Navré ! Je ne voulais pas abuser.

Immédiatement des gouttes de pluie aussi grosses que le poing d'Emma commencèrent à tomber. Lydia essaya de penser à autre chose.

— Que faisiez-vous au service de George ?

— Surtout des missions secrètes.

Il avait l'air mal à l'aise.

— Et puis ?

— Je ne peux rien dire de plus. Il y a beaucoup de corruption. Les indigènes traitent les Européens de diables rouges. Parfois, je trouve qu'ils n'ont pas tort.

Elle se leva. Alec lui avait dit la même chose. Désolée d'avoir à s'en aller, elle lui toucha le bras :

— Mieux vaut partir avant d'être trempés.

Il lui sourit.

Finalement, ses premières impressions à son sujet se révélaient fausses. Elle l'avait trouvé froid et distant alors qu'il s'était révélé extrêmement serviable. Elle comprenait maintenant que c'était quelqu'un de profond. Ça se voyait dans ses yeux.

— Comment puis-je entrer en contact avec vous ?

— Ne vous inquiétez pas, je vous trouverai, dit-il.

Lydia fut bouleversée de constater à quel point elle le souhaitait.

34

Je suis assise dans le salon à feuilleter un livre d'exercices. Je ne travaille pas pour de vrai. C'est une trop belle journée, ensoleillée et chaude, les brillants rayons du soleil pénètrent par deux fenêtres à guillotine. J'en soulève une afin de laisser l'air entrer et je regarde ce qui se passe à l'extérieur. Les terrains sont couverts de fleurs printanières, l'herbe est d'un vert éclatant. Rebecca, qui poireaute elle aussi dans le salon, a l'air renfrognée, malgré le beau temps.

Veronica est en retard. Sa lettre disait qu'elle voulait me voir. Je ne sais toujours pas si je peux lui faire confiance mais je n'ai pas osé refuser. Je tapote ma besace. À l'intérieur il y a la miniature dont je ne me sépare jamais.

Une femme petite, au visage rouge, vêtue d'un tailleur jaune vif, fait soudain irruption et agite des papiers sous le nez de Rebecca :

—Ah, te voilà! Tu as fait attendre ta nouvelle famille d'adoption! Tu as intérêt à t'arranger pour être à l'heure la prochaine fois.

Elle a une voix stridente et se fiche de qui peut l'entendre. Elle tourne les talons et s'éloigne en tortillant ses grosses fesses.

Rebecca se laisse glisser de son siège, le nez en l'air. En passant devant moi, elle marmonne entre ses dents :

—Si tu caftes, je te tue!

Je souris. Je ne le répéterai pas, mais je tiens la preuve que c'est une enfant adoptée et non pas la fille de riches parents vivant à l'étranger. Ravie de cette découverte, je me cale contre le mur et profite du soleil sur mon visage quand j'entends le clic-clac de hauts talons sur le parquet.

Veronica est grande et élégante dans un style anglais. Pas aussi chic et séduisante que maman, mais bon genre. Une veste ajustée bleu marine, une jupe évasée assortie qui froufroute quand elle marche. Un petit chapeau rond sur la tête. Blanc.

Elle remarque que je le regarde :

—C'est une toque. Tu aimes? C'est le dernier cri.

J'acquiesce et ses yeux brillent. Elle me tend une main gantée de blanc :

—Ma chère Emma. Comment vas-tu?

—Très bien, je murmure.

J'ai l'impression d'être affreuse, surtout les jours de sortie où nous sommes obligées de porter notre uniforme et un panama encore plus ridicule. J'ai tout de la pauvre andouille.

Assises sur des sièges à fleurs rembourrés, nous sommes dans le salon de thé d'un des plus grands magasins de la ville. De notre loggia nous avons une vue plongeante sur l'activité du magasin. Bien que Veronica ait voulu me faire plaisir, je ne me sens pas à ma place. Pourtant je prends un air concerné et regarde les baies encadrées de lourds rideaux bordés de velours rouge. Aux murs, des tapisseries à thème : celle qui est derrière nous représente saint Georges montant un cheval de bataille doré, entouré de jacinthes. Tout autour de la loggia, cinq grandes lampes aux abat-jour à glands bleus et or.

Au fond, un haut-parleur diffuse *Memories Are Made of This*. Je ne crois pas que les souvenirs soient ainsi faits, surtout ceux que j'ai de maman. Je les garde au chaud dans mon cœur, comme maman entreposait ses plus belles robes en soie dans une énorme commode chinoise. La serveuse nous apporte un présentoir doré à gâteaux. Quand arrivent nos tasses et soucoupes, elles sont blanches ornées de boutons de rose, roses bien sûr. Veronica ne cesse de les tripatouiller en me parlant nerveusement de mon école et en me demandant comment je me sens.

J'ai avalé la moitié d'un Knickerbocker Glory, cette glace époustouflante, quand j'en comprends la raison.

— Ton père et moi avons fixé la date, dit-elle du ton neutre qu'elle utiliserait pour me demander « veux-tu encore du thé ? ».

Elle rougit furieusement. De la glace coule du coin de mes lèvres et je lui lance un regard noir.

—Je voulais te le dire moi-même, bégaye-t-elle en me regardant de ses yeux bleus assortis à son ombre à paupières.

Comment fabrique-t-on un coloris aussi chatoyant? J'aimerais bien le savoir.

—Emma?

J'essuie ma bouche avec la main qui tient la cuillère et fais tomber plein de glace au chocolat sur le tapis bleu, avec du rose au centre, qui couvre toute la surface du magasin. Comment puis-je penser au tapis dans un moment pareil? Je relève la tête et regarde Veronica.

—Et ma mère alors? dis-je en haussant le ton.

Elle soupire si tristement que j'ai peur qu'elle se mette à pleurer.

—Je suis désolée, vraiment. Mais ta mère n'est plus, Emma. J'espérais que tu en serais désormais consciente.

J'enfonce mon chapeau, baisse la tête et sens ma gorge se serrer. Il m'est impossible d'accepter la mort de maman. Pourtant, je comprends que papa et Veronica soient faits l'un pour l'autre. Elle a quelque chose qui le sécurise, ce que maman n'a jamais réussi à faire.

—Emma, j'aime ton père.

J'ai envie de hurler: *et moi j'aime ma mère!* *Elle a seulement disparu.* Je me mords les lèvres et retiens mes mots. Le soleil brille sur la nappe blanche et tous les bruits du magasin se fondent en un grand brouhaha.

Veronica me décoche un beau sourire:

— Pour Fleur et pour toi, n'est-ce pas préférable d'avoir une belle-mère plutôt que pas de mère du tout ?

— Fleur ! je grogne.

La conversation s'arrête. Je m'efforce de recueillir avec ma cuillère le reste de la glace fondue tandis qu'elle contemple ses mains posées sagement sur ses genoux. À la table voisine un bébé pousse un cri strident et au loin une voiture ne cesse de klaxonner. J'aimerais hurler pour qu'ils s'arrêtent.

— Emma, comment voyais-tu l'avenir ? demande Veronica au bout d'un moment. Ton père n'est pas vieux et moi non plus. Pour nous, c'est l'occasion d'être heureux. Tu ne veux pas nous l'interdire, n'est-ce pas ?

Elle allonge le bras pour me prendre la main. Je la retire brusquement et regarde, au-delà de la nappe blanche, au-delà de ma glace qui fond, les gens qui font leurs achats au rez-de-chaussée. Je voudrais rester seule, quitter ce grand magasin étouffant, mais c'est trop loin pour rentrer à pied jusqu'à la pension et je n'ai pas d'argent pour prendre le bus.

Je fais la moue en observant Veronica. Elle tripote ses gants, retirant chaque doigt un à un puis les enfilant à nouveau. Les yeux baissés, la gorge nouée, elle continue à me parler :

— J'avais gardé l'espoir que tu m'aimerais un peu.

J'y réfléchis en silence. En fait, elle ne me déplaît pas, mais je n'ai pas envie d'avoir une belle-mère.

— J'aimerais devenir ton amie. Je ne remplacerai jamais ta mère. Mais je peux faciliter les choses entre ton père et toi.

Je relève la tête. Elle reprend :

— Il n'a rien d'un saint et parfois il traite les gens durement.

— C'est le moins qu'on puisse dire !

Elle grimace en penchant la tête :

— Je te comprends. Mais si tu m'y autorises, je peux être de ton côté. Rien ne m'oblige à tout dire à ton père.

Dois-je la croire ? En tout cas, j'ai soudain une petite idée derrière la tête.

Veronica regarde autour d'elle :

— Tu sais, il n'aime pas tellement l'Angleterre. J'ai souvent l'impression qu'il souhaiterait retourner en Malaisie.

Soudain plus gaie, j'imagine les écureuils, les paons, les chauves-souris.

— Vraiment ?

— Eh bien, en réalité, il ne bougera sans doute jamais. Il est seulement nostalgique.

Je me dégonfle comme une baudruche. Je rêve de revivre en Malaisie. Je commencerai par aller dans notre ancienne maison et je me cacherai entre les pilotis comme je le faisais. Puis je me coucherai dans les hautes herbes sans penser aux serpents. Ensuite je partirai à la recherche de maman.

Veronica me dévisage :

— Emma, tu te sens bien ?

— Maman me manque, je réponds alors que les larmes me montent aux yeux.

Elle tente de me saisir la main à nouveau. Cette fois, je la laisse faire.

— Je sais comme ça doit être douloureux. Mais ça te plairait que nous devenions des alliées ?

Encore un long silence. Pendant un moment je regarde par la fenêtre les ouvriers qui grimpent sur un échafaudage dans l'immeuble d'en face et je tente de mettre de l'ordre dans mes idées. Veronica ne cherche pas à me forcer, à me pousser dans mes retranchements, à me noyer de paroles. Elle attend seulement ma réponse. Son attitude me touche car elle montre qu'elle n'est pas comme mon père qui n'écoute jamais personne. C'est ce qui me décide :

— Pourriez-vous m'aider ? Mais mon père ne doit pas être au courant.

En disant ça, j'ai l'estomac serré. Si elle cafte, je risque de gros ennuis, mais si je ne lui demande pas à elle, vers qui me tourner ? Sœur Ruth a fait tout ce qu'elle a pu.

— Du moment que ce n'est pas illégal !

Je sors ma miniature de ma besace. Je la tiens contre ma poitrine, sentant mon cœur battre à toute allure. Je suis incapable de me décider. Mais quand je la regarde droit dans les yeux, elle a l'air si honnête, si terriblement bonne que je n'imagine pas qu'elle me trahisse. Je la lui tends.

Elle la prend, la contemple, lève la tête, étudie mon visage, fixe à nouveau le portrait :

— C'est impossible ! Les vêtements sont trop démodés.

— Non, ce n'est pas ma mère. Mais ma grand-mère !

— Qu'elle est belle! Alec ne m'a jamais parlé d'une autre grand-mère. Seulement de ta Granny. Mais ce n'est pas elle.

— C'est la mère de maman. C'est ça le problème… J'ai besoin de votre aide.

— En cachette de ton père?

Je retiens mon souffle, espérant que j'ai pris la bonne décision. C'est comme jouer à quitte ou double. Si elle lui en parle, il va me confisquer ce portrait et j'aurai encore plus de mal à retrouver sa trace.

— D'accord, dit-elle enfin. Ce sera notre secret. Mais j'aimerais te demander pourquoi ton père ne doit pas être au courant?

— Je ne veux pas qu'il intervienne tant que j'ignore où se trouve ma grand-mère ou que je n'en sais pas plus à son sujet.

Entrant dans le jeu, elle propose:

— Il faut qu'on dresse des plans. En secret bien sûr.

— Seriez-vous capable de découvrir le nom du peintre? Ses initiales et la date sont dans le coin droit: C.L.P. 1923. L'année qui a précédé la naissance de maman.

— Je me rends souvent à Londres consulter Freddy, mon avocat. En ce moment, il occupe mon appartement. Comme c'est le quartier des musées et des galeries d'art, ça ne devrait pas être trop difficile.

Mes oreilles tintent. Voilà l'occasion rêvée de poser une question délicate sans avoir l'air de rien. Je me lance:

—Votre avocat ne serait pas Johnson, Price &
Co. de Kidderminster, par hasard?

—Non, ma chérie.

—Vous n'auriez pas un autre avocat?

—Freddy est le seul avocat dont j'ai besoin. C'est
également un excellent ami. Je l'ai connu quand il
était à l'université de Birmingham. C'était avant
son premier job à Worcester. Depuis, il est devenu
célèbre à Londres. Pourquoi tu me demandes ça?

—Pour rien.

—Ah bon! Mais c'est bizarre.

Elle va payer à la caisse et je me rends aux
toilettes. En chemin, je décide d'écrire à M^e
Johnson pour me jeter à ses pieds et le supplier
de me mettre au courant.

Aux toilettes, en attendant mon tour, je ressens
une douleur au bas du ventre. Quand je m'assieds
enfin sur le siège, j'en comprends la raison. Je ne
saigne pas beaucoup, juste un peu mais assez
pour tacher ma petite culotte. Pendant quelques
instants je pleure en me disant que je suis la fille la
plus malheureuse au monde. Mais quand j'entends
qu'on s'impatiente devant ma porte, je m'essuie
les yeux et fourre des feuilles de papier dans mon
slip. Je me retourne pour vérifier que ma jupe n'a
pas de trace de sang et sors la tête basse. Je suis
humiliée. En plus, le papier est de mauvaise qualité
et fait du bruit quand je marche.

Veronica, qui m'attend à la sortie, se rend
compte immédiatement que ça ne va pas:

—Emma, qu'est-ce qui t'arrive? On dirait que
tu as vu un fantôme?

Je grimace:

— Pas un fantôme.

— Quoi alors ?

Comme j'ai peur d'avoir du sang sur ma jupe et d'en mettre sur le siège de sa voiture, je lui avoue la vérité. J'avale ma salive et murmure :

— J'ai commencé. Vous savez. Ça y est.

— Ah ! Oui... fait-elle en rougissant. C'est la première fois ?

J'acquiesce d'un air malheureux.

— Tu as ce qu'il te faut ?

— Non.

— Allons, ma chérie, retournons aux toilettes. Il y a un distributeur.

— Je l'ai vu mais je n'avais pas d'argent.

— Ne t'en fais pas. J'imagine que tu n'as pas non plus de ceinture hygiénique ?

Je pique un fard. Ah, si je pouvais rentrer sous terre !

— Bon, on va commencer par te procurer une serviette. On se débrouillera avec les épingles de nourrice qui sont fournies avec. Ça sera suffisant jusqu'à ce que tu retournes à la pension.

Je recommence à sangloter et me frotte les yeux avec mes poings.

— On ira ensuite à la grande pharmacie pour t'acheter une ceinture et les fournitures adéquates.

Je m'étais attendue à me sentir adulte, mais pas du tout. Au contraire, j'ai l'impression d'être une petite fille abandonnée. Tout en étant reconnaissante à Veronica, maman me manque terriblement.

Quand elle me dépose au pensionnat, je sors de la voiture et garde la portière ouverte :

— Veronica, merci pour tout.

331

—Il n'y a pas de quoi, répond-elle en souriant.

—Au fait, la date du mariage, c'est pour quand ?

—Pendant les grandes vacances, pour vous permettre à toutes les deux d'y assister. Ensuite, nous passerons une semaine à Torquay.

—Qui s'occupera de moi et de Fleur ?

—J'espère que mon frère reviendra pendant ses congés et pourra rester avec vous.

Au moment de démarrer, elle s'aperçoit de ma mine épouvantée.

—C'est à cause de Sidney ? demande-t-elle.

Je me mords les lèvres, murmure un truc incompréhensible en évitant son regard.

—Si cette histoire de fléchette te turlupine encore, il t'a pardonné.

Je secoue la tête.

—C'est quoi alors ?

Incapable de parler, je fonce à l'intérieur, en souhaitant de tout mon cœur qu'il arrive un accident à M. Oliver. Un truc vraiment horrible. À nouveau, j'ai les mains moites et le cœur qui bat en sentant ses doigts ramper sur moi. Tant que je vivrai, je refuse de le revoir. Mais si je le vois et s'il recommence, je jure que je raconterai tout.

35

Chez Cicely, Lydia resta allongée sur son lit à regarder le crépuscule teinter le ciel de pourpre. Tandis que le ventilateur rafraîchissait sa peau nue, que le jour faisait place à la nuit, que les étoiles et la lune émergeaient du néant, elle laissa son esprit vagabonder vers Jack. Elle le sentit contre elle, aussi précisément que s'il avait été là, elle sentit ses mains puissantes étalées sur son ventre et l'odeur de savon au goudron qu'exhalait sa peau.

Ses pensées s'évadèrent plus loin. Une femme en bleu sortit de l'océan, se mouvant avec grâce, sa chevelure couleur or pâle malgré la nuit. Quand Lydia tenta de s'approcher d'elle, la vision s'évapora et ne lui resta qu'un troupeau de gibbons querelleurs se balançant de branche en branche. Elle se réveilla en sursaut et sanglota éperdument avant de remarquer Cicely assise au pied du lit.

—Descends. Pour l'apéritif.

—Depuis combien de temps es-tu là ?

—Pas longtemps. Tu as entendu ce que j'ai dit ?
Lydia sécha ses larmes et se recouvrit d'un drap.

Dans l'élégant salon peint dans des tons subtils de crème et de bleu très pâle, Ralph leur prépara un gin tonic avec des glaçons. Lydia, perchée sur une chaise ancienne en bois doré, était mal à l'aise.

—Tu as perdu du poids, dit Ralph en souriant. Ça te va bien.

Baissant les yeux tout en pensant à la mort de Jack, elle répondit :

—Ce n'était pas volontaire.

—Ralph chéri, ronronna Cicely avec son air de femme manipulatrice, viens donc t'asseoir. Nous avons besoin de ton aide... ou plutôt, c'est Lydia.

Sans remarquer la mimique de sa femme, il gonfla ses joues et se posa à côté de Cicely.

—Sans bien savoir pourquoi, nous pensons que George Parrott fait des cachotteries. Cela a peut-être un rapport avec Jack ou avec les allées et venues d'un petit garçon du nom de Maznan Chang.

Elle se tourna vers Lydia pour qu'elle confirme ses propos.

—Il est devenu très irritable dès que j'ai réclamé la liste des personnes mortes dans l'incendie, confirma cette dernière. Il a prétendu que c'était à peu près impossible.

—Sans doute vrai, commenta Ralph.

Vigilante et sûre d'elle, Cicely caressa la cuisse de Ralph, ce qui eut pour résultat de le faire rougir comme une tomate.

— Je sais, chéri. Mais nous nous demandions si tu avais entendu quelque chose par le téléphone arabe?

Surprise de voir à quel point Cicely et Ralph s'entendaient, Lydia plongea son regard dans la nuit noire. Malgré les sous-entendus de Cicely, on sentait une grande complicité entre eux. L'amour intéressé que lui portait sa femme ne semblait pas déranger Ralph outre mesure. C'était comme s'ils étaient liés par un pacte.

— Non, répondit Ralph. Seulement qu'Alec a été pris dans l'incendie quand ils ont déménagé leurs bureaux à Ipoh et... tu connais la suite. Une grande marée d'arrivants dans une Maison coloniale surpeuplée, pas de trace écrite, tous les dossiers perdus. Les restes des corps impossibles à identifier. Donc pas de liste complète. Lydia, je suis navré.

— En tout cas, Lydia est persuadée que George est au courant de quelque chose.

Surpris, Ralph souleva un sourcil :

— Au sujet de l'incendie?

— Non... admit Lydia. Enfin peut-être. Ou au sujet du garçon ou de Jack et de Lili.

— Lili?

Lydia retint son souffle.

— Elle a été la maîtresse de Jack. Je la soupçonne d'être pour quelque chose dans sa mort.

Un silence gêné suivit.

Cicely parut étonnée :

— Comme c'est curieux, ma chérie! Pourquoi n'en as-tu rien dit?

Lydia haussa les épaules.

Cicely, se tournant vers Ralph, lui embrassa le front et glissa un ongle rose nacré le long de sa joue.

—Pourrais-tu te rendre dans le bureau de George en catimini? En tant qu'adjoint du gouverneur, je veux dire.

Mal à l'aise, il se tortilla sur sa chaise.

—Pour faire quoi? Cela prendrait du temps…

Cicely l'interrompit:

—Mais tu pourrais y arriver? Fouiller son bureau?

Quand il acquiesça, Lydia se sentit mille fois plus légère. Mais au moment où Ralph commençait à l'interroger, on frappa lourdement à la porte. Il était tard. Ralph et Cicely échangèrent un regard inquiet.

—Tu n'attends personne? demanda-t-il en quittant la pièce.

Tandis que Cicely, perdue dans ses pensées, jouait avec son collier, Lydia songea à nouveau à Jack et à l'allée de frangipaniers qui bordait sa tombe. Des voix retentirent dans le vestibule puis Ralph revint, livide. Il regarda les deux femmes, l'une après l'autre:

—La mission dont vous m'avez chargé est devenue impossible. Il paraît que George Parrott s'est suicidé.

Fin d'après-midi. Dehors, Lydia fut assaillie par un tonnerre de bruits qui la fit presque chanceler. Repérant Adil à quelques pas de là, elle fut bien obligée de le saluer. Quand elle s'approcha de lui, il s'inclina cérémonieusement.

— Eh bien, vous ne me laissez pas beaucoup de choix.

— Tenez, prenez mon bras.

— Certainement pas ! Je suis assez grande pour marcher toute seule.

— Comme vous voulez. Mais éloignons-nous d'ici.

Elle lui jeta un coup d'œil alarmé.

Il lui sourit et son visage se détendit :

— Lydia, vous êtes ravissante aujourd'hui.

Lydia se rendit compte qu'elle appréciait ce compliment, la phrase la plus personnelle qu'Adil lui ait jamais dite. Elle effaça le sourire qui lui était monté aux lèvres en levant les yeux vers le ciel embrasé, et faillit se faire écraser par un pousse-pousse.

Il la retint et la dévisagea.

— Pourquoi cherchez-vous des ennuis ?

— J'ai mal au cœur. À cause de la chaleur… Rentrons et je vous présenterai Cicely.

— Non, c'est une mauvaise idée.

— Mais vous ne la connaissez même pas ! s'étonna Lydia.

— Au contraire. Je travaille avec elle.

Lydia s'écarta.

— Mais vous m'aviez dit que vous étiez chargé de missions secrètes ?

— Exact.

— Mais c'est fini avec George Parrott.

— Vous êtes donc au courant.

— Oui. Et Cicely alors ?

— Je vous propose d'aller chez moi. On pourra commencer notre collaboration.

337

Elle se tourna vers la maison de Cicely. Les règles changeaient à toute vitesse. Elle avait envie de le suivre, tout en songeant que ce n'était pas raisonnable. Pourtant elle avait besoin de lui faire confiance.

— Juste pour un petit moment ? insista-t-il en souriant.

À la station de taxis de la rue principale, à côté d'un magasin regorgeant d'oiseaux tropicaux, un charmeur de serpents indien était assis sur le trottoir et jouait du pipeau. Lydia s'arrêta :

— Alors, Cicely est...

— Évidemment, je ne peux rien dire.

Lydia soupira. Cela explique pourquoi rien ne semble l'atteindre, songea-t-elle.

— J'habite de l'autre côté du quartier chinois. Vous verrez, vous aimerez. Des tas de restaurants. Mais j'oublie que vous avez occupé une maison coloniale à la périphérie. Il y a moins de rats là-bas.

— Vous savez, je devais vérifier s'il n'y avait pas d'araignées et de serpents dans les toilettes. Quant aux rats, ils étaient partout.

Adil éclata de rire.

Sa maison s'élevait dans la rue des Trois-Dragons, près d'un quartier malfamé plutôt délabré. Bien qu'ayant triste mine, elle conservait un chic à l'ancienne avec ses fenêtres cintrées et ses persiennes délavées couvertes de bignonias aux fleurs en forme de lanterne. Cette maison avait vu des jours meilleurs, mais c'était une bonne adresse. Au premier étage, Lydia se lova dans les coussins de soie noire d'un fauteuil en rotin installé près d'une fenêtre. Adil lui apporta un cocktail à base de gin.

L'alcool se propageait doucement dans ses veines. Lydia observait le flux de l'océan au loin tout en se sentant prête à faire des folies. Une légère brise effleurait ses joues. De la musique orientale, des voix étrangères montaient de la rue, mais les mauvaises odeurs ne lui parvenaient plus. La pièce, élégante et nette – un peu à l'image d'Adil, songea-t-elle –, était meublée d'une table basse en teck sur laquelle étaient placés un vase en verre fumé et une coupe de ramboutans bien mûrs. D'autres coussins foncés étaient éparpillés sur un tapis au motif en losange qui occupait une partie du parquet ciré. Dans un coin, des herbes séchées ornementales commencèrent à se balancer quand le ventilateur de plafond prit de la vitesse. Clignant des yeux, elle le regarda :

—Pourquoi m'attendiez-vous devant chez Cicely ?

Tout en allumant un brûleur d'encens indien, il prit un air grave mais ne lui répondit pas. Puis il alla dans sa chambre pour se changer, laissant la porte entrouverte. Des notes de piano montèrent de l'étage inférieur. De la musique sud-américaine. Elle s'imagina dans ses bras dansant le tango ou une rumba torride, elle en robe à paillettes et lui en smoking. Pendant qu'elle observait l'immeuble d'en face, une ancienne et magnifique demeure chinoise, le ciel vira du rouge au bleu royal et des étincelles de lumière jaillirent de l'océan.

Adil revint vêtu d'une chemise turquoise à manches longues fraîchement repassée sur laquelle se détachait la peau sombre de son visage, de son cou, de ses mains. Sa virilité était différente. Athlétique, élancée, puissante.

N'y tenant plus, elle lui demanda :

— Qui êtes-vous ?

Il lui répondit en souriant :

— Je vous l'ai dit. Un ami.

Si seulement elle pouvait le croire ! Mais comment faire le tri de tous les sentiments qui se télescopaient dans sa tête ?

Ils décidèrent d'aller dîner dans un restaurant chinois à quelques centaines de mètres de l'appartement d'Adil. Pour y parvenir, ils longèrent le temple Cheng Hoon. Ses piliers rouges étaient recouverts d'inscriptions chinoises tracées à l'encre noire, les chevrons étaient ornés de lions et de tigres, le toit courbé en son centre pour remonter aux deux extrémités. Comme c'est dépaysant, se dit Lydia.

— Mon endroit favori, déclara Adil avec un sourire en consultant la carte.

Une lueur rougeoyante en provenance d'une douzaine de lampes pendues à une poutre centrale était la seule source de lumière. Pourtant, chaque fois qu'un serveur passait près d'eux, il apportait avec lui l'éclat des fourneaux et une vague de vapeur.

— Le poulet aux noix de cajou est bon ainsi que le riz au safran. Et pour commencer, que diriez-vous d'une soupe aux ailerons de requin ?

— Je vous laisse choisir. Je suis trop fatiguée pour réfléchir.

Alors qu'il buvait de l'eau glacée, il lui servit une bière Tiger. Elle l'avala d'une traite et en redemanda.

—Attention! Elle est plus forte que vous ne le pensez.

—Zut alors! Je ne suis plus une enfant! Vous êtes aussi insupportable que mon mari... Je veux dire, quand il était en vie.

Adil fronça les sourcils.

Tout en sachant qu'elle devait se refréner, elle ne put s'empêcher de lancer:

—Nous les Blancs, c'est ce que nous faisons. Nous nous soûlons.

Adil se raidit, les tendons de son cou saillirent, son regard se durcit.

—Si c'est ce que vous souhaitez, ne vous gênez pas! Mais je croyais qu'on devait décider d'une marche à suivre.

D'humeur toujours maussade, elle le dévisagea.

Quand il plongea son regard dans le sien, elle crut qu'il pouvait voir à travers elle.

—Désolée, j'aurais dû m'abstenir.

—Ne désespérez pas, vous avez déjà fait un grand bout de chemin.

—Oui, mais je me sens tellement fatiguée.

—Vous êtes malade?

—Non. Parlons de nos projets.

—Très bien. D'abord, j'ai bon espoir de retrouver le garçon.

—Vous pensez vraiment réussir?

Il réfléchit une minute:

—Je le crois. Tout comme Cicely, j'ai de nombreux contacts.

341

Son assurance la surprit. Elle pencha la tête.

— Bien des choses me semblent bizarres.

Chercha-t-il à éviter ses yeux quand il se tourna vers le serveur pour commander leurs repas en chinois ? En tout cas, elle en profita pour étudier son profil.

— Ainsi, entre vous et Cicely, il n'y a pas que des liens professionnels, n'est-ce pas ?

Cela n'avait été qu'une intuition, mais à le voir légèrement rougir, elle sentit qu'elle avait deviné juste.

— Vous êtes dans l'erreur, répondit-il en évitant de la regarder.

Un ange passa.

Lydia soupira, creusa ses joues, sentit une odeur épicée de citron et de cardamome émaner d'Adil. C'était un type bien. Elle en aurait mis la main au feu. Ses traits inspiraient confiance, c'était le mot qui le décrivait le mieux.

— Vous avez été marié ?

— Non. Et maintenant, si on se concentrait sur notre sujet ?

Piquée au vif par cette remontrance et son propre manque de tact, elle murmura une vague excuse.

— Cela n'a pas d'importance, dit-il.

Elle enchaîna peu après :

— D'où venez-vous ? C'est difficile à dire.

— Je ne suis pas vraiment d'humeur à répondre à un interrogatoire.

Elle fit une drôle de grimace, comme si elle était encore une enfant et il s'adoucit.

— Bon. Disons que je suis un peu malais, un peu portugais avec une pointe de Sumatra et un peu de chinois. Avec sans doute des pirates pour ancêtres. Vous êtes contente ?

— Sacrément exotique !

Adil se dérida, ce qui enchanta Lydia.

— J'irai à Singapour ou à Johore, dit-elle. Tenter de trouver une piste.

— Vous ne pouvez pas errer d'un endroit à un autre. Il faut vous reposer.

— Impossible. Je vais devoir trouver un job.

Adil ouvrit grands les bras :

— Lydia, vous êtes courageuse mais si vous ne rechargez pas vos batteries, vous allez tomber malade. Vous avez l'air épuisée.

Elle se raccrocha à l'idée de retrouver Maz :

— D'accord, mais qu'allez-vous faire ?

— Comme je vous l'ai dit, d'abord l'enfant et puis la fille dont vous avez parlé.

— Lili.

— Je n'ai pas beaucoup d'éléments. Mais quelqu'un est forcément au courant. C'est toujours le cas.

Elle se gratta la tête en bâillant. Il avait raison. Elle avait besoin de se reposer.

— J'ai pour contact un ancien collègue de George. Possible qu'il m'aide. Pour la suite, on verra.

Il consulta sa montre.

— Il se fait tard. Si vous le voulez, on va chercher un taxi pour vous ramener ou bien vous pouvez rester à la maison pour la nuit. Surtout, ne craignez rien ! Je dormirai sur le canapé.

Dans ses yeux dansait une lueur d'amusement. Mais, en réalité, ce n'était pas de la peur qu'il avait détectée sur le visage de Lydia!

— Merci, parvint-elle à articuler. Je préfère rester chez vous.

36

Je me réveille à l'aube, la couverture enroulée autour de mes jambes. Je me redresse et sors la lettre de Veronica. Bien que la connaissant par cœur, je l'incline vers la lumière et la relis.

Ma très chère Emma,

Lors de ma dernière visite à Londres, j'ai découvert le nom du peintre : Charles Lloyd Patterson. Malheureusement, ce gentleman est mort mais j'ai son ancienne adresse où une petite galerie, ouverte au public, expose ses œuvres. Je me suis permis d'écrire en ton nom pour demander un rendez-vous. Hier, j'ai reçu la réponse de la conservatrice.

Si cela te convient, je viendrai te chercher très tôt lors de ta prochaine sortie et nous irons à Cheltenham. C'est là qu'est la maison. Après ça, que dirais-tu d'une séance de cinéma ?

À propos, j'ai besoin de t'emmener pour un essayage de ta robe de demoiselle d'honneur. On pourra le faire le même jour. J'espère que le jaune te convient, Fleur ayant déjà la sienne.
Mes vœux les plus tendres,
Veronica

Comme il est trop tôt pour m'habiller, je reste dans mon lit à écouter les filles dormir et les premiers chants des oiseaux. Ce n'est pas la première fois que j'entends Rebecca crier dans son sommeil ou les ronflements provenant des coins reculés du dortoir. Bien que nous soyons au début du mois de mai, un vent fort siffle à l'extérieur et un violent courant d'air se glisse sous notre porte.

Dès que la cloche retentit, je me lève et m'habille. Sautant le petit déjeuner, je fonce dans le bureau pour retirer mon billet de sortie et sors en courant. La bise fouette mes cheveux qui tombent devant mes yeux. Veronica, droite et alerte derrière le volant de sa Morris Minor, m'attend. Toujours chic, elle porte un fuseau noir accompagné d'un sweater jaune près du corps.

— Tu es excitée ? demande-t-elle, souriante.

— Et comment !

Nous traversons un joli village puis Kidderminster. J'envie les visages sales des gosses jouant au cricket dans la rue en s'insultant et je baisse ma vitre pour les écouter. Plus loin, d'autres gamins se balancent du haut des poutres d'une église bombardée. Il me semble que les garçons disposent de plus de liberté que moi.

Une heure plus tard, en bordure de Cheltenham, nous longeons des rues bordées de simples maisons où le linge sèche dans les jardins occupés par des potagers. Parfois, une porcherie malodorante complète les lieux. Là, à l'exception des enfants, les rues sont vides et étroites. Bientôt, elles sont remplacées par des avenues aux beaux arbres et aux superbes demeures Regency. Le centre de la ville est très animé et bruyant. Voitures, vélos, piétons ne cessent de se croiser.

Veronica se gare et nous passons à pied devant le cinéma Gaumont signalé par des banderoles tendues à travers la rue et par une immense affiche pour le nouveau film de John Mills, *Traqué par Scotland Yard.*

—Birmingham est plus près, mais j'adore Cheltenham, déclare Veronica avec un grand sourire. Après Londres, c'est ma ville préférée.

—Où allez-vous vivre ? Je veux dire, avec mon père.

—Au village. Votre père n'est pas séduit par Londres. Pourtant j'y ai toujours mon vieil appartement. Un pied-à-terre délabré dans Wandsworth. Je devrais le louer ou le vendre mais c'est tellement commode quand nous venons en ville. Je t'y emmènerai un jour.

Elle s'arrête :

—Nous y voici. Avant de repartir, rappelle-moi d'acheter une livre de fromage et du jambon chez Victoria Stores.

Nous montons les marches en pierre d'un perron. C'est une maison de taille moyenne, sur une

347

petite place. En regardant par-dessus mon épaule, je remarque que les racines des arbres plantés des deux côtés de la rue soulèvent la chaussée.

Une femme d'une soixantaine d'années nous ouvre. Elle a des cheveux blancs ramenés au hasard au sommet de son crâne, une peau très pâle, des lunettes à monture dorée et des yeux gris sévères. Ses mules roses et informes ne vont pas avec le reste. Je l'imagine très bien avec des bigoudis et un turban cachemire, fumant sur le pas de la porte d'une des maisons que nous avons vues à l'entrée de la ville.

Elle nous tend la main.

— Bonnie Butcher. Entrez donc dans le petit salon. Là, vous pourrez me poser toutes les questions que vous voulez. C'était la pièce favorite de M. Patterson. La mienne aussi, bien sûr.

Qui est-ce? J'ai cru d'abord qu'elle était la veuve du peintre, mais son léger accent, qu'elle cherche à cacher, et ma première impression m'en dissuadent.

— Quelle jolie maison, remarque Veronica.

— Mettez-vous à l'aise pendant que je vais chercher le thé. Désirez-vous du gâteau? À propos, je regrette mais je dois vous faire payer la visite et les pâtisseries.

Veronica acquiesce poliment, mon estomac, privé de petit déjeuner, crie famine.

Je regarde autour de moi. Des bibelots sur tous les meubles, du papier peint chichiteux à motif de saules jaunes et d'oiseaux exotiques bleus. Un canapé recouvert d'un moelleux velours vert et rehaussé d'un cloutage en forme de losange. Trois lampes aux abat-jour dorés ornés de pampilles se balancent dans les courants d'air. Je me penche en avant et j'enfonce mes paumes dans le velours.

Bonnie Butcher revient avec un joli plateau qu'elle pose sur une table basse devant nous.

— Servez-vous de gâteau.

Il y en a deux sortes. Je choisis celui au chocolat mais en soulevant ma main je remarque que j'ai laissé l'empreinte de mes doigts poisseux sur le tissu du canapé. Je transfère mon assiette dans mon autre main et essaye d'effacer les marques, mais je ne fais qu'empirer les choses. Mal à l'aise, je me tortille en espérant que la dame n'a rien vu.

Suit un lourd silence où l'on entend seulement le tintement des tasses et ma mastication que je veux aussi discrète que possible. La dame boit son thé, le petit doigt en l'air, sans cesser de m'observer. Quand sa tasse est vide, elle tapote ses lèvres avec une serviette en papier. Puis elle attaque :

— Si j'ai bien compris, vous désirez connaître le nom de la personne qui a posé pour le peintre. C'est bien cela ?

— Oui. Dans les années 1920. J'ai son portrait avec moi.

Veronica tend la miniature à la dame.

— Oui, je vais pouvoir vous aider.

— Oh ! merci ! je ne peux m'empêcher de crier.

Elle soulève un sourcil.

Je m'efforce d'afficher un sourire confiant et tente de m'expliquer :

— Elle pourrait faire partie de ma famille.

Est-ce que je l'ai contrariée ? En tout cas, elle plisse le front, cligne des yeux, paraît méfiante. Je retiens mon souffle et croise mes doigts derrière mon dos.

Après une longue pause, elle précise:

— Je connais cette femme. Il y a deux autres portraits d'elle. Venez donc avec moi.

Je quitte le canapé d'un air aussi digne que possible et la suis dans un escalier en colimaçon jusqu'à une pièce aux vastes fenêtres. Allant du sol au plafond, elles s'ouvrent sur un jardin planté de grands arbres qui s'agitent au vent. Bien qu'il ne fasse pas froid, un feu flambe dans une cheminée ouvragée.

Des portraits de toutes les tailles sont accrochés aux murs. Des gens jeunes, vieux, laids ou beaux. Leurs yeux vous suivent partout où vous allez. En face de la fenêtre principale, un homme d'âge moyen, barbu et l'air maussade, est entouré de deux types corpulents.

— Vous êtes dans la galerie, déclare fièrement Bonnie Butcher en pointant un doigt au-dessus de mon épaule. Et voici la femme de votre portrait. Emma Rothwell.

Je pivote sur moi-même. Son visage ovale est lumineux, ses joues sont douces, deux fiers sourcils cintrés surmontent des yeux noisette qui prennent la couleur de l'eau et virent quelque part entre le bleu et le vert. Veronica sourit, mais je sens une bouffée de chaleur m'envahir. La pièce tourne et je dois m'appuyer à une table.

J'ai dû m'évanouir car, quand je retrouve mes esprits, je suis allongée sur un grand canapé mou. Veronica est penchée sur moi. La conservatrice a quitté la pièce.

— Ça va ? s'inquiète Veronica.

— C'est à cause de la chaleur.

Elle me tend la main.

Je la saisis et les mots m'échappent :

— Ma mère était une Rothwell. Elle n'a jamais cru que c'était son vrai nom. Seulement le nom que lui ont donné les religieuses.

— Parfait. Nous savons maintenant ce que nous avons à faire. Voyons si Emma Rothwell est toujours en vie.

J'acquiesce et débite une petite prière. Mon Dieu, faites qu'elle soit toujours vivante et faites que nous la retrouvions. Dans l'escalier, Veronica me tient par le coude. Au bas des marches, Bonnie Butcher nous offre un mince catalogue :

— Rien n'est à vendre, évidemment. Il m'a laissé la jouissance de cet endroit jusqu'à la fin de mes jours à condition que cela reste une galerie. Si ça vous intéresse, je peux vous montrer le reste de la maison.

Je saute sur l'occasion, la tête pleine de questions sur Emma Rothwell : qui était-elle ? Que faisait-elle là ? Comment avait-elle connu ce peintre ? J'espère que cette femme peut m'en dire plus.

Le rez-de-chaussée est très vieux jeu, juste trois pièces au sol en dalles inégales et éclairées par des petites fenêtres si haut perchées qu'il faut se hisser sur la pointe des pieds pour voir à l'extérieur. Les deux dernières donnent sur une cour. Bonnie Butcher remarque que j'essaie de voir.

— Nous y entreposons le charbon et à l'origine, il y avait les W-C.

Dans une étroite cuisine, une vieille cuisinière occupe la moitié d'un mur où est accrochée une casserole en cuivre. De l'autre côté, un évier en pierre et un égouttoir. Un truc étrange avec un système de poulies et de cordes pend du plafond, sans doute pour étendre le linge.

—Il aimait que tout reste en l'état, commente-t-elle.

En haut, ses yeux étincellent quand elle nous montre son atelier, une vaste pièce orientée au nord et disposant d'une très grande verrière. Elle caresse les objets au passage comme pour s'assurer de leur présence. Rien ne semble avoir changé : tubes de couleur, pinceaux, palettes, chevalets. Une vague odeur de térébenthine se mélange même à celle d'un désinfectant. L'artiste aurait pu sortir il y a un instant. Pas un grain de poussière. Pourtant, de son vivant, quand il y travaillait, ça ne devait pas être aussi impeccable. Bonnie Butcher préfère sans doute qu'il en soit ainsi. Plus facile de nettoyer un atelier quand le peintre est mort.

—C'est là qu'elle a dû s'asseoir pour son portrait, précise-t-elle.

Je contemple le fauteuil défraîchi près de la fenêtre. Ce fauteuil. Emma Rothwell s'est assise là quand elle avait à peu près mon âge.

—Vous permettez ?

Elle accepte et je prends place. Sous mes yeux, un jardin à l'ancienne avec une pelouse carrée bordée de haies sur deux côtés et au fond une vigne vierge grimpant le long d'une palissade en bois. Une rangée de peupliers occupe le devant.

Gaie ou triste, ma grand-mère a dû regarder ces mêmes arbres, écouter le sifflement des merles, entendre les voix des voisins. Pendant un instant, je me sens affreusement seule. Aujourd'hui, le ciel est maussade, mais quand elle posait, le soleil brillait sans doute et projetait des ombres sur le gazon. Ou bien c'était l'hiver et tout était couvert de neige.

Si près d'elle, je me sens glisser vers le passé. Portait-elle un parfum? Et, si oui, il sentait quoi? Je voudrais entendre son histoire. Pourtant, moi qui suis capable d'inventer des récits à longueur de journée, je ne trouve aucune raison qui l'ait forcée à abandonner son bébé comme elle l'a fait.

Dans un des jardins du voisinage, un transistor diffuse *Que sera, sera*, interprétée par Doris Day, une des chansons préférées de maman. Cela me ramène au présent.

—Vous avez connu M. Patterson pendant longtemps? je demande.

—Toute ma vie. Bien que bel homme, il n'a jamais été marié. J'étais sa gouvernante. Vous savez, il s'est fait un nom comme peintre de guerre. Je parle de la Première Guerre mondiale, bien sûr.

Comment le saurais-je? Il n'y a que des portraits aux murs.

—Les peintures de guerre ont toutes été vendues. Après la guerre, il s'est tourné vers les portraits, mais sans le même succès. Vous savez, j'ai connu Emma Rothwell.

Elle me dévisage d'un air bizarre.

—Avec cette lumière sur votre visage, vous lui ressemblez un peu.

353

J'ai le cœur qui bat en lui posant cette question :
— Qu'est-ce qu'elle est devenue ?
— Oh ! Je n'en sais trop rien. Je ne les ai vus ensemble que lorsqu'elle posait. Il y a longtemps de ça.

Nous n'allons pas au parc voir les barques ni au cinéma. Veronica m'emmène à l'hôtel Belle View pour déjeuner, puis nous faisons des courses. Je n'en crois pas mes yeux quand elle me choisit un fuseau noir comme le sien, le duffle-coat bleu marine dont j'ai envie depuis toujours et un pull-over ajusté bleu pastel. Je suis tellement heureuse que j'en pleurerais. Elle m'avoue qu'elle se fait faire des permanentes et me demande si ça me plairait. Éclatant de rire en lui montrant mes mèches hirsutes, je lui confie que je voudrais avoir les cheveux plus courts. Sans hésiter, elle m'emmène chez son coiffeur. Là, un haut-parleur diffuse *Sweet Sixteen*. Quand Veronica sort un élégant étui et allume une cigarette, je rêve d'avoir les seize ans de la chanson. En attendant, me voici avec une coupe à la page qui me donne l'impression d'être une adulte. Nous laissons tomber le fromage et le jambon. Hélas, la robe de demoiselle d'honneur est encore à l'ordre du jour.

Plus grande, plus mûre, Fleur a changé. Ses rondeurs de bébé ont fondu, ses cheveux blonds ont foncé et elle porte maintenant une queue-de-cheval. Quand elle entre dans ma chambre vêtue de vieilles affaires de Granny – elle a raccourci une longue jupe noire et enfilé un chemisier à fleurs –, j'ai le sentiment de la voir pour la première fois. Et comme elle est jolie! Un petit nez en trompette, une fossette au menton. Les garçons à la recherche d'une fille qui boive leurs paroles vont lui courir après. Même s'ils font mine de jouer les durs. Fleur est vraiment mon contraire. Je suis bien trop têtue pour attirer la plupart des jeunes mâles.

— Tu veux qu'on se déguise? me propose Fleur. On pourrait interpréter une de tes histoires, comme avant.

— Quelle drôle d'idée! C'est un truc de bébé!

Elle me dévisage curieusement.

— Ma tête ne te revient pas? je demande méchamment.

— Mais non. T'as changé de coiffure. T'es différente, tu ne veux plus jouer à rien.

— Si tu ne l'as pas remarqué, je ne vis plus ici, la plupart du temps.

Ses yeux se remplissent de larmes:

— Mais même quand tu es là, tu refuses de jouer avec moi.

— Ne sois pas bête. Ça n'a rien à voir avec toi.

Ce n'est pas tout à fait vrai. Ce qui me tarabuste nous concerne toutes les deux, mais si je lui en parle, elle risque de tout faire capoter.

Je quitte ma chambre à la recherche de Veronica. Bien que mon père ait trouvé un job dans un bureau à Birmingham, il n'a pas encore commencé et reste à la maison toute la journée. Scotché devant la télévision, il est en train de regarder les nouvelles. Je fais signe à Veronica de me rejoindre dehors.

La nuit tombe sur le jardin. La brume se lève et donne au hêtre une allure fantomatique. Un bref

355

souvenir de notre jardin de Malacca me revient. Ça me rend mélancolique. Mais je suis triste aussi en regardant celui de Granpa. Son jardin était pour lui une source de joie et fierté. Il y avait des groseilliers, des lilas, des framboisiers et au fond un pommier sauvage tout rabougri. Le long d'une clôture en fil de fer, il avait planté des courges et des choux-fleurs.

Une pluie fine remplace la brume au moment où Veronica apparaît :

— J'ai pensé à Emma Rothwell, m'annonce-t-elle en protégeant ses cheveux avec ses mains.

— Moi aussi.

— Si elle est encore en vie et si je peux trouver son adresse, allons la voir ensemble.

— Ça fait beaucoup de « si » !

Elle me tapote l'épaule avant de rentrer. Après avoir hésité, je suis maintenant bien décidée à lui faire confiance. Ai-je tort ? Maman serait-elle fâchée en apprenant que sa rivale me vient en aide ? Non. Au fond de moi, je suis persuadée que Veronica n'est pas la rivale de maman, que maman n'était pas amoureuse de mon père.

En Malaisie, quand la lune éclairait le balcon, je me cachais pour écouter les adultes et voir ces énormes chauves-souris qu'on appelle des renards volants tournoyer entre les arbres. Un jour, j'ai dit à Billy que les renards pouvaient voler et il m'a traitée de menteuse et ne m'a pas parlé pendant huit jours. J'étais au courant de la liaison de maman avec Jack, sans qu'elle s'en doute. Une fois, quand Jack a passé la nuit à la maison, je me suis glissée sur le balcon et j'ai regardé par la fenêtre ouverte leurs deux corps endormis. La finesse du drap les couvrait à peine. Je n'ai pas su quoi faire. Furieuse, j'ai eu envie de foncer sur Jack et de le chasser. C'était la place de mon père, pas la sienne. Mais maman a souri dans son sommeil alors je me suis éloignée sur la pointe des pieds. Ensuite, pendant les jours qui ont suivi, j'ai épié maman en me demandant ce que je devais faire, mais voilà, la vie a continué normalement. Le monde ne s'est pas écroulé, enfin, pas encore.

37

L'odeur acide de sa propre transpiration réveilla Lydia. La sonnerie stridente du téléphone suivit de près. Elle essuya la sueur de son front, trébucha sur ses affaires qui traînaient par terre et s'assit sur le bord de son lit pour se masser la cheville. Il était tard. Un beau soleil avait éliminé la brume matinale. Elle se demanda pourquoi elle était restée. La raison, elle la connaissait, évidemment. Mais elle tenta de se persuader qu'elle avait réagi à la duperie de Cicely qui n'avait jamais mentionné la nature de son occupation et encore moins le simple fait qu'elle travaillait. Si c'était bien le cas, pourquoi ne lui en avait-elle pas dit plus ?

On frappa à la porte. Sortant en titubant de la chambre, elle se frotta les yeux, saisit le peignoir d'Adil et ouvrit.

Cicely se tenait sur le paillasson, parfaitement décontractée, portant un fourreau en soie gris pigeon et des sandales rouges à lanières. Un grand fourre-tout à la main, elle arborait un sourire forcé et exhalait son habituel parfum. Impossible de l'imaginer en espionne, sauf à prendre en compte son incomparable capacité à conserver son sang-froid.

— Quel mauvais vent t'amène ?

— Désolée de t'interrompre, ma chérie. Je n'ai pas eu le choix, répondit Cicely en coinçant son pied dans la porte.

Lydia voulut la repousser.

— Je suis au courant. Pour ton boulot.

Cicely écarquilla les yeux. La tête penchée, elle haussa les épaules.

— Tu sais donc qu'un paillasson n'est pas le meilleur endroit pour discuter de ça. Tiens, je t'ai apporté des affaires.

— Comment savais-tu que j'étais ici ?

— Oh, ma chérie, ne fais pas l'idiote. Bien sûr que je le savais.

Lydia s'écarta pour la laisser passer et la suivit dans la chambre. Cicely se planta devant la fenêtre et dévisagea Lydia.

— Je vois que tu as suivi mon conseil.

Lydia baissa les yeux sur le peignoir de soie noire d'Adil. Au milieu de la nuit, réveillée par Lili qu'elle voyait dans un affreux cauchemar, elle était allée sur la pointe des pieds dans la salle de bains. En chemin, elle avait entendu le souffle doux d'Adil. La pleine lune éclairait son front et ses pommettes d'un rayon argenté et rejetait dans l'ombre les creux de son visage. Elle s'était enfuie dans sa chambre quand il s'était retourné dans son sommeil.

— Ce n'est pas ce que tu penses.

— Moi je te crois. Je suis sans doute la seule sur un million. Je te concède volontiers qu'il est on ne peut plus appétissant.

Avec un sourire, elle ajouta :

— Pourtant, encore un petit conseil, ma chérie. Éloigne-toi de ce dieu donné aux femmes. Il est dangereux. Mais tu aimes les coquins, non ? Ils sont tellement meilleurs au lit. Au fait, où est-il ?

— C'est lui qui t'a dit que j'étais ici ?

Cicely se contenta de hausser les épaules et de détourner les yeux.

— Je n'en ai pas la moindre idée, reprit Lydia.

— Bon, eh bien, approche et écoute ce que je viens d'apprendre.

Lydia ne bougea pas, mais posa ses mains sur ses hanches.

— Minute, Cicely ! Pourquoi tu ne m'as jamais parlé de ton boulot ? Ni avoué que tu travaillais avec Adil ? D'ailleurs, quand j'ai mentionné son existence, tu ne m'as même pas dit que tu le connaissais.

— Ma chérie, il y a plusieurs Adil. Ralph lui-même ne sait pas le fin mot de l'histoire. Je te répète que les hommes ne savent pas ce qui se passe.

— Je commence à te croire.

Lydia jeta un coup d'œil à ce ciel bleu si typique des matinées de Malacca. Où se trouvait Adil ? Il lui avait promis de rendre visite à un collègue de

George, sans préciser quand il serait de retour. Dans le frigo, elle prit une bière.

Cicely, ses cheveux blonds ramenés derrière une oreille, alluma une cigarette :

— Une chose plutôt extraordinaire est arrivée. Promets-moi de ne pas t'énerver.

L'atmosphère changea subtilement.

— Il s'agit de Lili.

Lydia se crispa.

Un joyeux éclair traversa les yeux de Cicely.

— La police du port l'a ramassée. Tu sais que la police est censée surveiller les éventuels terroristes débarquant des bateaux de pêche. En fait, les communistes entrent en fraude plutôt par le détroit de Johore, pas par ici. Mais peu importe, Lili est impliquée dans le meurtre de Jack. Je pensais que tu voudrais être mise au courant. Je continue ?

Lydia respira à fond et acquiesça.

Et Cicely lui raconta toute l'histoire. Ensuite, au moment de partir, elle lança :

— Bon, je te laisse vaquer à tes occupations. Reviens à la maison quand tu seras fatiguée de ton chéri.

D'après les dires de Cicely, la police, alertée par une vague remarque du capitaine du port, avait arrêté Lili qui errait sur les docks. Elle avait déclaré qu'elle avait été molestée, que Jack l'avait violée. Et qu'elle avait seulement voulu lui rendre la monnaie de sa pièce. Lydia finit sa bière pour chasser le fiel qui montait en elle. Elle revit le flacon de parfum de Lili. Bien sûr que la Chinoise avait menti ! Sa fourberie lui coupa le souffle. Fermant les poings, elle dut s'asseoir de peur de laisser éclater sa colère et de casser quelque chose. Lili avait été parfaitement consentante. La jalousie était responsable de la mort de Jack, rien d'autre. George avait vu juste sur ce point. Une main sur les yeux, elle chercha à chasser de son esprit l'image de Jack en sang.

Interrogée, Lili avait avoué qu'elle s'était enfuie pour se libérer de Jack et qu'ensuite elle avait collaboré avec les rebelles. Car, broyée et désespérée, elle s'était réfugiée dans le seul endroit où il ne la trouverait pas : la jungle. Quand les communistes l'avaient découverte, elle avait persuadé la mère de Maznan que son fils était en danger. Les rebelles avaient mis à sac la maison de Jack et volé de la nourriture mais pas d'argent. Mais, ayant trouvé le moyen d'entrer, ils avaient enlevé Maz le lendemain.

Lydia se rappela la taille fine de Lili, ses longs cheveux qui descendaient jusqu'à ses cuisses élancées. Elle l'imagina dormant avec Jack, nuit après nuit. Elle l'imagina criant de plaisir puis Jack fumant une cigarette, les mains derrière la tête, ses yeux bleus regardant le plafond comme à son habitude. Une pointe de jalousie la transperça. Encore aujourd'hui ! Elle songea aussi à Alec et à leur ancienne vie. Aux moments où, sortant de la salle de bains, elle faisait exprès de laisser glisser sa serviette au sol et, totalement nue devant lui, levait les bras pour nouer ses cheveux. Mais il ne s'apercevait même pas de sa présence. C'était le prix qu'elle devait payer pour faire partie de la bonne société et ignorer les signes avant-coureurs d'un futur désastre.

Elle aurait voulu rendre Lili responsable de tout. Mais comment oublier que rien ne serait arrivé si elle-même n'avait pas débarqué dans la plantation ? Lili jouirait encore de son rôle de maîtresse de Jack. Jack serait toujours en vie. Alors que, quelques mois après l'enlèvement de Maz, un des rebelles avait imité la voix bourrue de Bert sur une ligne qui grésillait et attiré Jack dans un piège fatal.

Se contraignant à quitter le canapé, Lydia arpenta l'appartement d'Adil. Elle examina des bibelots, inspecta ses livres, tenta de se faire une idée de la personnalité de son hôte. Prenant un volume illustré sur l'œuvre de Monet d'une étagère pleine de livres traitant en majorité de philosophie et d'art, et de disques, elle le feuilleta. Sur la table basse, de petites sculptures redonnaient vie à des animaux de la jungle. Quant aux murs, ils étaient couverts d'œuvres abstraites et de portraits en noir et blanc.

Adil n'ayant pas laissé d'indication sur l'heure de son retour et n'ayant pas appelé, Lydia se prépara un en-cas composé de toasts et de sardines en boîte. Le pain avait un goût de moisi et les sardines étaient les seules provisions trouvées dans un placard. Quant au réfrigérateur, il ne contenait que des jus de fruits et quelques bières.

Elle pensa à retourner chez Cicely, mais elle voulait revoir Adil. Pour meubler son attente, elle se posta devant la fenêtre et regarda les gens passer, notant ce qu'ils portaient et la façon dont ils marchaient. Finalement, elle s'assoupit avec l'image obsédante de la longue chevelure de Lili.

Adil la découvrit vers minuit, assise dans l'obscurité, paralysée par la culpabilité, les traits tirés.

—Lydia?

Pendant quelques instants, elle ne remarqua pas sa présence. Il lui prit la main et lui caressa doucement la joue. Le ronronnement des voitures, les notes d'un piano montèrent de la rue. Cachant son visage dans ses mains, sentant son souffle sur son cou, elle éclata en sanglots.

Adil la serra très fort contre lui, respira à son rythme. Mais une pétarade interrompit ce moment privilégié.

Il toussota et Lydia, un peu gênée, s'écarta.

—Qui a peint ces tableaux? demanda-t-elle en évitant de le regarder.

Il répondit après un long silence:

—Quelqu'un que je connaissais.

Il étudia le visage de Lydia plongé dans une demi-pénombre avant d'ajouter:

—Désolé d'avoir tant tardé. J'ai des nouvelles pour toi.

Ayant repris de l'assurance, Lydia le regarda franchement:

—De bonnes nouvelles?

—Je l'espère...

38

Veronica fait irruption dans ma chambre pour m'annoncer qu'elle va sortir. J'ai très envie de lui parler, mais j'hésite. Si l'école s'aperçoit que j'ai fouillé dans les dossiers, il y a de ça un an, je peux avoir de gros ennuis.

Je respire à fond, croise les doigts et lui souris. Puis je lui explique comment j'ai découvert qu'un avocat payait mes études :

— Alors je lui ai écrit, mais il m'a répondu qu'il ne pouvait pas divulguer son nom, que cela faisait partie du secret professionnel.

Elle me jette un regard consterné, ce qui me rend nerveuse.

— Si c'est ça qui t'inquiète, Emma, je n'en parlerai pas à ton père. Mais ce n'est pas ça qui me perturbe. Je croyais que c'était *lui* qui te finançait.

— Moi aussi, mais Granny m'a dit qu'il était fauché.

Veronica sourit :

— Tu croyais que c'était moi, non ?

Je rougis.

— Je comprends maintenant toutes les questions que tu m'as posées. Au sujet de Freddy, mon avocat. J'ai trouvé bizarre que tu t'intéresses tout d'un coup à mes problèmes juridiques.

Je fais la grimace.

— Eh bien, ma chérie, ce n'est pas moi. Mais la prochaine fois que je verrai Freddy, je lui demanderai s'il peut éclaircir ce mystère.

— Je te remercie.

Après une petite tape gentille sur mon épaule elle s'en va.

Une demi-heure plus tard, je sors en fredonnant. Le col relevé, je fixe le trottoir en essayant d'arriver à cent sans marcher sur une fente et déranger les petites bêtes effrayantes qui s'y cachent.

J'aime la tranquillité des vacances de la mi-mai. C'est agréable de ne pas savoir ce qui va arriver, bien que rien d'imprévu ne se produise jamais. Au pensionnat, tout fonctionne selon un strict emploi du temps. Il y a l'heure où l'on doit se brosser les dents et même l'heure à laquelle on doit aller aux toilettes. Et Dieu vous garde si vous n'avez pas fait votre grosse commission car on vous gave d'huile de foie de morue !

Le vent souffle violemment entre les grands arbres qui bordent la route. Comme je compte mes pas, je ne le vois pas sortir de l'ombre. Je ne lève la tête qu'en sentant l'odeur du bacon fumé sortant d'une maison avoisinante.

— Emma! dit-il en s'approchant.

C'est Billy. Derrière lui les nuages noirs et épars du matin laissent passer des rayons argentés.

— Ah, c'est toi! Désolée, je ne t'avais pas vu!

Je suis suffisamment près de lui pour sentir son shampooing. À la menthe. Et voir son col de chemise élimé qu'il a relevé.

— Je croyais que tu me snobais! dit-il, les yeux au sol.

Je remarque alors que ses oreilles sont rouges.

— Ne sois pas idiot. J'étais très loin d'ici, perdue dans mes pensées.

Il se dandine d'un pied sur l'autre:

— Ça va, en pension?

Le passé se rappelle à moi et j'en suis gênée. C'était le jour où je me suis déshabillée devant lui. Il pense sans doute à la même chose car il devient écarlate. Rompant un silence pesant, il me propose:

— Que dirais-tu d'un petit tour dans la grange?

Sa voix est étranglée quand il ajoute:

— En souvenir du bon vieux temps!

Nous nous dévisageons. Il dit sans doute ça parce qu'il ne sait pas de quoi me parler et moi j'ignore quoi lui répondre. Voilà longtemps que je n'ai pas vu ce grand type dégingandé et soudain, poussée par le diable, j'accepte.

Mes pieds décident d'avancer et nous prenons la direction de la grange en silence. Le soleil est soudain plus chaud. Il nous parvient une odeur de bouse de vache des champs qui s'étendent derrière les arbres. Les brins d'herbe sont vert émeraude, éclairés à contre-jour comme dans

367

un film. Entre les nuages, le ciel vire au jaune. Le bruit des oiseaux et du vent semble s'amplifier à chacun de nos pas. Notre démarche est hésitante, maladroite. Au loin, une voiture klaxonne. Je suis si excitée que j'en ai des fourmis dans les pieds.

Je l'épie du coin de l'œil : Billy est toujours moche, mais quand le soleil éclaire ses traits, je lui trouve une certaine douceur. Il marche penché en avant, les mains dans les poches, ses cheveux blonds tombent sur ses yeux. Ses dents sont maintenant d'une blancheur étincelante. Il m'annonce qu'il va au lycée.

— C'est comment ?

— Oh, pas mal.

Il se tait et me prend le bras :

— Em ?

Quelque chose de féroce envahit son visage et me fait rougir. Nous nous rapprochons l'un de l'autre.

— Je suis désolé pour ce qui s'est passé. Tu sais… je n'ai pas eu le choix.

Mon cœur s'accélère. Il parle du jour où il a été forcé de révéler ma cachette.

— Billy, ne sois pas bête. C'était il y a des millions d'années. N'y pense plus !

Nous continuons à avancer en bavardant plus librement. Pourtant un certain embarras est toujours là. Il s'arrête au pied de l'échelle de la grange, fixe ses chaussures avant de me regarder. Ses yeux brillent tels des miroirs et il a un drôle d'air.

— Em, tu es superbe !

Son demi-sourire cache son manque d'assurance.

Je devine immédiatement pourquoi nous sommes ici et ça n'a rien à voir avec l'ancien temps. Qu'importe! Il m'a dit que j'étais superbe et, en cet instant, c'est ce que je veux être.

Évitant les planches pourries, nous nous asseyons en laissant nos jambes pendre dans le vide. Je garde un espace entre nous. Cela ne l'empêche pas de se pencher vers moi pour m'embrasser. Mais je tourne la tête dans le mauvais sens et ses lèvres se posent sur une de mes narines. Il pique un fard et moi, prise de fou rire, je me rapproche de lui. Il m'embrasse à nouveau, mais cette fois-ci, au bon endroit. Il m'enlace et je me presse contre lui. Il est excité, très excité, mais j'entends une petite voix me souffler ce que mon père avait dit un jour à maman:

«Lydia, un chien ne fait pas un chat. Emma est incontrôlable. Elle vous imitera toi *et* ta mère, si elle n'est pas prise en main.»

Sur ce, mon père avait claqué la porte et j'étais restée figée sur place en me demandant ce que maman avait fait et ce que c'était que cette histoire de chien et de chat.

Avant de quitter la grange, Billy et moi restons un moment allongés en nous tenant par la main. Après ces baisers, nous ne faisons rien d'autre. Il sent la fumée et bien qu'il ne veuille plus être prestidigitateur, il y a encore de la magie dans ses doigts. Je le sais car quand il me serre la main, j'ai des frissons partout.

Retour à la pension. On est samedi. Assise dans le hall devant le bureau, j'attends mon courrier.

L'homme à tout faire arrive avec son échelle et me lance un caramel. Deux bonnes sœurs passent devant moi, la mine grave. Trois filles déboulent, l'une d'elles me fait un clin d'œil : Rebecca. Nous sommes arrivées à une sorte de trêve.

Le carrelage noir et blanc est effrité par endroits. La crasse s'est déposée dans les fissures. Les murs sont d'un brun mat, une plante d'intérieur occupe un des coins. C'est un grand caoutchouc filiforme qui a perdu ses feuilles basses. Rien à voir avec les hévéas de Malaisie.

Une fois, mon père m'a emmenée en hélicoptère. C'était tôt le matin. Quand il a fait jour, j'ai vu sous moi notre maison, mon école et le brouillard qui dissimulait les rives rocheuses de la rivière. Puis nous avons survolé des plantations d'hévéas et la jungle. D'en haut, la terre était dense et menaçante. Mon père m'a dit que l'esprit de la jungle avait une voix, une voix chinoise. Croyant qu'il évoquait les vrais esprits, j'ai ri. Il ne m'a pas expliqué qu'il parlait des terroristes.

Maman et papa étaient si différents. J'ai soudain devant les yeux le grand sourire de maman, un sourire plein de vie. Papa ne riait jamais autant qu'elle. Je tente de me rappeler ce qu'elle portait la dernière fois que je l'ai vue, quand elle nous a emmenées à l'école. Nous sommes sorties de la voiture et nous lui avons fait des petits signes de la main tout en marchant à reculons. Je ne me souviens de rien d'autre. Les larmes me montent aux yeux. Je suis fâchée de perdre la mémoire.

La secrétaire sort de son bureau et se tient sur le pas de sa porte, un paquet d'enveloppes dans la main.

—À quoi penses-tu? me demande-t-elle en souriant.

Je me lève, sur la défensive, inquiète qu'elle puisse lire en moi. Elle s'approche, tenant une lettre du bout de ses ongles impeccablement vernis de rose bonbon. Je la prends, l'enfouis dans ma poche et vais m'asseoir sur un banc au centre d'un massif d'arbustes. Les vacances d'été n'étant plus loin, je devrais avoir l'occasion de parler à papa. Il travaille désormais à Birmingham, voyage beaucoup, est toujours bien habillé.

Je m'empresse d'ouvrir l'enveloppe. Ses nouvelles sont brèves et aujourd'hui n'échappe pas à la règle. Sauf ce qu'il m'annonce en dernier. Je pourrais danser sur place en apprenant que M. Oliver est malade!

J'ai mal au cœur, rien qu'en pensant à la noce. Mon rêve serait que Veronica trouve Emma Rothwell, qu'elle soit vivante et en bonne santé et que nous allions habiter chez elle après le mariage. Je n'envisage pas qu'elle ne veuille pas de nous, ou qu'elle refuse de nous considérer comme ses petites-filles, ou qu'elle ne soit pas notre grand-mère.

Je me rends dans une salle tranquille pour écrire ma dernière épopée. Et me perdre dans mon histoire.

C'est une grande pièce lumineuse avec de hautes fenêtres qui ne permettent pas de voir à l'extérieur. Là se déroulent les redoutables examens de fin d'année. En dehors de cette période, on peut venir y faire ce qu'on veut tous les samedis, sous l'œil pourtant vigilant d'un surveillant des grandes classes. Comme il est interdit de parler, j'ai l'occasion d'écrire sans être interrompue. La plupart des filles fuient cette salle comme la peste ; moi je l'adore. Je veux poursuivre la rédaction de ma nouvelle, un mélodrame où ma nouvelle héroïne, Claris de la Costa, traverse d'affreuses épreuves à cause de son diabolique grand-père. Profitant du silence qui m'entoure, je dois trouver une fin rapide. Un dénouement qui étonnerait mes lecteurs, surpris à en rester bouche bée par mon esprit. Mais je ne cesse de perdre le fil conducteur, déconcentrée et soulagée par le contenu de la lettre de papa. Croisant les doigts, je forme le vœu que M. Oliver reste malade longtemps. Ou mieux encore, à tout jamais.

39

L'hôpital délabré, ancien palais résidentiel du commissaire régional, avait été réquisitionné par les Japonais pendant la guerre et utilisé comme prison. Ce sombre édifice, à mi-colline, était devenu un asile pour les malades mentaux. On y accédait par un portail en bois richement orné. À l'intérieur, la puanteur fit reculer Lydia. L'absence de lumière naturelle, une suite de portes fermées à clé autour d'un hall octogonal, tout incitait à imaginer les hurlements des prisonniers soumis à la torture. Lydia frissonna en pensant aux souffrances dont ces murs avaient été les témoins.

Poings fermés, visage grave, Adil pénétra dans le bureau des admissions. Ses traits ne reflétaient plus la douceur de la nuit précédente. Il montra sa carte d'identité. À contrecœur, un des gardiens lui ouvrit une des portes et les précéda à l'autre extrémité du bâtiment. De l'étage supérieur leur parvinrent les échos des déments : des éclats de rire outranciers, des pleurs ininterrompus, des sanglots étouffés. Alors qu'ils s'habituaient à cette atmosphère sinistre, le gardien ouvrit une nouvelle porte et leur fit signe d'entrer :

— Sonnez quand vous voudrez sortir.

Il claqua la porte derrière lui et la verrouilla.

Lydia regarda autour d'elle. C'était une cellule misérable, d'où toute couleur avait disparu. Des odeurs d'urine et de désinfectant provenaient d'un seau recouvert d'un linge placé dans un coin. On entendait de l'eau courir sous le plancher. L'humidité ambiante charriait les effluves de la jungle. Lydia sentit son estomac se retourner.

Lili était assise sur une chaise métallique. En loques, son teint lumineux devenu gris, sa silhouette mince maintenant totalement émaciée, sa magnifique chevelure coupée à ras, elle était méconnaissable. Elle leva un visage gonflé de piqûres de moustique et zébré par la fureur.

— On vous maltraite ? demanda Lydia, horrifiée.

La fille bondit sur ses pieds, pivota et lança sa chaise sur Lydia. Ratant sa cible, elle percuta le mur avant de s'écraser par terre. Adil saisit Lili par le bras pour l'obliger à se calmer. Mais ses yeux rebelles lancèrent des éclairs à ses deux visiteurs : elle se débattit, enfonça ses griffes dans le visage d'Adil, lui martela le torse de ses poings. Quand enfin elle eut recouvré la maîtrise de soi, il la lâcha.

— Elle me l'a volé !

Crachant ses mots, yeux plissés, elle ébaucha un sourire :

— J'étais la seule à savoir ce que Jack aimait.

374

Relevant sa jupe, elle leur montra son dos en tortillant ses fesses nues.

Lydia se recula, refrénant un haut-le-cœur.

— J'ai seulement persuadé sa mère que l'enfant était en danger. En échange de l'avoir aidée à récupérer Maznan, ils m'ont dit...

Elle se tut et baissa la tête :

— Je ne voulais pas qu'ils le tuent.

— Continue! ordonna Adil froidement.

— Ils ont accepté de me ramener Jack.

Lydia porta sa main à sa bouche.

— Non! Pas pour le tuer! Si je les aidais à s'emparer de Maznan, ils enlèveraient Jack. Ils te l'enlèveraient à toi. La salope blanche. Pas pour le tuer.

Elle pointa un doigt sur Lydia, appuya son corps squelettique contre le mur et se laissa glisser au sol.

Adil s'en approcha, la tira par le bras, redressa la chaise et la força à s'asseoir.

— Tu veux un verre d'eau?

Se recroquevillant, elle étouffa un sanglot. Le silence se fit. Lydia observa le pauvre carré de lumière de la fenêtre à barreaux. Elle aurait voulu accuser la fille, mais ce n'était pas sa faute. Une image, enfouie au fond de sa tête, resurgit. Jack couché dans la poussière, son sang figé autour de lui.

Après la mort de ses filles, elle avait espéré que son amour pour Jack la sauverait. Elle comblerait les désirs de Jack, il exaucerait les siens. Au lieu de ça, elle l'avait entraîné dans la mort et Lili dans la folie. Nul n'avait été sauvé. L'absence d'air la mena au bord de l'évanouissement. Dans ce pays infernal, il n'y avait pas de salut, mais la certitude de souffrir de la chaleur, de la transpiration, de la violence.

Adil guida Lydia vers la porte.

— Qu'est-il arrivé à la mère de Maznan? Ils l'ont enlevée? lui demanda Lydia.

— Je n'ai jamais voulu sa mort, sanglota Lili. Je l'aimais.

Adil appuya sur la sonnette :

— Je vous le dirai plus tard.

— J'ai peint le mur du temple, chantonna Lili en jetant un méchant regard de ses yeux noirs à Lydia.

Adil haussa les épaules.

— J'ai peint quatre dragons galopant dans le ciel. Mais j'ai aussi peint leurs prunelles. C'était une grave erreur. Ils se sont envolés.

Elle éclata de rire et cracha sur le sol crasseux.

Adil la dévisagea.

Elle plaça un doigt devant ses lèvres et le regarda farouchement :

— Un seul est resté. Celui avec l'œil vide…

Elle se tut tout en fixant Adil.

Ils quittèrent la cellule et sortirent par une porte de service. Soulagée d'être au grand air, Lydia ferma les yeux et respira de tout son soûl. Adil s'éloignait déjà.

Lydia le rattrapa :

— Vous m'aviez promis de me parler de la mère de Maz !

— Elle faisait la manche pour la cause. Elle s'habillait en mendiante, en bleu foncé avec un foulard noir sur la tête.

Lydia fronça les sourcils.

— Elle apportait l'argent aux rebelles. Ainsi, elle se déplaçait partout. Elle était en contact avec les insurgés, mais aussi avec les employés des plantations.

— Comment Lili a-t-elle échoué dans cet asile ?

— La police du port qui l'a arrêtée a décidé qu'elle était folle.

Éclairés par le soleil du crépuscule, ils empruntèrent une allée bordée d'hibiscus blancs de trois mètres de haut et aux magnifiques pavés de mosaïque criblés de trous. Elle menait à des jardins laissés à l'abandon où les bruits de la ville en contrebas ne parvenaient qu'affaiblis. Un vol d'oiseaux passa au-dessus de leurs têtes. À l'extrémité du domaine, une bourrasque fit battre une porte. Lydia se tourna dans cette direction.

— Ça vient du pavillon d'été, expliqua Adil. Vous aimeriez le voir ?

Il se dirigea d'un pas ferme vers une bâtisse en ruine. Elle était blottie derrière un bosquet d'une demi-douzaine de grands arbres, leurs branches formant une sorte de dais à motif. Des singes jacassaient en grimpant le long des troncs puis se balançaient au sommet en ne se tenant que d'une main. Des fleurs d'un rose intense aux sombres feuilles plissées tentaient de se frayer un chemin à travers les fenêtres aux vitres brisées. Les éclats de verre prenaient des reflets d'or sous les derniers rayons du soleil.

La porte était faussée, mais elle ne résista pas à un violent coup d'épaule d'Adil. À l'intérieur, ne restaient qu'un banc en bois et deux fauteuils délabrés en rotin.

—Je venais souvent ici. Au début, George m'a employé comme serveur. Que de fêtes éblouissantes avant la guerre! C'est ainsi que j'ai fait la connaissance de Cicely. Chargée de colliers et de bracelets qui lui couvraient les avant-bras. Tous achetés au marché aux épices. Dix-neuf ans, sans le sou mais sans peur.

Lydia le dévisagea: l'épreuve l'avait marqué.

—Bien sûr, à cette époque, le pavillon était somptueux. Un décor de rêve pour les amoureux. Harriet Parrott y veillait. Coussins en soie, bougies parfumées, encens, fleurs.

Il cracha dans la poussière.

Lydia frissonna.

—Cicely, c'est quoi pour vous?

Il se racla la gorge.

—Je vous ai dit que nous travaillons ensemble.

—Rien de plus?

Suivit un court silence. Lydia se rendit compte que quelque chose clochait et qu'elle ne le croyait pas totalement.

Il se passa la main dans les cheveux.

—C'est une femme dangereuse.

Il se tut et regarda autour de lui.

—Allons, venez. Je hais cet endroit.

—Juste l'endroit? insista Lydia.

Elle tenta de croiser son regard, mais il grogna et détourna la tête. Elle examina attentivement son profil.

—J'ai raison, n'est-ce pas? Il y a autre chose?

—J'ignorais que ça se voyait.

—Pourquoi?

—Vous êtes sûre que vous voulez le savoir?

Elle acquiesça, mais habituée à chercher des indices, elle craignit la suite. Avait-elle vraiment envie de connaître toute l'histoire, de l'entendre combler les vides?

Il commença à parler à voix basse et cela lui rappela sa première impression. Elle avait presque oublié l'homme froid et hautain. Il lui tourna le dos.

— Une jeep pleine de soldats japonais a amené ma mère dans un endroit comme celui-ci. Celui-ci et d'autres lieux similaires. Ils voulaient surtout des Chinoises mineures, mais, bien qu'elle ait été plus âgée, elle avait une telle fraîcheur et un air si fragile qu'ils l'ont livrée à de jeunes recrues inexpérimentées qui l'ont affreusement maltraitée. Elle a eu de la chance de s'en sortir vivante. La plupart des filles étaient battues à mort ou égorgées.

Lydia regarda le ciel s'assombrir par la vitre cassée, puis elle ferma les yeux et se concentra sur le récit d'Adil.

— Ils l'ont plongée jusqu'au cou dans une citerne d'eau froide. Elle avait le choix entre rester debout pendant quarante-huit heures ou se noyer. Comment elle a réussi à survivre...

Il se tut, Lydia ouvrit les yeux. Il avait l'air ailleurs. Quand il trahit son désespoir d'un haussement d'épaules, cela lui déchira le cœur.

— Ils l'ont gardée pendant six mois. Un jour, ils l'ont flanquée dans la rue. Nue, puant les excréments et le vomi, couverte de brûlures de cigarettes.

Il arracha une liane couverte de feuilles sombres qui s'enroulait autour d'une fenêtre au carreau brisé, cueillit une rose éclatante, huma son parfum

379

puis la laissa tomber. Délibérément, il l'écrasa de toutes ses forces sous son talon.

— Comme je vous l'ai dit, elle a eu de la chance, si on peut appeler ça de la chance. Beaucoup de filles ont été obligées de creuser leur tombe avant d'y être ensevelies vivantes. Ma mère ne s'est jamais remise. Pas entièrement. Plus tard, dans les pires moments, j'ai...

Il hésita :

— J'étais trop occupé. La dernière fois que je l'ai vue, elle m'a à peine reconnu. Lydia, vous pouvez imaginer ce que j'ai ressenti ? Je ne me le pardonnerai jamais. Jamais.

Lydia se figea sur son siège. L'atmosphère s'alourdit. Tandis que les mots d'Adil pénétraient son esprit, elle ressentit pour la première fois la douleur qu'ils convoyaient, le lieu inaccessible où il les tenait cachés.

— Adil, je suis désolée pour vous.

— Le monde était ainsi fait.

— Il reste encore beaucoup de Japonais ?

— Je sais seulement que très peu de leurs bâtards sont venus au monde. Ils avaient l'habitude de tuer les filles qu'ils violaient. Je sais que les hommes peuvent être cruels, mais à cause de ma mère...

— Adil !

Il ferma les poings :

— La guerre a pris fin à la mi-août, à la suite de la bombe atomique sur Hiroshima. Dieu merci !

Choquée, Lydia toussota.

Il alluma une cigarette.

—Je ne savais pas que vous fumiez, s'étonna-t-elle.

Elle aurait voulu lui venir en aide, mais ne sut pas que lui dire.

—De temps en temps.

—Qu'est-ce qui va arriver à Lili?

—Elle se rétablira. Ils la laisseront sortir. Elle aura peut-être la chance d'être engagée dans une troupe d'acteurs. Ou bien elle se prostituera.

—Et la mère de Maznan?

—Allons, il faut y aller. Je vous raconterai ça en chemin.

Ils quittèrent le pavillon et traversèrent les jardins abandonnés. Une nuit intensément noire, typique de la Malaisie, tomba avec la rapidité d'un rideau de scène, les enveloppant dans une obscurité totale. Lydia se tint près d'Adil. Elle ne voulait pas trébucher ni le toucher.

—Pour finir, la mère de Maznan est sortie de la jungle. Elle devrait être en détention avec son fils.

—Maz sera bien traité?

—Sans doute.

—Elle ne sera pas visée par les terroristes?

—J'espère que non. Ils sont de plus en plus nombreux à se rendre.

—Pourquoi?

—Ils souffrent dans la jungle. Ça sera bientôt terminé. Depuis que le général Templer a pris les commandes en 1952, ce n'est plus qu'une question de temps.

Lydia le savait. Alec lui avait dit que Templer était un dur à cuire et qu'avec l'aide du Département psychologique de l'armée il avait recours à toutes les astuces pour combattre le terrorisme.

— C'était donc son idée, les troupes de théâtre et les cinémas itinérants?

— Oui, et ça marche enfin.

Seul le rougeoiement de la cigarette d'Adil éclairait un chemin rocailleux. Dans le noir, Lydia perdit l'équilibre et son talon se prit dans un trou. Le bras d'Adil l'empêcha de tomber, mais quand elle tâta sa chaussure, elle s'aperçut que son haut talon s'était décollé. Elle l'arracha. Elle n'eut que le choix de s'accrocher à Adil en boitillant jusqu'à l'entrée du parc où il avait laissé sa voiture.

Quand ils commencèrent à rouler, Lydia l'interrogea:

— Donc, à l'heure actuelle, Maz serait avec sa mère?

— Je vous ai dit que je trouverais quelqu'un qui me renseignerait. C'est le tuyau que j'ai eu hier, mais je voulais d'abord voir Lili pour être sûr qu'elle était impliquée.

Cette nuit-là, ce fut au tour de Lydia de dormir sur le canapé. Elle alla sur la pointe des pieds jusqu'à la cuisine où elle se servit un grand verre de gin et remonta les stores sans faire de bruit. La pleine lune apparut derrière les nuages et illumina la mer aux reflets d'argent où glissaient des sampans sombres. Examinant ses ongles, elle vit qu'ils étaient bien limés, propres, vernis, plus soignés que lorsqu'elle vivait avec Jack. Oh, Jack, comment ai-je pu t'oublier si vite? Ensuite l'alcool fit son effet et elle se détendit.

Maintenant qu'elle connaissait la vérité sur la mort de Jack et les épreuves de Maz, qu'est-ce qui la retenait ici? Après tout, c'était ça qu'elle était venue chercher. Quant à Adil, elle ne se permettrait pas de l'approcher de plus près. D'abord, il n'était pas blanc et puis c'était trop tôt. L'ombre de Jack planait encore sur elle.

Songeant à Adil, Lydia tenta de percer l'obscurité tout en s'efforçant de ne pas l'imaginer couché dans la chambre d'à côté. Des sentiments contradictoires la traversaient. D'une part, il y avait son manque de confiance en lui, d'autre part, son désir pour lui. Qui était-il? Il s'était acquitté de toutes ses promesses, pourtant elle était certaine qu'il ne lui avait pas tout dit.

40

Le car longea avec fracas la côte accidentée du détroit de Malacca. Des petits bateaux de pêche parsemaient la mer comme des points. Au loin, Lydia aperçut les ruines solitaires d'un fort hollandais perché sur le cap. Elle entrouvrit la vitre pour profiter de l'air salé qui se mêlait aux senteurs des orchidées sauvages cascadant sous les larges figuiers. Le soleil blanc se réverbérait sur l'eau. Aveuglée, elle détourna la tête et fixa devant elle les nuages déployés en éventail.

Elle avait besoin d'action, d'espoir ou, au moins, de courage pour affronter l'avenir. À la longue, elle pensait pouvoir y arriver mais, quand le car accéléra sur la route entre Johore et Singapour, elle se souvint d'être passée par là avec ses filles. Alors la douleur la submergea de nouveau. Et elle se demanda s'il lui serait possible, un jour, de surmonter son chagrin.

À Singapour, le car emprunta Connaught Drive, la large artère parallèle au port, avant de s'arrêter à côté du monument aux morts, à l'extrémité de Raffles Square.

Une fois descendue, Lydia se tourna résolument vers la mer et réussit à ne pas sombrer dans la tristesse. Elle redressa les épaules et, sans même un coup d'œil aux vitres cintrées des vérandas de Tanglin Road, sans un regard vers les boulevards ombragés du quartier européen, elle leva son visage vers le soleil. Les choses allaient s'améliorer. Au fond, pour elle, comme pour tant d'autres, ce mode de vie n'existait plus. Elle dirigea ses pas le long du port, vers le large fleuve animé qui coupait la ville en deux.

Quand elle passa devant un groupe d'Anglais portant chapeau blanc, short et chaussettes hautes, ils lui adressèrent un sourire. Elle leur répondit par un petit signe de tête et continua son chemin jusqu'à ce que, le poids de sa valise se faisant trop sentir, elle s'arrête pour observer les vieux navires de commerce qu'on chargeait et déchargeait dans un désordre bruyant. Surprise de les voir encore en activité, elle éclata de rire. Elle se sentit mieux. Avec son flot indiscipliné de voitures et de rickshaws, ses policiers indiens enturbannés chargés de la circulation, ses hordes de piétons traversant les rues à leurs risques et périls, Singapour était toujours la même.

Lydia monta dans un bus. À l'approche de Chinatown, de la musique chinoise s'échappait des immeubles ornementés et la lessive pendait comme des drapeaux à des perches installées au petit bonheur la chance à l'extérieur des appartements. Singapour, carrefour de l'Orient. N'était-ce pas ce que les gens disaient ? Le centre commercial le moins cher du monde.

Dans ce quartier, la plupart des hôtels bon marché étaient des maisons de passe. Lydia eut la chance de dénicher le Welcome Retreat, un immeuble modeste dont les trois étages sécrétaient des effluves d'encaustique pour le moins inattendus.

Traînant sa valise, Lydia grimpa les marches étroites jusqu'au dernier palier et se dirigea vers une des trois chambres qui se partageaient une salle de bains.

À l'intérieur, elle se bagarra avec la poignée de la fenêtre. Elle voulait laisser entrer l'air. Ce n'était pas un palace avec vue sur la mer, mais au moins l'établissement était-il propre. La chambre sentait le renfermé, mais c'était mieux que les odeurs de cuisine rance ou de parfum de cocotte. Elle inspecta le mobilier branlant avant de compter ses dollars sur lesquels figurait encore le portrait de la reine. Avec si peu d'argent à sa disposition, il lui fallait absolument se trouver un job. À Singapour, ce ne devait pas être trop difficile. Par la suite, si elle économisait suffisamment, elle pourrait peut-être amasser de quoi rentrer en Angleterre et repartir vraiment de zéro.

Les freins d'une voiture grincèrent. À l'étage en dessous, une porte claqua. Un échange tendu filtrait de la chambre voisine – sans doute un couple en pleine dispute. S'efforçant de ne pas écouter, elle s'assit sur le lit. Puis elle fit les cent pas dans sa petite chambre. Les minutes s'écoulaient lentement. Il lui fallait un but. Absolument. Elle ne pouvait pas dépendre éternellement d'Adil. Il était temps d'être indépendante. D'être forte. Tout en réfléchissant, elle revit le visage déterminé d'Adil et se souvint de son souffle sur sa nuque quand elle avait pleuré.

La chambre lui rappelait le dortoir du couvent, celui qui se trouvait au sommet d'un escalier en colimaçon et qu'elle avait partagé avec deux autres filles. Au fond, je n'ai pas tellement avancé, se dit-elle en s'allongeant et en fermant les yeux. Elle essaya de se souvenir de la personne qu'elle était à cette époque. Mais la fille que son esprit évoquait lui semblait être une étrangère, une personne évoluant dans une autre existence.

Les souvenirs d'avant ses seize ans lui revenaient aisément. La guerre avait déjà commencé. C'était l'été. Par un jour ensoleillé, elle attendait une visite. Ses cheveux étaient rouge flamme et indociles comme ceux d'Emma. Mains sur les hanches, sœur Patricia insistait pour qu'elle les coupe. Elle était la seule à moisir au pensionnat, la seule qui n'avait nulle part où aller en vacances.

Elle se vit patientant sur un banc devant le bâtiment. Il était onze heures passées. On lui apporta de la limonade puis, une heure plus tard, des sandwichs à la crème de poisson. Incapable d'avaler une bouchée, elle les jeta aux oiseaux. Elle bondissait chaque fois qu'une voiture s'approchait sans toutefois quitter son banc. Sœur Patricia lui donna à lire *The Family from One End Street* mais les lettres dansaient sur les pages.

Personne ne vint lui rendre visite.

Lydia se frotta les yeux. Le passé faisait mal. Ce besoin d'amour aussi. C'était cela le plus douloureux. Elle pensa aux tonnes d'amour qu'elle avait données à ses filles et à sa mère qui l'avait rejetée. Elle pensa à Emma et au dernier concours du plus joli costume organisé par le club. Emma y était allée déguisée en clown. Ce n'était pas son costume qui avait gagné mais le double saut périlleux qu'elle avait fait en passant devant la table des juges. Quand elle cabossa son chapeau, sa mine consternée les fit pouffer. Et ce fut grâce à sa culbute qu'elle remporta le prix.

Lydia pensa à Fleur, à sa passion pour les jolies robes et à la longue convalescence qui avait suivi sa terrible pneumonie.

Elle pensa à Alec et elle, juste à la fin de la guerre en 1946, se tenant devant l'océan à Terengganu. La Malaisie avait été dévastée par l'occupation japonaise. Mais la population avait tenu le coup, solidaire dans l'épreuve, se nourrissant de noix du Brésil et de jus de noix de coco frais. C'était de courtes vacances avant la première affectation de son mari. Emma avait à peine deux ans et Fleur n'était pas même en route. Elle se souvint de l'odeur salée de la mer et des effluves enivrants du jasmin sauvage qui, la nuit, pénétraient à travers les fenêtres ouvertes et se mêlaient à l'arôme du Pimm's et à la chaleur de leurs corps. Après avoir fait l'amour, elle lui avait demandé de lui en dire davantage sur son enfance. Rien d'extraordinaire à signaler, avait-il répondu, en dehors de l'absence de son père pendant un bon moment. Mais cet éloignement l'avait incité à voyager une fois adulte.

Lydia poussa un long soupir. Comme les choses avaient changé! Tout cela était fini. Vu le peu qui restait de l'argent de Jack, il fallait qu'elle arrête de regarder en arrière et qu'elle travaille. C'était sa priorité.

Elle fut engagée dans le plus important des grands magasins de Singapour, un endroit à colonnes de marbre où régnaient conversations feutrées et comptoirs de parfumerie, où des clientes en talons hauts étaient accueillies par des employées dont l'amabilité frisait l'obséquiosité.

À son étage, au rayon articles pour la maison, ni calme ni effluves parfumés, mais du bruit. Une centaine de produits d'entretien étaient alignés au cordeau dans leurs bouteilles criardes époussetées tous les jours. Les bouilloires étaient astiquées, les ustensiles de cuisine impeccables.

Aux yeux de Lydia, le podium où elle montrait la façon d'utiliser des cocotte-minute dernier cri, ressemblait à une scène de théâtre. Non seulement elle était bien payée, mais elle aimait ce qu'elle faisait, dans la mesure bien sûr où ces fichus engins ne lui explosaient pas à la figure. Assise jambes croisées sur une chaise haute installée sur l'estrade, elle était astreinte à une démonstration toutes les heures, qu'il y ait du monde ou pas. Depuis son perchoir, à travers la large vitrine du fond, elle voyait défiler des images de son passé. Des femmes européennes, sortant de chez le coiffeur, qui se rendaient au Raffles pour prendre un verre. L'église entourée de palmiers où des enfants anglais turbulents étaient rappelés à l'ordre par des amahs chinoises à l'accent prononcé. C'était extraordinaire comme tout continuait comme avant, et ce malgré une guerre destructrice, malgré le changement qui se profilait à l'horizon.

Son second job la remplit d'espoir. Dans ce travail de couturière, elle savait qu'elle pouvait réussir. Et le premier jour, c'est pleine d'audace qu'elle pénétra dans une pièce voûtée toute tendue de soie. Dans l'air brassé par les ventilateurs, des nuages de voile flottaient comme des papillons. Sur des étagères qui allaient du sol au plafond, les taffetas brillants constellés de dragons, oiseaux et pagodes concurrençaient les brocarts richement ornés. Des idées plein la tête, elle fabriqua deux robes avec une machine à coudre empruntée à une serveuse chinoise.

Bien que très occupée par son travail et enchantée de transformer les tissus en robes du soir, l'enthousiasme du début s'estompa. Trois mois étaient passés. C'était le mois d'août 1957. L'indépendance du pays était sur le point d'être proclamée. Ses filles étaient mortes depuis plus de deux ans et demi. Lydia termina sa chanson sous de maigres applaudissements. Singapour n'avait pas exactement perdu son éclat, mais ce soir était un mardi. Un soir peu animé. Tout ce que voulaient les clients c'était se bourrer d'alcool et de poulet frit.

Au couvent, sœur Patricia n'arrêtait pas de lui répéter qu'avec une voix pareille il faudrait qu'elle chante. Évidemment, chanteuse au Traveller's Inn de l'hôtel Oceanview n'était pas son premier choix. Elle aurait préféré se produire dans un théâtre ou une chorale. Mais le directeur de l'établissement étant une vague connaissance d'Alec, elle avait accepté son offre.

Lydia demanda une bière glacée au barman, lissa sa robe et alla s'asseoir près de la vitrine. Elle aimait regarder les lumières scintiller et entendre le clapotis de l'eau contre les pieux de la jetée. Elle était attirée par les senteurs nocturnes de cannelle et de gingembre et par l'odeur de poisson de l'océan.

Le directeur s'approcha en souriant :

— Il y a un pink gin qui vous attend au bar, dit-il en lui désignant un verre posé sur le long comptoir en bois brillant.

Les spectateurs lui offraient souvent une boisson à la fin de sa représentation. Lydia se sentait abattue, mais elle s'obligea à se lever. Si elle ne luttait pas, la vie la détruirait.

— Quel client ? demanda-t-elle.

L'extrémité du bar était plongée dans l'obscurité de sorte qu'elle ne pouvait distinguer que des silhouettes.

— J'en sais rien, répondit le directeur avec un haussement d'épaules. Moi, je rentre. Bonne nuit !

Lydia s'approcha du bar. Deux pink gin et deux doubles whiskies attendaient côte à côte.

Tout à coup, une voix surgit de la pénombre, à la fois suave et courtoise :

— Ravie que tu te joignes à moi!

— Cicely!

— Comment vas-tu, ma chérie?

Dans un éclat de bracelets en argent, Cicely tendit une main aux ongles vernis de rouge. Son élocution était pâteuse.

Lydia recula d'un pas.

— Non, ne t'en va pas. Reste et prends un verre. En mémoire du bon vieux temps.

Cicely tira un tabouret, en tapota l'assise.

— Tu es soûle, commenta Lydia.

— Légèrement.

Lydia s'assit. Il était rare que Cicely perde son sang-froid.

— Comment se fait-il que tu sois ici?

— Quand je suis à Singapour, c'est ici que je descends. Je ne peux pas sentir l'endroit, répondit Cicely en souriant.

Elle fit un geste, libérant ainsi un mélange de parfum Chanel et de sueur.

— Tous ces crétins vieux jeu qui n'arrêtent pas de bassiner le monde avec la vie d'avant-guerre. Quelle chance de t'avoir retrouvée!

— C'est un hasard?

— Oui, mais maintenant que je... Oh, il faut que je te dise. Adil te cherche.

Lydia liquida son verre en appréciant la brûlure du gin dans son gosier. Elle imagina les lèvres d'Adil en train de prononcer son nom.

— Sois précise. C'est lui qui t'envoie?

— Arrête avec tes soupçons, ma chérie. Pourquoi il ferait ça? Je viens de te dire que j'étais tombée sur toi par hasard.

— Qu'est-ce qu'il veut?

— Pas la moindre idée. J'ai l'impression qu'il veut te parler. Mais tu connais Adil. C'est un homme mystérieux. Il n'a rien voulu me dire.

Cicely fit tourner son verre en se balançant sur son tabouret, avant de reprendre :

— Il y a quelque chose que j'ai toujours voulu te demander, ma chérie. Tu étais amoureuse d'Alec? Vous sembliez si peu assortis. C'était un petit bonhomme.

— S'il te plaît, Cicely, Alec est mort! s'indigna Lydia.

— Ce que tu peux être ronchon, fit Cicely avec une moue.

Lydia avait le cœur lourd. Son amie mettait le doigt sur un point sensible : les raisons de son mariage avec Alec qu'elle n'avait encore jamais voulu éclaircir. Elle soupira :

— D'accord. J'ai cru que je l'aimais. On se persuade d'être amoureuse. Il était séduisant dans un genre tranquille et j'avais besoin de ce qu'il m'apportait.

— Il était peut-être plus sensible que tu ne le crois.

— Pardon?

— Il pensait que tu ne l'avais jamais aimé. Il a pleuré sur mon épaule après coup. Les hommes ne clament pas sur les toits qu'ils ne sont pas terribles au lit.

Lydia fut surprise :

— Après coup? Tu veux dire…? Mais tu as dit que tu n'avais jamais…

— Pur mensonge. Allez, encore une tournée!

393

Et Cicely agita une poignée de dollars en direction du barman.

Visiblement, elle n'éprouvait pas le moindre remords. Comme si de rien n'était, elle se lança dans les derniers potins de Malacca. Au moment où le sujet de Jack fut abordé, Lydia en était à son quatrième gin.

—Lui, en revanche, tu l'aimais, hein?

Et, d'un air décontracté, Cicely ajouta:

—On dirait bien que toi et moi nous avons les mêmes goûts en matière d'hommes.

Lydia sursauta:

—Pas Jack! Tu n'as pas...?

Et sa voix s'enraya.

—Non! Pourtant ce n'est pas faute d'avoir essayé. Hélas! Il n'avait d'yeux que pour la voluptueuse Lydia Cartwright. Qui est devenue un peu plus maigre à ce que je vois. Mais vas-y, raconte. Je meurs d'envie de savoir. Il était comment?

Elles se regardèrent fixement.

—Ah, ça m'était sorti de la tête, ma chérie. Tu fais partie de ces femmes qui ne peuvent pas vivre sans amour.

—Ce n'est pas vrai, se défendit Lydia. Et ça ne te regarde pas. Au début, on ne pouvait pas arrêter de se toucher. C'est ensuite que l'aspect sentimental s'est manifesté. Quelle erreur! J'étais mariée avec des enfants. Mais, après l'incendie, il a été si merveilleux...

Ce qu'elle n'avoua pas c'est que, malgré l'amour qu'ils éprouvaient l'un pour l'autre, leur mariage, basé sur l'envie de recréer une famille perdue, aurait eu toutes les chances d'échouer. Cela aurait été un substitut. Il aurait été désolant de découvrir qu'une fois la passion éteinte il ne restait rien d'autre.

—Je comprends. Ce qui nous amène à Adil. À moins que tu n'aies d'autres secrets à m'avouer. Oh, confesse-toi, ma chérie. J'aime imaginer le chemin de ta vie parsemé de dépouilles d'amoureux... ou d'amoureuses.

Cicely émit une sorte de grondement tout en regardant Lydia à travers ses longs cils.

Cette dernière secoua la tête.

—Passons, fit Cicely. Mais j'ai une question : où donc mon ex se situe-t-il dans tout ça ?

—Pardon ?

—Ma chérie, pas de problème. Si tu le désires, il est tout à toi.

Lydia piqua un fard. Malgré ce que venait d'affirmer son amie, elle détectait une lueur d'inquiétude dans ses yeux.

—Tu veux dire que le vilain Adil ne t'a pas mise au courant ? Oui, mon chou, le délicieux Adil et moi...

—Quand ?

—Je l'ai rencontré immédiatement après la guerre alors que je n'avais pas encore vingt ans. Ma vie n'avait pas encore commencé.

Elle caressa ses seins distraitement et poursuivit :

—En tout cas, ma chérie, je suis bien placée pour dire qu'il est fameux.

—Tu parles de lui comme d'un plat.

395

—Eh bien, c'est une friandise, tu ne trouves pas? Un dessert qui fait saliver. À moins que ça ne soit Jack.

Elle fit une moue avant de se mordre les lèvres. Se penchant vers Lydia, elle ôta de son épaule une poussière imaginaire puis suça son doigt et le passa doucement le long du cou de Lydia jusqu'à la naissance de son décolleté. Lydia se figea et Cicely en profita pour l'attirer vers elle et l'embrasser fermement sur la bouche.

Sur le moment, Lydia resta sans réaction. Non seulement c'était la première fois qu'une femme l'embrassait, mais elle n'avait jamais envisagé que ça puisse se produire. Elle se ressaisit et se dégagea de l'étreinte de Cicely.

—Tu es ivre! s'exclama-t-elle.

—Ne me dis pas que c'est désagréable! Tu es appétissante, ma chérie, et j'ai envie d'aller au lit avec toi. J'ai une chambre ici. Pratique, n'est-ce pas? Qu'est-ce que tu en penses?

Pas de réponse.

—Une seule nuit, ma chérie.

En secouant la tête, Lydia commença à rire.

Cicely se crispa avant de lui adresser un grand sourire.

—C'est si drôle que ça?

Lydia secoua à nouveau la tête. Cicely, qui avait l'habitude d'attirer l'attention des hommes comme des femmes, avait soudain l'air pitoyable. Comme une reine des neiges vieillissante, en train de fondre. Un autre moment de silence s'instaura tandis que Lydia se passait les mains dans les cheveux. Pourquoi Cicely était-elle si malheureuse?

Lydia la dévisagea avec attention, passant en revue ses narines bien dessinées, ses lèvres peintes, ses beaux yeux couleur topaze.

— Je l'aimais, tu sais. Je parle d'Adil. C'est le seul que j'aie aimé. Il y avait quelque chose dans ses yeux. Et, oh mon Dieu, quel corps ! Mais ne le sous-estime pas. C'est un homme dangereux.

— C'est amusant ! Il dit la même chose de toi. Allez, viens, dit Lydia en prenant le bras de Cicely. Je vais te mettre au lit. Toute seule.

Le vent s'était levé. En traînant Cicely vers l'ascenseur, Lydia s'aperçut que l'atmosphère s'était rafraîchie. Elle entendit son amie marmonner mais préféra ne pas y prêter attention. Cependant, comme Cicely insistait, elle dressa l'oreille :

— Qu'est-ce que tu dis ?

— George a donné de l'argent à Adil pour que tu t'arrêtes chez Jack, tu sais. Il l'a payé pour retarder ton arrivée à Ipoh.

Lydia décida de mettre ces paroles sur le compte de l'état d'ébriété avancée de Cicely. Pourtant, pendant la nuit, elle rêva que ses dents, aussi friables que de la craie, s'émiettaient. Et elle se réveilla avec l'impression d'avancer sur des sables mouvants.

41

Depuis le début des vacances d'été, je vois beaucoup Billy. C'est une bonne façon de ne pas penser au mariage qui s'annonce. En plus, il est sympa. On file au village, on rencontre d'autres jeunes du coin à l'arrêt du car ou on traîne sur le vieux pont pour observer ce que la rivière charrie. La plupart du temps, c'est des débris de toutes sortes. Mais un jour on a vu un mouton mort passer : il disparaissait sous l'eau et reparaissait à la surface comme un bouchon. Bien sûr, Billy et moi, on attend le jour où un cadavre humain tout gonflé et plissé apparaîtra dans le courant.

Nous sommes sous l'abribus pour échapper à la pluie quand Billy me donne un coup de coude :

— Em, si on retournait dans la grange ?

— Uniquement si tu en as envie, je grogne.

C'est comme s'il lisait dans mes pensées. Il me regarde avec un grand sourire. Ensuite, il lisse sa masse de cheveux blond foncé avec les mains. Il est rouge tomate. Et puis il roule une cigarette, sûrement pour cacher sa confusion, et me la propose. Même si ça lui plaît de ressembler à James Dean, c'est un garçon drôlement gentil et tranquille. Je refuse sa cigarette.

Pendant qu'on marche vers la grange, je me souviens du moment où il m'a embrassée. Chaque fois que j'essaye de penser à autre chose, je reviens automatiquement à ses lèvres. Chaudes mais pas humides. Je me souviens aussi que j'ai frissonné de tout mon corps quand il m'a dit que j'étais belle. Je me sens à la fois comme une enfant et comme une adulte.

J'ai presque quinze ans. Enfin, j'ai pratiquement quatorze ans et demi, mais je suis bien développée pour mon âge. Les héroïnes de mes histoires ont besoin de vivre des aventures sexuelles pour que leurs personnages paraissent vrais. Je ne suis pas amoureuse de Billy, mais je le trouve mignon. Des tas de filles du village lui courent après. Évidemment, ça m'embête de retirer mes vêtements. Mais je crois qu'il est temps. Même si pour moi Billy est surtout un bon copain.

La grange va être démolie par des promoteurs qui vont construire des immeubles à la place. C'est donc maintenant ou jamais. On grimpe à l'échelle. Moi en premier. Quand je rate un échelon, il me retient par le postérieur et laisse sa main jusqu'à ce que je sois en haut. Je ne porte qu'une robe en coton léger. Ça me fait tout drôle d'avoir cette main sur moi. Sa chaleur me cause des picotements.

En haut, ça sent le moisi et la paille humide. Aux endroits où la paille irrite ma peau, ça me démange. Je me sens maigre et empotée même si récemment mes seins ont poussé. La vue n'est pas intéressante : on aperçoit seulement un ruban vert là où les champs s'étendent au loin.

Quand il m'embrasse, sa bouche est fraîche et humide. Pas mouillée et molle. Billy me dit que je lui plais. Son accent donne encore plus de charme à ses paroles. Je murmure qu'il me plaît aussi. J'adore le contact de ses mains sur mon corps. Je suis à des kilomètres de moi-même. Tout semble un peu flou. Billy se presse si fort contre moi que j'ai l'impression que mon cœur bat à l'intérieur de lui. Quand il glisse ses mains entre mes cuisses, je brûle. C'est comme si j'étais traversée par une décharge électrique.

J'arrête de penser. Quand il se met sur moi avec son slip blanc, mon corps sait comment réagir. Nous en avons envie tous les deux, mais nous n'allons pas jusqu'au bout. On se serre fort l'un contre l'autre. Quelque chose doit se passer car on bouge et on se cogne contre le plancher irrégulier. Billy se met à trembler et crie « Oh mon Dieu » dans mon cou.

Tandis qu'il enfonce sa langue dans mon oreille, je regarde en l'air. Les chevrons noircis du plafond ont l'air pourris. Le dessous de la charpente est vert de moisissure. Je vois des carrés de ciel pâle là où les ardoises manquent. Apparemment, il a cessé de pleuvoir et un beau soleil se montre.

— Excuse-moi, dis-je, quand je vois Billy froncer les sourcils devant mon expression lointaine.

— Aucune importance.

Mais je vois bien que mon indifférence le blesse.

— Je ferais mieux d'y aller. J'ai rendez-vous avec Veronica à la bibliothèque.

Comme je veux être gentille, je lui propose une autre rencontre.

— Vraiment? fait-il avec un grand sourire.

— Ils démolissent la grange quand?

— À la fin des vacances.

— Eh ben, tu vois!

La salle de lecture se trouve au sous-sol. Des lampes d'angle éclairent les tables d'une lumière jaune. Une forte odeur de bois verni règne. Comme je veux écrire une histoire qui se passe sur le continent, j'ai besoin de me renseigner sur l'histoire des pays d'Europe. En attendant Veronica, je relègue Billy dans un coin de ma tête et j'étale plusieurs gros bouquins sur la table. Je suis contente d'avoir l'endroit presque pour moi toute seule.

Plongée dans un récit historique, je sursaute en entendant mon nom.

— Désolée, ma chérie, je ne voulais pas t'effrayer.

En commençant à ranger mes affaires, je demande à Veronica:

— Vous voulez y aller maintenant?

Veronica pose son sac et tire une chaise:

— Pour être franche, j'ai chaud et j'aimerais bien m'asseoir un moment. Ah, mes pauvres pieds!

Elle porte des escarpins à talons hauts, ce qui me fait sourire.

— Oui, oui, je sais! s'exclame-t-elle. Qu'est-ce que tu lis de beau?

Elle jette un coup d'œil sur la page de mon livre et s'écrie:

— Oh là là! Ça m'a l'air un peu sérieux, non?
Je ris.

— Au fait, je t'ai dit que j'ai demandé à Freddy, mon ami avocat, s'il y avait un moyen de découvrir l'identité d'un client? Je l'ai vu la semaine dernière. Comme tu sais, il habite dans mon appartement à Wandsworth.

Je la regarde, le cœur battant:

— Il suggère quelque chose?

— Malheureusement non. D'après lui, aucun avocat n'est prêt à trahir le secret professionnel.

— C'est bien ce que je pensais.

— Cela dit, il se souvient de l'étude. Il a fait son premier stage chez un avocat concurrent à Worcester. Pendant un moment il a travaillé avec un copain de l'étude Johnson, Price & Co. Sur un transfert de titre de propriété.

J'empile les livres et, tout d'un coup, j'ai faim. Veronica doit s'en apercevoir car elle récupère ses sacs de courses et nous nous dirigeons vers la sortie.

— Il m'a dit que pour m'être agréable il verrait ce qu'il peut faire, mais il a précisé qu'il ne fallait pas trop espérer.

Après m'avoir déposée à la maison, Veronica va directement chez elle. Quand elle revient un peu plus tard, elle a l'air d'avoir pleuré. Elle nous annonce qu'elle a reçu un télégramme de l'étranger: elle doit se rendre auprès de son frère. Il est très malade et il faut repousser le mariage. Fleur et moi l'accompagnons pour lui dire au revoir. Veronica fait une drôle de tête. Visiblement, elle n'est pas enthousiaste à l'idée de partir. Elle nous embrasse et rentre faire ses bagages avant de partir pour l'Afrique pour s'occuper de M. Oliver. Je la regarde s'éloigner tandis que Fleur se met à sauter à la corde. Tout ça est embêtant. Car non seulement j'aime bien Veronica, mais sans son aide je me vois mal faire des démarches en vue de retrouver Emma Rothwell. Même elle, jusqu'à maintenant, n'a rien déniché.

— Tout le monde s'en va, constate Fleur.
— Veronica va revenir.
Sans cesser de sauter, Fleur se met à chantonner :

Arlequin dans sa boutique, tique, tique
Sur les marches du palais, lais, lais

Ma sœur est formidable au saut à la corde. Elle est la meilleure de sa classe et réussit toutes sortes d'acrobaties et de figures, en rythme. Alors qu'elle se concentre dans une volte-face suivie d'un toucher de sol, elle demande à ma grande surprise :

— Tu crois que Granny va rentrer à la maison ?
Je secoue la tête.

Il enseigne la musique, sique, sique

Je dis :
— Essayons de nous souvenir des bons moments.
Fleur continue à sauter en chantonnant. Alors je me joins à elle et nous crions ensemble :

À tous ses petits valets, lets, lets…

Elle s'immobilise et lance :
— J'aimais bien les tartes de Granny.
— Tiens, oui ! On va énumérer les spécialités de Granny.
Elle se remet à sauter.

Il vend des bouts de réglisse, lisse, lisse
Meilleurs que votre bâton, ton, ton…

— Tu te souviens de son foie de veau aux oignons ?
— Hum !
— Et son rôti de porc du dimanche ?
— Et sa tourte au poisson du samedi ?
J'ai les larmes aux yeux et la gorge serrée : « Oh, Granny chérie, quel dommage que tu ne sois pas avec nous ! » Je suis triste parce qu'elle vit dans une maison de retraite. Et aussi parce que tout ça me rappelle à quel point une vie normale peut soudainement s'arrêter.
Fleur laisse tomber sa corde. Elle s'approche de moi et effleure ma joue :
— Ne t'inquiète pas, Em. Moi je suis encore là.
Je regarde ma sœur dans les yeux. C'est vrai, elle est encore là. Alors qu'elle me sourit, je me dis que peut-être un jour, quand nous serons adultes, nous deviendrons proches. J'aimerais bien lui raconter ce que j'ai fait avec Billy, mais elle est trop jeune alors je garde mon secret pour moi.
Je regarde les églantines qui poussent sur la haie en pensant à Billy. Je ne suis pas sûre d'avoir vraiment aimé ce qu'on a fait. Quand j'étais avec lui dans la grange, j'avais ma casquette d'écrivain.

J'imaginais les réactions de Claris, mon héroïne. Me projeter dans son personnage rendait les choses plus acceptables.

Impossible de dire à Billy que je ne suis pas amoureuse de lui. Je l'aime comme un ami et je ne veux surtout pas lui faire de la peine. Je me sens en sécurité quand j'invente des histoires. Claris bénéficie de mes expériences, mais je dois faire drôlement attention à ce que personne ne tombe sur mes récits scandaleux. Papa me tuerait. En fait, ce que je préfère, c'est être assise avec Billy près du saule sur les marches du quai et balancer mes jambes dans la rivière en regardant voler les libellules avec l'impression d'être toujours une enfant.

42

Des relents de cuisine, de sueur et de patchouli
assaillirent les narines de Lydia. Elle se tenait sous
un porche, rue des Trois-Dragons. La peinture verte
du bâtiment était écaillée. L'endroit semblait plus
miteux que la dernière fois. Elle ne quittait pas la
porte des yeux. Avant de partir de Singapour, elle
avait enfilé un *cheongsam* soyeux, fendu haut sur la
cuisse. Trop suggestif. Elle l'avait retiré. Et essayé
une simple blouse de coton et une jupe fraîchement
repassée. Trop ennuyeux. Finalement, elle avait
opté pour un fourreau vert d'eau: discret et seyant,
il mettait en valeur ses yeux et ses cheveux. Elle
avait étiré ses yeux d'un trait d'eye-liner comme
le font les filles chinoises et fardé ses lèvres d'un
rouge à lèvres rouge vif. Ensuite, elle avait pris sur
elle et remisé ses sentiments.

Elle ne voulait pas avoir l'air de traîner comme
une prostituée. Voici ce qu'elle avait décidé: elle

ne se montrerait que si Adil sortait de chez lui. Ce serait un signe du destin. S'il n'apparaissait pas, elle prendrait le premier car pour rentrer et il ne saurait jamais rien de sa visite.

Dans l'ombre d'une ruelle voisine, une femme aux yeux tristes avec un bébé maigrichon dans les bras, quémanda de la nourriture en malais. *Makan, makan*, dit-elle en montrant la bouche de l'enfant.

Lydia se sentit impuissante. Que pouvait-elle faire en dehors de lui donner de l'argent en espérant qu'il servirait à les nourrir ? Un coup d'œil furtif sur l'enfant glaça Lydia. Le teint gris de son visage immobile suggérait que pour lui la nourriture arrivait trop tard.

Elle piocha néanmoins quelques pièces dans son sac et, ce faisant, faillit manquer Adil. En entendant son nom, elle sursauta. Au bout du compte, c'était lui qui l'avait vue en premier en tournant le coin.

Il traversa la rue au milieu de la foule et lui sourit. La curiosité se lisait dans ses yeux couleur sable.

—Je vois que vous êtes venue. Cela fait bien plusieurs mois, si je ne me trompe.

—Vous avez suivi mes pérégrinations ?

Il lui tendit la main avec un petit haussement d'épaules.

Une bourrasque envoya de la poussière dans les yeux de Lydia qui commença à larmoyer.

—Ah ! Vous aussi, vous êtes touchée par le démon du vent !

Elle s'essuya les yeux avec un mouchoir en papier.

Il se mit à rire :

— Mon Dieu, d'habitude je ne fais pas pleurer les femmes.

— C'est ce que j'ai entendu dire.

— Je devine que vous avez parlé à Cicely, fit-il en arquant les sourcils.

Lydia mordilla la peau de son pouce. Une vague de chaleur envahit son visage.

— Vous avez du noir sur le visage. Laissez-moi faire.

Lui prenant le mouchoir des mains, il se mit à nettoyer les traînées noires qui maculaient les joues de Lydia. Elle marmonna un merci tout en regardant obstinément le sol.

— Je vous dois quelques explications. Mieux vaudrait rentrer, non? Vous ne refuserez pas une boisson fraîche, n'est-ce pas?

À l'étage, les persiennes étaient tirées. Il les laissa fermées, alluma quelques lampes. Un ventilateur brassait l'air poisseux par à-coups. C'était encore une journée humide. Seule une bonne averse pourrait rafraîchir l'atmosphère.

— Je suis désolée d'être venue sans prévenir. Je ne veux surtout pas vous déranger.

— Ah, la politesse anglaise! Mais soyez tranquille, Lydia, vous ne me dérangez pas du tout.

Avec un sourire interrogateur, il prit une grosse orange.

— Vous vous souvenez?

Il coupa l'orange, la pressa avec un citron vert dans un grand verre. L'air se remplit aussitôt de l'odeur des agrumes.

— Vous m'avez menti.

— Pouvons-nous appeler ça une omission?

Lydia n'était pas venue pour argumenter sur un point de vocabulaire.

— Appelez ça comme vous voulez. Pourquoi ne m'avoir rien dit ?

— Au sujet de Cicely ? Navré. En fait, je voulais le faire. Et j'étais sur le point de vous en parler quand nous sommes allés voir Lili. Mais il se trouve que… Écoutez, c'est compliqué.

Lydia contemplait ses doigts de pied. Elle était contente de les avoir vernis sans savoir exactement pourquoi.

— J'ai une question à vous poser, reprit Adil. Pourquoi avez-vous filé sans un mot ?

— Ça aussi, c'est compliqué, répondit Lydia dans un soupir.

Le silence s'établit tandis qu'il remplissait le verre d'eau pétillante et de glaçons.

— Est-ce que George vous a payé pour que vous fassiez en sorte que je ne me précipite pas à Ipoh ?

— Ah !

— Vous ne niez pas ?

Il ouvrit ses bras en signe de reddition avant de lui tendre le verre.

— George était mon patron. La triste vérité est qu'à cette époque je ne vous connaissais pas.

— Et ensuite ?

— Ensuite… vous êtes partie.

Il regarda Lydia droit dans les yeux. Un sourire paresseux étirait ses lèvres.

Elle but la boisson jusqu'à la dernière goutte. Elle était venue pour avoir des réponses, mais il était évident que maintenant qu'elle se trouvait face à lui elle se sentait plus vivante que pendant

409

tout le temps de son séjour à Singapour. De toute façon, là-bas, elle pensait constamment à lui, tout en se refusant à l'admettre.

— Lydia, George m'a demandé de vous suivre et de retarder votre voyage de la manière que je jugeais appropriée. La façon de s'y prendre ne regardait que moi.

— Mais pourquoi?

Un toussotement lui répondit.

— Et l'histoire du car? C'est absurde.

— Je savais qu'il suivrait le même itinéraire que vous. Et qu'à un moment donné votre voiture tomberait en panne d'essence. Ce n'était qu'une question de temps.

— Mais il y avait de l'essence.

— Quand Suyin vous a amené Maz, ça n'a pas été sorcier de siphonner le réservoir et de truquer la jauge.

— Incroyable! Et moi qui croyais qu'il y avait des chats dans le garage. Mais dites-moi, et si le chauffeur ne m'avait pas laissée monter dans le car?

— Oh, il avait des instructions.

— Et l'embuscade, elle faisait partie du plan?

— Cette fois, la réponse est non! Je ne contrôle pas les agissements des rebelles bien que je connaisse l'un des auteurs de l'agression. Il a été arrêté dans le passé et nous fournit des informations.

— Mais il ne vous a pas prévenu au sujet de l'embuscade?

— Non.

— C'est fou!

Il y eut une pause puis Lydia ajouta :

— Vous ne m'avez toujours pas dit pourquoi George vous avait demandé de me retarder.

— Je l'ignore. C'est la pure vérité.

Lydia dévisagea Adil. En examinant ses hautes pommettes saillantes, ses yeux bridés profondément enfoncés, son long nez et ses lèvres pleines, elle détecta chez lui une certaine vulnérabilité. Alors qu'elle avait prévu d'être furieuse contre lui, voilà qu'elle le croyait.

Il lui prit la main.

— Écoutez-moi. Après vous avoir suivie pendant votre voyage vers Ipoh et déposée chez Jack, je me suis livré à quelques investigations. Je sentais que quelque chose n'allait pas. Comme je vous l'ai dit, George refusait obstinément de m'expliquer pourquoi il souhaitait que votre arrivée à Ipoh soit retardée. Je le soupçonnais déjà d'être impliqué dans une affaire pas nette. Trafic de devises ou peut-être vente d'armes. Je me suis demandé s'il voulait qu'Alec s'occupe d'un business louche avant votre arrivée. C'était juste une supposition, bien sûr. Il fut un temps où George a noué des relations étroites avec la pègre de Singapour, les contrebandiers, les triades chinoises et autres gens du milieu. Ça se passait surtout avant la guerre.

Stupéfaite, Lydia retira sa main.

— Vous m'avez manqué, Lydia. Et c'est sincère.

Lydia ne savait plus où elle en était. Il lui avait manqué aussi. D'un autre côté, toute cette histoire semblait extravagante. Et puis elle avait encore une question à lui poser.

— Pourquoi avez-vous rompu, Cicely et vous ?

411

Le regard d'Adil se troubla.

— C'est une snob, vous savez. Elle avait honte de moi, de mon passé. Après la mort de mon père, nous nous étions retrouvés sans le sou. Non seulement je ne suis pas blanc, mais ma mère a été obligée d'exercer le plus vieux métier du monde. Et Cicely l'a découvert.

Après un silence, tournant le dos à Lydia et faisant face à la fenêtre, il reprit :

— Aujourd'hui, ça paraît difficile à comprendre mais à l'époque, j'étais jeune. Elle avait de l'ascendant sur moi. Disons que son influence était néfaste. À la fin, j'avais tellement honte de ma mère que je ne la voyais même plus. Je l'ai laissée mourir seule.

— Je suis désolée.

— Ma mère m'a réclamé, mais j'ai remis ma visite. Quand j'ai fini par me rendre à son chevet, elle était morte. Et maintenant, le remords…

Les épaules courbées, la tête basse, il fixait le sol. Et Lydia se dit que toutes les paroles qu'elle pourrait proférer seraient forcément banales.

— C'est une chose avec laquelle je dois vivre, dit-il enfin.

Durant le silence qui suivit, Lydia se demanda comment réagir. Elle ne voulait pas être indiscrète ni augmenter sa tristesse. Aussi préféra-t-elle changer de sujet.

— Comment êtes-vous arrivé là où vous êtes ?

— Je le dois à George Parrott.

— Ah ?

— George était un client de ma mère, quand nous vivions dans un bidonville près des docks. Il m'a proposé un boulot pour m'en sortir. D'abord j'ai été serveur. Ensuite j'ai travaillé pour lui. Il m'a pris sous son aile.

— Je vois.

Adil vint s'asseoir à côté de Lydia.

— Je m'excuse de ne pas avoir été honnête à propos de mon passé. Aujourd'hui il s'immisce à nouveau dans ma vie et vient gâcher le présent.

— Ce n'est pas plutôt la culpabilité ? demanda Lydia que cette conversation mettait mal à l'aise.

Il lui adressa un sourire triste.

— Ou la peur. N'y a-t-il pas un épisode de votre vie d'avant que vous souhaitez effacer ?

— Ce n'est pas aussi simple, répondit-elle en pensant à ses propres erreurs, se remémorant le zoo où elle avait l'habitude d'emmener ses filles et où, parfois, elle retrouvait Jack.

— Alors, où en sommes-nous, Lydia ?

La voix d'Adil était tranquille.

Lydia inclina la tête. Son attitude l'avait prise au dépourvu.

— Tout ramène à George Parrott. Je déteste cette idée. L'habit ne fait pas le moine.

— Le jour où vous êtes allée chez lui, le jour où vous m'avez vu, j'attendais dans la pièce à côté. Après tout ce qu'il avait fait pour moi, il n'était pas facile de lui dire que j'enquêtais sur lui. Nous nous sommes disputés.

— Ce n'est pas pour ça qu'il s'est tué, si ?

Adil grimaça.

— Pas pendant que j'y étais, en tout cas.

Le cœur de Lydia se serra. Comment s'était-elle retrouvée au milieu de telles complications ? Elle se leva :

— Et désormais vous travaillez pour qui ?

Ses yeux se voilèrent :

— La police. Je croyais que vous le saviez.

— Très bien. J'ai une dernière question.

— Allez-y !

— Vous l'aimiez ? demanda-t-elle d'un ton qu'elle espérait naturel.

Il s'éclaircit la voix :

— C'était une femme difficile.

— Mais vous l'aimiez ?

Il acquiesça.

Plus tard, quand ils sortirent, le ciel était rouge. Puis, en quelques secondes, la nuit tomba comme un rideau noir. Il n'y avait pas de lune. Les étoiles apparaîtraient dans un moment. Des ruelles adjacentes s'élevaient des cris et des rires, la plainte lugubre d'un chien ainsi que la puanteur des latrines jamais très éloignées. Pour Lydia, tout cela demeurait terriblement étranger. Un long gémissement provint de derrière une maison : plus une lamentation qu'un pleur. Elle essaya de se souvenir des incantations que le jardinier apprenait aux filles pour tenir à distance les démons de la nuit et de l'obscurité. Un monde impénétrable de mythe et de magie, un pays où l'administration coloniale combattait la rébellion chinoise, où le mensonge régnait en maître, où le fait d'être blanc faisait de vous un diable aux cheveux rouges.

Dans l'obscurité, la chaleur montait. Pour trouver un peu d'air, ils se dirigèrent vers les docks. Mais la brise de mer était inexistante. Les voiliers à quai ne bougeaient pas. Au large, les lumières des bateaux de pêche ressemblaient à des points immobiles dispersés dans le noir. Le cou de Lydia se couvrit de taches rouges. Elle commença à se gratter. Puis elle repéra le stand d'un Chinois qui vendait des onguents et des remèdes à base d'herbes. Mais Adil fit non de la tête.

— Allons boire quelque chose, proposa-t-il en la guidant vers l'entrée d'un bar.

Ils s'installèrent à une table d'angle au fond de l'établissement enfumé. D'une radio s'échappait un slow. Deux ou trois couples dansaient sous un ventilateur. Des lézards verts passaient sur les murs gris. D'énormes papillons de nuit se jetaient contre une ampoule électrique nue, avant de grésiller et de tomber par terre. Adil commanda pour Lydia une bière parfumée à la cardamome.

— Lydia, vous voulez danser?

Elle ouvrit puis referma la bouche, incapable de répondre.

— Venez, dit-il en lui tendant la main.

Leurs boissons arrivèrent. Elle goûta à la sienne et, finalement, ce fut elle qui lui prit la main.

— Cicely m'a confié que vous aviez quelque chose à me dire, commença-t-elle tandis qu'ils se mettaient à danser.

— Non, répondit Adil, la main posée au creux de son dos.

— D'après elle, vous me cherchiez.

415

—Il est vrai que j'espérais que vous reviendriez, cela vous le savez, mais je ne vous cherchais pas. C'était à vous de prendre la décision de venir. Je n'ai rien dit à Cicely. D'ailleurs, je ne l'ai même pas vue.

Lydia sentait le souffle d'Adil lui chatouiller le cou. Se concentrant sur ses paroles, elle choisit de croire ce qu'il disait. Elle ferma les yeux une seconde, avant de poser une autre question :

—Vous êtes certain de ne pas savoir pourquoi George vous a payé pour ajourner mon voyage à Ipoh ?

—Oui, je l'ignore. Pour le moment, tout au moins.

—Et pour quelles raisons je vous ferais confiance ? l'interrogea Lydia en plongeant son regard dans le sien.

—Je pense être capable de vous en persuader.

Avec un sourire calme, il la reconduisit à leur table. Elle remarqua ses mains, de belles et fortes mains sur lesquelles bouclaient quelques poils noirs à la lisière des poignets.

De l'autre côté du bar, un homme les observait de ses yeux bouffis. Adil alla vers lui et lui parla en faisant de grands gestes. Il avait l'avantage de connaître toutes les langues indigènes alors que Lydia ne saisissait qu'une phrase par-ci, par-là. Il glissa quelques dollars dans la main de l'homme. À cet instant, l'image de Jack occupé à lire à la lumière d'une lampe passa devant les yeux de Lydia. Elle plissa les paupières pour chasser cette vision du passé et regarda Adil revenir vers leur table. Il souriait :

— J'avais juste besoin d'une information pour demain.

Lydia ne comprenait pas. Décidément, cet homme était un mystère.

Quand ils sortirent du bar, des nuages couraient dans le ciel nocturne comme de grandes traînées d'huile.

— Il va faire plus frais, prédit Adil.

Il avait raison. Les enseignes des échoppes claquaient, des détritus voltigeaient et les bateaux dansaient sur l'eau. Le vent apportait de l'air. Lydia respirait mieux. Pourtant elle se sentait oppressée par toutes sortes de sentiments confus. Le ciel se plomba rapidement.

Quand les premières gouttes d'une pluie chaude tombèrent, Adil et Lydia accélérèrent le pas.

43

L'herbe empeste la crotte de chat. Des chardons et des pissenlits ont envahi les jolies platesbandes de Granpa. Il y a dans l'air des odeurs de fin d'été. Papa soulève avec peine la vieille tondeuse, inspecte en rouspétant les lames rouillées et décide d'abandonner. Il s'éloigne les épaules basses, ses vêtements en désordre. Je pense que Veronica lui manque. Moi aussi je me sens seule. Fleur est plus calme que d'habitude et Billy est occupé à aider son père.

Je viens d'imaginer la maison où l'héroïne de ma nouvelle histoire habite. C'est une maison sur une côte, entourée par la mer et construite en bardeaux blancs comme en Amérique. Je suis en train de rédiger la scène quand on crie:

— Bonjour! Il y a quelqu'un?

Sa voix est différente. Un peu fausse. On a l'impression que Veronica cherche à déguiser son humeur. Je l'observe tandis qu'elle fait le tour de la maison. Elle est affreuse. Son teint généralement sans défaut est rouge et brouillé. Sa coiffure, toute dérangée. Je tire une chaise de jardin sur laquelle elle se laisse tomber. Tremblante, elle farfouille dans son sac à la recherche d'un Kleenex.

Pendant un moment, le silence s'installe entre nous. Veronica respire fort et laisse échapper un genre de sanglot. Gênée par cet étalage d'émotions inhabituel, je regarde ailleurs. Je me dis, pleine d'espoir, que M. Oliver est mort avant de chasser en vitesse cette vilaine pensée.

— Je croyais que vous étiez en Afrique.

— C'est Sidney, dit-elle avant de se mettre à pleurer pour de bon.

Je me mords les lèvres. Il y a une lueur de panique dans ses yeux. Sa respiration s'accélère et ses traits se tordent. En principe, Veronica montre au monde un visage serein, calme et maîtrisé. C'est terrible de la voir comme ça. Au bout d'un moment, elle se mouche et sèche ses larmes.

— Il n'est pas malade du tout. Il a été arrêté.

Je ne bronche pas. Je ne cille même pas. Tout en sachant la réponse, je n'ose pas poser de question.

— Pour…

Nous nous taisons. Volontairement. Quand elle me fixe avec ses yeux bleus encore humides, mon cœur s'emballe.

— Pour avoir fait subir des sévices sexuels à une enfant, dit-elle finalement, si doucement que j'ai du mal à la comprendre.

Elle pousse un long soupir et essuie ses yeux.

— Voilà, je l'ai dit. Je suis désolée. Je voulais voir Alec.

— Il est sorti.

— Emma?

Je suis incapable de la regarder. Elle pose sa main sur mon bras.

— Emma. Ma chère petite, j'aimerais beaucoup que tu me dises la vérité.

Je secoue la tête en me bouchant les oreilles. Surtout, qu'elle ne me touche pas, qu'elle ne me parle pas. Je veux me rétracter comme le *malu-malu*. Je veux me cacher pour que personne ne me touche plus jamais.

Veronica se penche, retire mes mains de mes oreilles avant de me soulever le menton. À son visage blême, je sais qu'elle a deviné.

— La fléchette, c'est à cause de cela? demande-t-elle d'une toute petite voix.

J'acquiesce en croisant très fort les bras sur ma poitrine.

— Oh non! Oh non, pas toi, ma petite chérie! Qu'est-ce qu'il a fait?

Je me lève d'un coup. Pas question de dire quoi que ce soit. Rien ne me fera parler. Rien.

— Pourquoi tu ne nous as rien dit?

Le jardin oscille. Les arbres du fond bougent. J'ai le tournis. Je me sens prise au piège. Une boule de chaleur explose dans ma tête: impossible de la faire sortir. Ma voix semble avoir disparu. Si je parle, les mots terribles vont rester collés à mes lèvres. Et puis tout va s'échapper de ma bouche. Tous les secrets que j'ai enfermés en moi vont se déverser aux pieds de mon père. Toutes les horribles choses que je pense sur lui, sur ce qui est arrivé à maman, et tous les péchés que j'ai commis avec Billy. Tous mes projets. Si je parle, tout va jaillir.

J'arrive à articuler :

— Personne ne m'aurait crue, de toute façon.

— Qui sait puisque tu te taisais ?

— Il m'a salie, dis-je en faisant un pas en arrière.

Je me précipite vers la salle de bains, pousse le verrou, me laisse glisser par terre, et les larmes me submergent. Quand j'ai fini de pleurer, j'examine mes paupières gonflées dans le miroir. Tout le chagrin d'avoir perdu maman est là. Et la peur de ne plus jamais la voir, elle qui est la personne que j'aime le plus au monde. Je n'ai pas pu lui dire ce que M. Oliver m'a fait. Je n'ai pas pu lui demander non plus comment me comporter. Je pensais avoir extirpé ma douleur. Les gens peuvent-ils encore l'apercevoir dans mon regard ? Je remplis le lavabo d'eau, m'asperge le visage, baigne mes yeux et m'assieds sur le carrelage en entourant mes genoux de mes bras. Et je reste là cramponnée à moi-même pour ne pas exploser.

Une conversation me parvient du haut des marches : papa s'adresse à Veronica. Ce qu'elle dit ne me parvient pas clairement. Par contre, je perçois un gros sanglot suivi de la voix de mon père, gentille et apaisante. C'est bien la première fois que je l'entends ainsi.

— Emma ?

C'est elle. Mais les mots sont toujours coincés dans ma gorge. Mon cœur bat si fort que j'ai le souffle coupé.

Elle toque à la porte.

—Emma, ma petite chérie. Je suis tellement désolée. Je vais faire mon possible.

Je suis si furieuse que je me relève et ouvre brusquement la porte. Je lui hurle dessus :

—Vous saviez ! Vous avez toujours su !

Elle a un mouvement de recul comme si je venais de la frapper puis elle secoue la tête en agrippant la balustrade.

—Non, je te jure ! Je te promets !

Elle est sous le choc. J'entends papa approcher. Nous nous tenons tous les trois sur le petit palier, devant la salle de bains. J'ai envie de m'échapper. Mais quand je vois les yeux humides et l'expression affligée de mon père, je m'immobilise. Personne ne bouge ni ne parle. Je contemple le papier peint floqué du mur, derrière lui. Imprimé de roses et de myosotis. Granny l'a choisi. Ma gorge se serre. Le silence s'épaissit. Le monde entier semble s'arrêter de tourner. Soudain, mon père me tend les bras. Avec un sanglot je vais vers lui. Autant que je me souvienne, c'est la première fois qu'il me tient contre lui en me caressant les cheveux.

—Pardonne-moi, mon enfant.

Nous restons comme ça quelques minutes. Ensuite, je renifle, j'essuie mon visage et je m'écarte. Papa a du mal à me regarder. Je retiens ma respiration et lui tends la main. Il fronce les sourcils comme s'il ne comprenait pas mon geste.

C'est fou comme il a l'air maigre et fatigué. J'expire lentement.

Veronica m'enlace. Nous descendons ensemble les marches. Dans la cuisine, Fleur est assise à la table, blanche comme un linge.

— Tout va bien maintenant, hein? implore-t-elle.

44

Ils se réveillèrent à l'aube et partirent au moment
où les propriétaires des boutiques relevaient leurs
rideaux métalliques et ouvraient leurs portes sur
la rue. Une épaisse couche de brume couvrait
l'eau, annonciatrice des premières lueurs du matin
tandis que des nuages vaporeux s'étiraient dans un
ciel étonnamment clair. À la lisière de la ville les
arbres étaient noyés dans l'ombre.

Lydia ferma les yeux. Une image apparut,
toujours la même. Une femme vêtue d'une robe
bleu pâle dont l'ourlet et le col étaient ornés de
bleuets. Mais cette fois quelque chose était différent. Cette fois la femme parlait. Lydia ne distinguait pas son visage, mais elle sentait ses mains
aussi douces que celles d'un enfant et elle perce-
vait sa voix. «Dites-lui que je suis venue.» C'était
tout.

Elle ouvrit les yeux, surprise de s'être endormie. Quand ils arrivèrent au camp de réfugiés, le soleil était si fort qu'il décolorait le jour.

Pour l'administration coloniale, la période n'était pas facile. À la fin août, la Malaisie avait obtenu son indépendance. Sur les nouveaux billets de dix dollars un fermier travaillant avec un buffle dans une rizière remplaçait la reine d'Angleterre. Quelques fonctionnaires comme Ralph restaient pour que la transition s'opère en douceur. Le nouveau Premier ministre avait nommé un corps général d'inspecteurs de police responsables de la sécurité du territoire, mais certains policiers britanniques étaient maintenus en poste. Lydia ne savait pas si ces nouvelles dispositions allaient changer sa vie. Néanmoins, quand elle se promenait dans les rues, elle se sentait moins à l'aise.

Adil lui jeta un regard intense de ses yeux bridés :

— Que vois-tu quand tu fermes les paupières ?

— Des souvenirs. Des images. Des moments dont je veux me rappeler. Parfois des moments que je voudrais oublier.

— Tu veux savoir ce que je vois ?

Il lui fit un sourire, avant de répondre à sa place :

— Peut-être pas, finalement.

— Si, dis-moi.

— Je vois une femme qui ne se rend pas compte de sa force.

— Tu crois ? Quelquefois je me sens complètement anéantie.

— Ne te décourage pas ! Tu as déjà fait un tel parcours. Tu es passée par tellement d'épreuves et pourtant tu es toujours là. À faire ton maximum.

À ces mots les yeux de Lydia s'emplirent de larmes.

—Dis-moi vraiment, Lydia : comment tu te sens ? C'est difficile de savoir, tu sais.

Elle haussa les épaules.

—Ça dépend des jours, c'est ça ?

—Oui.

—J'espère qu'aujourd'hui sera un bon jour. Car il y a quelqu'un que tu vas être contente de voir.

Il avait apporté un paquet enveloppé de papier brun.

—Qu'est-ce qu'il y a à l'intérieur ? demanda Lydia.

Sans répondre, il montra ses papiers d'identité au garde qui surveillait l'entrée. Une voiture blindée bourrée de policiers malais armés de mitrailleuses les dépassa dans des émanations brûlantes de carburant.

Adil vit l'expression de Lydia.

—Quelques femmes ont été ramassées pour faits de... Disons pour cohabitation avec les terroristes bien qu'en fait elles ne vivent pas avec eux. Mais la police se sert d'elles pour piéger les rebelles. Regarde ce camion. Il est plein de femmes et d'ennemis qui se sont livrés.

—Livrés pour quelle raison ?

—La vie dans la jungle est trop éprouvante. Alors qu'ici ils disposent d'un toit, de nourriture et de soins médicaux.

—Un jour, je suis allée dans un de ces camps avec Jack, remarqua Lydia en examinant les huttes. Celui-ci a l'air mieux tenu.

— Au départ, on parlait d'aménagement temporaire. Avec le temps, les conditions se sont amélio-
rées. C'est plus propre et ils ont un point de
distribution d'eau.

Lydia regarda le camion tourner. Ses flancs
étaient recouverts d'une grosse toile.

— Tu as remarqué les fentes dans la bâche?

— Oui.

Deux femmes policiers passaient, vêtues d'un
uniforme kaki agrémenté d'un insigne argenté.

— Les hommes et les femmes qui se trouvent
dans le camion vont désigner ceux qui collaborent
avec les rebelles.

Des gens formant une longue queue piétinaient,
en attendant l'inspection. Ils semblaient calmes
même si un ou deux suivaient Lydia des yeux d'un
air maussade.

— Certains semblent mécontents, commenta
Lydia.

— Malgré l'accession à l'indépendance, des
rebelles chinois se trouvent encore dans la jungle,
expliqua Adil. Désormais ces camps sont dirigés
par des Malais. Il y a du progrès. Les habitants
parviennent même à devenir propriétaires d'un
lopin de terre.

L'averse de la nuit avait laissé la place à une
chaleur infernale. Des bandes de chats efflan-
qués rôdaient dans les ruelles. Les remugles de
purin et de fruits pourris firent défaillir Lydia. Le
cri aigu d'un oiseau en cage l'accompagna dans
sa progression. Devant les feux surveillés par les
femmes, elle sentit des odeurs de piment et de
tamarin et, plus loin, en passant devant des petits

groupes d'hommes agglutinés les uns aux autres, elle discerna l'odeur écœurante des cigarettes chinoises.

Ils tournèrent dans une allée, enjambèrent des peaux de banane et des écorces d'ananas, se mêlèrent au courant de la foule et finalement s'arrêtèrent devant une petite clairière. Dans la poussière épaisse, deux enfants aux brillants cheveux noirs, un garçon et une fille, s'amusaient à un concours de lancer de cailloux.

La fille accueillit leur arrivée avec un cri de protestation. Le garçon tout en jambes allait l'imiter quand sa bouche s'ouvrit de surprise. Il s'immobilisa avant de se précipiter sur Lydia.

— Madame Lydia! s'exclama-t-il en pilant devant elle, soudain pris de timidité.

Elle ouvrit grands les bras:

— Maz! Comme je suis heureuse de te voir!

Elle l'enlaça avant de le contempler. L'enfant semblait en forme, les yeux rayonnants d'intelligence.

— Tu as grandi, Maznan!

La femme et l'enfant se regardèrent intensément.

— Oui, Mem.

— Où est ta mère? demanda Lydia en regardant autour d'elle.

— Mem, je suis avec ma tante, répondit l'enfant d'un air abattu. Ma mère est partie.

— Tiens, c'est pour toi, dit Adil en lui tendant le paquet.

— Vraiment? Pour moi?

Stupéfait, Maz s'empara du paquet et s'assit par terre pour l'ouvrir. Une corde à sauter apparut d'abord suivie d'un ballon bleu brillant qui roula dans la poussière.

— Je dois parler avec Mem, fit Adil.

Le garçon fit un signe de tête, passa la corde à la fille et, avec des cris de joie, commença à dribbler tout autour de la clairière.

Prenant Lydia par le bras, Adil s'éloigna de quelques pas. Des nuages recommençaient à s'amonceler. Le vent se mit à secouer un toit en tôle ondulée.

— Je voulais que tu constates par toi-même qu'il est en sécurité.

— Très bien.

— Et t'expliquer pourquoi il t'a été confié pour que tu le conduises dans le nord.

Lydia ne broncha pas.

— Maz t'a été amené par sa tante Suyin sur ordre de George Parrott. Il espérait qu'en apprenant la disparition de son fils, sa mère sortirait de sa cachette.

Choquée par cette révélation, Lydia se mit à cligner des yeux en continu.

— Laisse-moi t'expliquer...

Elle l'interrompit :

— Bien sûr que tu savais que j'étais avec Suyin quand tu pompais l'essence de la voiture. Je n'y avais pas pensé.

Des éclats de voix retentirent dans la hutte. Quand une femme en sortit, Adil s'avança, prêt à intervenir, mais, de son poing, elle lança le ballon, qui s'en alla rebondir dans la clairière. Adil s'élança après le ballon, mais Maz fut plus rapide et fit une passe à la fille, qui s'éloigna en dribblant dans l'allée. Tout dépité, Maz se retrouva avec la corde à sauter.

—Regarde, c'est facile, fit Lydia. Tu vas vite attraper le coup.

Elle lui montra comment s'en servir et retourna auprès d'Adil.

—Si j'ai bien compris, George m'a utilisée pour faire sortir la mère de Maz de la jungle. C'est ça ?

—Sa mère, qui savait beaucoup de choses, était devenue proche d'un des chefs terroristes. George Parrott voulait éviter qu'elle ne parle trop.

—Tu veux dire, qu'elle arrête de divulguer des informations ?

—Oui. Elle a travaillé dans le service d'Alec pendant six mois, mais elle a quitté son emploi quand elle est tombée enceinte.

—Pourquoi a-t-elle rejoint les rebelles ?

—Son beau-frère était communiste et vivait dans la jungle. Il a été tué au cours d'une attaque de transport routier qui a mal tourné. Son corps a été ramené en ville pour servir d'exemple. En voyant son cadavre criblé de balles et gisant dans la boue, la mère de Maznan a juré de le venger. Maz a tout vu lui aussi. L'homme était son oncle.

—Pauvre enfant ! Il m'a confié un jour qu'il aimait son oncle, mais qu'il était parti. Sans jamais dire comment.

—Elle a demandé à sa sœur de s'occuper de Maz. Mais avec déjà trois enfants à charge, un enfant à naître et un mari mort, la sœur a finalement changé d'avis.

—Une autre bouche à nourrir.

—Exactement. Alors la mère de Maznan a fait dire à sa sœur d'aller demander de l'argent au père de l'enfant.

—Pourquoi ne pas y avoir été elle-même?

—À partir du moment où elle vivait dans la clandestinité, elle ne pouvait pas prendre le risque d'être vue.

Adil se tut, les sourcils froncés. Il fixa le sol pendant quelques minutes.

Pendant ce temps, Lydia observait les efforts de Maz pour maîtriser le saut à la corde. De toute évidence, c'était la première fois qu'il y jouait. La corde s'emmêlait, s'entortillait, mais il n'abandonnait pas. L'enfant était de bonne composition malgré tout ce qu'il avait vécu et rien ne semblait modifier sa nature.

—J'étais contre l'idée que tu te charges de Maz. Je me suis querellé avec George. Je trouvais que c'était dangereux et que ça pouvait même échouer.

—Et George t'a payé pour s'assurer que je m'arrête chez Jack.

—C'était la seule partie du plan qui me paraissait sensée. En compagnie de Jack tu étais plus en sécurité pour la suite de ton voyage. La mère de Maz se serait rendue dans la plantation, ce qui aurait été moins dangereux pour toi que sur la route. Nous étions persuadés que Jack t'escorterait à Ipoh. Bert, le policier, était au courant et devait surveiller la mère de Maz.

Tout à coup, Adil se tut et prit le bras de Lydia:

—Écoute, je m'excuse de t'avoir menti.

Avec tout le regret du monde dans son regard, il paraissait sincère. Mais elle haussa les épaules.

431

Chaque fois qu'elle croyait arriver au bout de l'histoire, un autre chapitre se rajoutait.

— Et l'incendie ?

— L'incendie a tout fait rater.

— Jack était au courant ?

— Pas du tout.

Lydia scruta son regard :

— Tu prétends toujours ignorer la raison qu'avait George de vouloir ajourner mon arrivée à Ipoh ?

— Oui.

— Aucun rapport avec l'incendie ?

Adil fit non de la tête.

— Alors qui a enlevé Maz de chez Jack ? Sa mère ?

— Avec l'aide des rebelles et de Lili.

— Mais je croyais que Maz et sa mère devaient se retrouver ensemble en détention.

— C'est ce qui devait se passer. Mais les meilleurs plans…

— Regardez ! s'exclama Maz. J'y arrive !

Sous les yeux de Lydia et d'Adil, le garçon se lança dans une exhibition de saut.

— Que tu es malin ! s'écria Lydia en se précipitant vers lui.

Mais l'évocation de Fleur en train d'exécuter des figures tout en chantant lui coupa son élan.

Ils emmenèrent Maz et sa cousine manger des gâteaux. Lydia ne put s'empêcher de rire à la vue de sa bouche maculée de confiture. Elle alla en acheter deux de plus. Quand elle revint de l'échoppe, Adil lui fit remarquer le ciel qui s'assombrissait et qu'un petit éclair rouge en son centre rendait même menaçant.

— Un vrai orage se prépare. Nous ferions mieux de rentrer.

Lydia se pencha pour embrasser Maznan :

— Je reviendrai te voir. Promis.

En s'éloignant, Lydia agita la main et Maz la sienne jusqu'à ce qu'ils soient hors de vue.

— Pourquoi faire une promesse que tu sais ne pas pouvoir tenir ? demanda Adil.

Tout d'un coup, un rideau de pluie dégringola, aspergeant de boue les jambes nues de Lydia qui courut vers la voiture, trop embarrassée pour s'expliquer.

En route, s'ils s'étaient parlé cela aurait été peine perdue tant le martèlement des gouttes était fort, étouffant jusqu'aux grondements du tonnerre. Lydia avait été heureuse de revoir Maz. Pourtant, les révélations d'Adil avaient assombri sa joie. Il se concentrait sur la conduite car partout où la route était noyée sous la boue rouge, la voiture dérapait. On ne voyait rien à travers la pluie battante. D'ailleurs ils ne rencontrèrent aucun véhicule. Lydia arrangea ses mèches derrière ses oreilles avant de croiser les mains sur ses genoux. Le vent faisait ployer à l'horizontale les immenses arbres tualang. Quand ils atteignirent les abords de la ville, des bourrasques arrachaient les toits en palmes de cocotier et soulevaient les abris en tôle comme des jouets. Aucune lumière ne troublait l'obscurité.

L'orage fut bref mais intense. Un ciel bizarrement teinté de brun orangé remplaçait l'habituel coucher de soleil rougeoyant. Face à tant de violence, Lydia retrouva graduellement son sang-froid. En arrivant chez Adil, elle était calme. George s'était servi d'elle : c'était aussi simple que cela. Et, sans doute à contrecœur, Adil avait joué un rôle dans cette histoire. Une interrogation demeurait : lui avait-il dit toute la vérité ?

Dans l'appartement, Adil prit un exemplaire du *Straits Times* qu'il se mit à feuilleter. Il hésita puis plia le journal avant de montrer la page à Lydia.

— Il va y avoir un service à la mémoire de ceux qui ont disparu ou sont morts au cours de l'état d'urgence.

Il se tut un instant dans l'attente de sa réaction, reprit :

— Tu veux y aller ? Ça t'aiderait si je t'accompagne ?

Lydia lui rendit le journal en secouant la tête. Elle refusait toute manifestation de compassion ou de sympathie, qu'elle soit sincère ou pas.

Par la fenêtre, elle remarqua que les maisons disparates et les échoppes changeaient de couleur dans la lumière orange et que la demeure chinoise d'en face resplendissait. Maintenant que la pluie avait cessé, un bourdonnement s'élevait de la rue.

Adil préparait du café.

— Parle-moi de George, dit Lydia.

— Les archives des journaux et de l'administration ont été presque toutes détruites par les Japonais, mais j'ai mis la main sur de vieux articles. Avant la guerre, on a parlé de scandale. Des rumeurs, sans rien de précis.

— Tu ne lui faisais pas confiance ?

— Disons que j'avais des raisons de me montrer méfiant.

— Et pourtant tu travaillais pour lui ?

— Ce n'est pas si simple. Mes sentiments envers lui étaient contradictoires. Les Parrott ont réussi à quitter la Malaisie juste avant l'invasion japonaise. Ils sont allés en Australie en emmenant Cicely. Tout ce qui aurait pu incriminer George a disparu dans le chaos de l'après-guerre.

— Mais tu as continué à enquêter ?

— Exactement.

Il y eut une pause empreinte de lassitude.

— Écoute, on a assez parlé de tout ça, dit Adil. Je n'aime pas te voir triste.

— Triste ? Non. Pas triste. Je me sens seule parfois sans les enfants.

— Je comprends. Nous avons sans doute besoin de distraction. Sortons ! Allons voir un film, par exemple.

Une fois encore le passé se rappela à son souvenir. Avec Alec, ils sortaient avec leurs filles. Comme ce serait bien de recommencer. Elle pourrait une fois encore veiller sur elles.

— Si on allait au cirque chinois ? suggéra-t-elle.

— Si tu en as envie.

Lydia était heureuse de s'y rendre avec Adil. Il n'y aurait pas de pénibles réminiscences. Comme un serpent qui se dresse au son de la flûte du charmeur, elle se sentait attirée vers lui. Qu'il lui parle ou qu'il soit silencieux. Rien à voir avec la passion physique qu'elle avait eue pour Jack. Ou avec l'impression de sécurité qu'elle avait connue pendant un moment aux côtés d'Alec. D'ailleurs, pour définir ce qu'elle ressentait aujourd'hui, Lydia n'avait pas de mots.

— Je suis heureuse de t'avoir connu dans cette embuscade, avoua Lydia.

— C'est le genre de circonstance que tu conseillerais ? demanda Adil en fronçant les sourcils.

— Non. Mais j'ai fait la connaissance d'Alec et de Jack à des fêtes. Et regarde ce qui s'est passé.

Adil était différent, exotique, intense comme la Malaisie. Elle caressa ses épaules, sentit ses muscles se contracter au contact de sa main et respira l'odeur de pluie de ses cheveux. Alors qu'il l'enlaçait en souriant, Lydia se dit que chaque fois qu'elle était dans ses bras, c'était comme si une porte s'ouvrait plus largement.

— Tu n'es pas fâchée ?

— Plus du tout.

Qui se soucie aujourd'hui du milieu social ou de la couleur de peau ? se dit-elle. Elle revit la femme qu'elle avait été. Celle qui s'intéressait aux bals costumés, aux cocktails du club de tennis, aux parties de bridge et aux fêtes bien alcoolisées. Malgré tous ses doutes, ce qui comptait désormais c'était de se trouver en compagnie d'Adil à contempler la pleine lune jouer avec les nuages.

45

Une odeur de brûlé s'infiltre par ma fenêtre ouverte. J'ai perdu le fil de l'histoire de notre arrivée en Angleterre et c'est sur Billy et moi que j'écris en ce moment. Comme je veux que ma prose reflète une certaine réalité, je dois expérimenter les choses par moi-même. Pourtant mes mots sont plats et je suis distraite par le feu qui se consume dehors.

Je porte un short plein de trous et une vieille chemise. Mes cheveux sont emmêlés. Ma coupe n'a plus de forme et mes mèches rousses ont viré à l'orange flamboyant. Papa insiste pour que j'aille chez le coiffeur, mais je veux ressembler à Bertha Mason, un des personnages de *Jane Eyre* qui est le livre que je préfère au monde. Je suis différente des autres filles. Elles, par contre, avec leurs coiffures nettes et leurs fringues encore plus impeccables, elles sont toutes pareilles. En dégringolant l'escalier, je me dis que c'est probablement la Malaisie qui m'a donné cette touche particulière.

Dehors, des volutes de fumée s'élèvent du feu. Je suis trop loin pour voir qui l'attise avec un long bâton. Quand je m'approche assez près pour que la fumée m'irrite les yeux, Billy lève le nez. Il a entendu mes pas. On se regarde dans les yeux tout en écoutant la conversation des voisins de l'autre côté de la haie. Il est le premier à rompre ce silence bizarre.

— Je croyais qu'il n'y avait personne. Ça fait longtemps que je t'ai pas vue, Emma.

— Tu travaillais avec ton père.

— Ça a duré seulement une semaine, Em.

Je regarde mes pieds :

— Tout le monde est parti. Je n'avais pas envie de sortir.

Il s'approche de moi.

— Je suis venu l'autre jour. J'ai vu ton père. Fleur m'a dit qu'elle te le dirait. Mais tu t'es pas manifestée.

Je fixe l'amas de brindilles et de feuilles en train de se consumer. Papa nous annonce depuis des semaines qu'il va s'en occuper.

— J'ai fait quelque chose de mal ? grogne Billy.

— Mais non, pas du tout… Comment vas-tu ?

Il soupire sans répondre.

— Tu fais quoi, Billy ?

— Tu vois pas ? Je fais brûler des feuilles mortes. Mais t'en fais pas ! J'ai pas déboulé ici avec l'intention de foutre le feu. Si c'est ça qui t'inquiète…

— Mais non.

Il attise les braises et ajoute :

438

—Ton père me paie pour des travaux dans le jardin. Faut que tout soit impec pendant les deux prochains mois. Parce qu'il veut vendre la maison rapidement.

J'en reste bouche bée.

—Il t'a pas dit?

Je secoue la tête. Il y a les craquements du feu, le bourdonnement des insectes, le souffle léger de la brise. Toutes les senteurs et les bruits du début de l'automne sont déjà présents. Et voilà que papa, alors que la nouvelle année scolaire va commencer, a prévu de vendre la maison.

—Tu me fais un café?

Impossible de refuser. Avant, quand on fabriquait des karts avec des vieilles caisses, on avait toujours des trucs à se dire, mais maintenant qu'on n'est plus seulement des copains, je suis bouche cousue. Il n'est pas naturel avec moi et c'est ma faute.

—D'accord.

Pendant que je le prépare, Billy tourne comme un lion en cage dans la petite cuisine. Il sort un sac de chips de sa poche arrière et m'en offre.

—Allons plutôt dans ma chambre.

Je place sur un plateau deux mugs de café et deux biscuits fourrés et commence à monter l'escalier. À mi-parcours, j'hésite. Et si Billy prenait ça pour un signe d'encouragement?

Nous entrons dans ma chambre et, avec nous, l'odeur de fumée de ses vêtements. On s'assied sur le lit assez loin l'un de l'autre et on commence à parler de rien de spécial, comme quand on a quelque chose d'important à dire mais qu'on ne

439

sait pas par quel bout commencer. Billy fait du bruit en mâchonnant ses chips.

Finalement, il pose son mug et se rapproche.

— Ça te dit de venir chez le disquaire avec moi ? Il y a un nouveau disque. On pourrait l'écouter ensemble dans la cabine. Chacun avec des écouteurs.

Avant que je réponde, il repousse ses cheveux blonds et m'embrasse.

Ses lèvres sont salées. Quand je me dégage, il serre les dents.

— Qu'est-ce que tu as ? Tu aimais bien ça avant. Tu fais ta vieux jeu ou quoi ?

— Billy, je ne peux pas.

Je ne trouve rien d'autre à dire. En regardant d'un air gêné tout autour de la pièce et par terre, que vois-je ? Mon carnet, qui a glissé sous mon bureau. Billy le repère en même temps. Il doit voir que je suis inquiète car il le ramasse. Je tente de le lui arracher des mains mais trop tard, ses yeux sont rivés sur un passage. Tenant le carnet hors de ma portée, il lit tout haut avec un genre de rictus :

Pour bien écrire j'ai besoin de vivre des expériences : l'essor de mon imagination m'emmène trop loin. Et quand il s'agit de rapports sexuels, rien ne vaut la réalité. Après mon premier essai, j'ai des doutes et je suis perturbée, mais je commence à percevoir le bénéfice de l'expérience que Billy m'a offerte. L'opportunité parfaite de donner à mes personnages de la profondeur.

Tête baissée, je me mords l'intérieur des joues.

— Eh ben! Et tu ne dis rien! Bordel, tu manques pas d'air, Emma, s'écrie Billy d'une voix étranglée.

Il se lève brusquement. Quant à moi, j'aimerais bien dissimuler mes joues écarlates, mais je m'oblige à le regarder en face.

— Excuse-moi.

— Ça représente que ça pour toi? crache-t-il. L'opportunité de donner de la profondeur à tes personnages?

Je marmonne sans beaucoup de conviction:

— Non, j'y ai pris du plaisir.

L'air affreusement blessé, il se rassied au bout du lit. Mes motivations sont déjà tellement compliquées que moi-même je ne les comprends pas toujours. Alors comment je pourrais les lui expliquer? Parfois on souhaite très fort qu'un événement se produise mais quand il arrive, on découvre que pour finir on ne le voulait pas. Mais cela, ce n'est pas dans la mentalité des garçons. La plupart défendent le maillot de leur club de foot et assistent aux matchs avec leur père. Billy fait pareil tout en étant différent – ou, du moins, c'est ce que je pensais.

— Billy…

J'essaye de me défendre bien que la manière méfiante dont il me regarde me cloue presque le bec.

— … Je veux être écrivain, par conséquent chacune de mes actions est à deux niveaux.

Il me dévisage fixement. Visiblement, il souffre.

— Ça ne marche pas comme ça, Em.

— Explique-toi.

—Ta vie, il faut que tu la vives en tant que vie. Ensuite, tu écriras dessus. Tu ne peux pas vivre dans le seul but d'écrire. Impossible.

—Je ne peux pas faire les deux?

—Tu t'es servi de moi et tu m'as fait croire que tu m'aimais.

—Mais je t'aimais... Je t'aime.

Il renifle tout en affichant un air drôlement distant, comme s'il venait de prendre une décision:

—Tu ne peux pas traiter les gens de cette façon. C'est malhonnête.

Il se redresse et va à la fenêtre.

—Faut surveiller le feu. Je connais le chemin.

Son expression est si ouvertement hostile que je ne peux retenir mes larmes.

—Pleurer ne sert à rien, Em. Je ne t'ai jamais prise pour une salope calculatrice. Dis à ton père de se trouver un autre jardinier.

Après son départ, je vais à la fenêtre. Je le vois recouvrir les braises de cendres et quitter le jardin en même temps qu'il quitte ma vie, la tête haute.

Ensuite je me regarde dans une glace: yeux turquoise bordés de rouge et teint brouillé. Plus Bertha Mason que jamais et rien d'une beauté renversante. Billy était le seul ami que j'avais quand je rentrais de pension et je l'ai perdu par ma faute. J'ai honte. Comment vais-je me comporter à partir de maintenant? Je me déteste et je perds pied. C'est comme si, trempant un orteil dans un brouet d'adulte, je remuais des sentiments qui me dépassent. Et ce que j'ai écrit ne correspond pas à la réalité. J'ai bien aimé faire des trucs avec Billy.

Seulement, je ne suis pas prête à aller plus loin et je suis trop bête pour le lui avouer.

Il faut que je fasse quelque chose pour me remonter le moral, pour me reprendre en main. Confectionner une gelée aux fruits ou un blanc-manger pour Fleur, nettoyer la cuisine pour papa. Ce n'est pas énorme comme effort et je ne deviendrai pas une personne bien pour autant, mais l'action devrait m'aider à me sentir mieux. Chaque fois que je pense à Billy, j'essuie mes larmes. L'avoir blessé m'est insupportable. Et surtout je me demande combien ça prendra de temps pour vendre la maison et si ce délai me permettra de faire la paix avec lui.

46

Le service à la mémoire des disparus devait se tenir dans le parc. Lydia, surexcitée, tambourinait sur le rebord de la fenêtre. Qui donc avait déclaré que survivre en Malaisie était comme essayer de survivre dans un marécage ? Si vous vous débattiez, vous étiez aspiré au fond, si vous vous accrochiez, vous mouriez de chaleur et de déshydratation. Était-ce Alec ? Ou Jack ? Elle ferma les yeux. L'enfer vert sombre de la Malaisie continuait à la terrifier mais sa beauté lui collait à la peau : ses fakirs, ses charmeurs de serpents, ses villages cachés, sa brume qui planait au-dessus de la jungle.

Laissant son café refroidir, elle regarda par la fenêtre les détritus et la poussière soulevés par le vent. Il y avait eu un temps où elle avait eu besoin d'Alec, puis de Jack. Des époques révolues. Elle avait changé. Lydia consulta sa montre. C'était l'heure de partir. Elle décida d'y aller seule. Quand ce serait terminé, il faudrait qu'elle se trouve un nouveau job et un appartement bien à elle. Fini Singapour ! Place à Malacca ! Sans pour autant s'éloigner d'Adil, il lui était impossible de s'incruster chez lui.

Dans le parc, Lydia se tint écartée des groupes de trois ou quatre femmes vêtues de couleurs pâles qui s'éventaient avec des chapeaux à large bord et bavardaient à voix basse en se dissimulant derrière leurs mains. Les hommes s'étaient déjà agglutinés autour de Ralph qui se pavanait dans un costume en lin empesé. Il les pria de faire silence.

Administrateur principal de la nouvelle Malaisie, il se lança dans un discours passionné évoquant les vies sacrifiées dans la lutte contre un terrorisme aveugle pendant l'état d'urgence. Ce disant, il jeta un coup d'œil dans la direction de Lydia mais elle évita son regard. Elle aurait préféré ne pas être là, mais elle le devait à Emma et à Fleur. C'était le dernier maillon d'une chaîne qui avait commencé le soir de l'incendie de la Maison coloniale allumé par les rebelles. Après les discours, elle salua d'un discret signe de tête les gens qu'elle connaissait et s'éloigna rapidement pour ne pas voir leurs mines compatissantes ou entendre leurs platitudes qui provoquaient sa colère. Elle évita Cicely et ne serra que la main de Ralph. Elle n'avait que faire des condoléances.

Soulagée que la cérémonie se soit déroulée sans incidents, elle se dirigeait vers la sortie lorsque Cicely l'aborda de front. Lydia comprit qu'elle ne lui échapperait pas.

— Je sais que tu n'as pas envie de me parler, même une seconde, mais il y a quelqu'un que tu dois rencontrer. Pas de discussion, ma chérie.

Lydia soupira :

— Miséricorde ! Tu n'abandonnes donc jamais !

Sans tenir compte de cette remarque, Cicely lui prit le coude et la mena d'autorité vers une grande blonde qui se tenait à l'écart en fumant une cigarette. Cicely s'acquitta rapidement des présentations : Clara était américaine. Elle et sa jumelle avaient vécu en Malaisie depuis la guerre. Venues enquêter sur la disparition du mari de la sœur, elles avaient choisi de rester et avaient travaillé pour le gouvernement britannique. Malheureusement sa jumelle avait péri dans l'incendie de la Maison coloniale. Après en avoir terminé, Cicely s'éclipsa.

— Vous demeurez ici ? s'enquit Clara avec un accent de la côte Ouest prononcé.

— En ce moment, oui. Auparavant j'étais à Singapour.

— Cigarette ?

— Non, merci. Je ne veux pas vous sembler impolie mais...

Clara leva la main pour l'interrompre :

— J'arrive à l'essentiel. Vous possédez des photos de vos filles ?

— Oui, mais je ne vois pas...

— Je vous en prie. Ça ne prendra qu'une minute.

Lydia retira son médaillon et lui tendit les portraits de ses filles.

Clara les examina attentivement :

— Vous dites que vos filles étaient là au moment de l'incendie.

— Oui, quoique je n'en aie pas la preuve officielle puisque les archives ont été détruites.

Clara détailla une nouvelle fois les photos en silence. Avant de déclarer :

— J'étais présente cette nuit-là.

— Alors vous avez dû les voir !

Une longue pause se fit.

C'était donc pour ça que Cicely les avait présentées ? Pour qu'elle puisse parler à un témoin qui la rapprocherait de ses filles, qui la ferait participer à leurs derniers jours.

Lydia retrouva sa voix :

— Comment allaient-elles ? Elles semblaient heureuses ?

Clara hésita :

— Voilà le problème. Je ne les reconnais pas. Je…

Elle s'interrompit brusquement.

Lydia fronça les sourcils. Autour d'elle, les bruits du parc augmentaient, les insectes s'agitaient, le trafic s'amplifiait, les gens bourdonnaient. Comme elle aurait aimé être ailleurs !

Elle tendit la main pour récupérer son médaillon :

— Désolée, mais je ne peux pas continuer. Je dois m'en aller.

Clara jeta un dernier regard sur les photos, secoua la tête et lui rendit le médaillon.

— Il y avait bien une famille avec deux filles qui vivait dans la Maison coloniale, mais elle a déménagé une semaine avant le drame. Cela dit, il y avait deux autres enfants.

Lydia s'arrêta net :

— Des filles ?

— Non, deux garçons.

Nouveau silence. Lydia mit sa main sur son cœur :

— Vous êtes sûre que les deux filles étaient déjà parties ?

— Certaine à cent pour cent. Ma sœur vivait là-bas depuis trois mois. Ensuite, quand les bureaux d'Ipoh ont été menacés, pas mal de gens se sont installés dans la Maison coloniale. Une chance qu'il y ait eu beaucoup de places libres. Ce soir-là, il y a eu un genre de fête. Assez échevelée, je dois dire.

C'était fou ! Le sol se dérobait sous les pieds de Lydia.

— Donc pas d'autres filles ?

— Non.

— Parlez-moi de la famille avec les filles.

— Il y avait un homme... deux filles.

Elle laissa passer un moment afin de se concentrer.

Lydia, plus nerveuse que jamais, croisa les bras et sentit une boule se former dans sa gorge.

Les yeux de l'Américaine étincelèrent :

— Je me souviens. La femme était sur le point d'accoucher. Ils sont partis pour que son bébé naisse dans leur maison. Tout comme ma sœur, ils étaient là depuis deux ou trois mois. Ah oui ! Ça me revient ! L'homme était aussi gros que sa femme. J'ai pensé qu'elle n'était pas la seule à manger pour deux.

Lydia songea à Alec, mince comme un fil :

— Il n'y avait donc pas d'autres filles ?

— Je suis partie après minuit. En signant le livre d'or, j'ai remarqué que les derniers arrivants s'étaient présentés à six heures. Un couple d'âge moyen sans enfants. Quand j'ai quitté la Maison, la

448

fête était finie. Beaucoup de résidents avaient trop bu et dormaient sur des lits de camp dans la salle de jeux. Le portier a fermé à clé derrière moi.

Elle se tut.

— Je vous en prie, continuez.

— Les terroristes ont entouré le bâtiment avec des allume-feu et bloqué les sorties. Avec autant de bois, le feu a pris à toute vitesse. C'est la dernière fois que j'ai vu ma sœur.

Elle soupira sans baisser les yeux.

Lydia lui toucha le bras en un geste de consolation.

— Si je comprends bien, mes filles n'auraient été présentes qu'à condition d'être arrivées au milieu de la nuit.

— Personne n'est arrivé de nuit. Le couvre-feu était sévère et la situation bien trop risquée. Moi, si j'ai pu partir, c'est parce qu'une voiture de police m'a emmenée. Apparemment l'incendie a débuté vers une heure ou deux du matin.

— Si mes filles avaient été là, elles seraient arrivées deux semaines plus tôt, expliqua Lydia en se souvenant de ce que George lui avait raconté.

Et c'était avant qu'elle-même quitte Malacca.

— Dans ce cas, vous les auriez obligatoirement vues, ajouta-t-elle.

— J'ai rendu visite à ma sœur tous les jours pendant trois mois. À part celles de la famille qui a déménagé, il n'y a pas eu d'autres petites filles pendant cette période. Et certainement pas les vôtres. Les résidents et leurs allées et venues étaient au cœur de nos conversations, vous savez.

— Dans ce cas...

Lydia fut incapable de finir sa phrase. Ses jambes cédèrent et Clara l'empêcha de tomber en la saisissant fermement par les bras avant de dire avec fermeté :

— C'est un choc pour vous mais je suis affirmative : vos filles n'étaient pas dans le secteur de l'incendie cette nuit-là.

Le souffle coupé, Lydia ferma les yeux. Au bout d'un moment, ayant repris ses esprits, elle s'écarta et embrassa Clara sur la joue. Celle-ci lui sourit. Finalement Lydia fut capable d'articuler quelques mots :

— Merci mille fois. Je vous suis infiniment reconnaissante.

L'esprit en ébullition, elle reprit le chemin de Malacca.

En ville, des bébés criaient, des vendeurs vantaient leurs produits, des femmes cancanaient en marchant bras dessus, bras dessous. Pourtant, aucun bruit du monde extérieur ne semblait lui parvenir : ni les clochettes des rickshaws, ni les piaillements des gosses jouant dans les caniveaux, ni la musique s'échappant des fenêtres. Le sang battait dans ses oreilles alors qu'elle avançait bras tendus contre le flot des piétons, prête à accueillir ses filles, prête à sentir leurs cœurs battre contre le sien. Leurs cœurs vigoureux! Leurs corps si doux, si vivants! Leurs voix surgirent puis s'évanouirent. Elle vit Emma assise à son petit bureau de Malacca, noircissant son journal, avec son habituel sourire rayonnant. Emma et son sens pratique dont elle avait fait preuve le jour où Fleur était tombée dans un fossé. Chère et tendre Fleur!

Avec ses souvenirs venaient les larmes qu'elle devait essuyer. Et dire qu'elles avaient été vivantes tout ce temps! Lydia s'était tellement habituée à l'idée qu'elles étaient mortes qu'il lui était impossible de penser qu'elles ne l'étaient pas, qu'elles *pouvaient* ne pas l'être. Ses filles occupaient toujours une place dans son cœur, une place bien trop douloureuse. Songer que chaque jour écoulé les éloignait d'elle était devenu un tel réflexe qu'elle avait du mal à appréhender ce retournement : désormais, chaque jour, elles se rapprocheraient d'elle! Elle se pinça au sang. Non, elle ne rêvait pas. Elle était éveillée et trempée par la pluie tombant à grosses gouttes.

Quand le vent se leva, elle songea à Emma qui, à trois ans, par un jour de tempête lui avait demandé haut et fort : « Maman, le vent vient d'où ? » Elle lui avait répondu qu'il soufflait de la gueule d'un géant. Emma avait penché la tête sur le côté, plissé les yeux : « Maman, ne sois pas bête ! Les géants n'existent pas ! »

Quand Lydia prit conscience de la réalité, elle voulut crier là dans la rue. Laisser libre cours à une explosion de joie qui faisait bouillir son sang et jaillir ses larmes. À la fois hallucinée et extatique, transportée dans un lieu où plus rien n'était comme avant, où la vie avait changé plus qu'elle ne l'aurait imaginé. Un endroit où vos enfants mouraient puis ressuscitaient. Il n'y avait qu'au début qu'elle aurait pu croire une chose pareille. Quand elle se réveillait après avoir rêvé et cru pendant un moment déchirant qu'elles vivaient encore. Quand l'odeur imaginée de l'incendie avait engendré une forme de folie. Maintenant que c'était arrivé, que ç'avait vraiment eu lieu, elle aspirait à voir Adil. Pour entendre de sa bouche qu'elle était entrée dans le réel.

Elle attendit que la nuit tombe sur la ville, que les lanternes s'allument pour pénétrer chez lui. D'une main tremblante, elle se prépara du café. Si ses filles vivaient, comme Clara en était certaine, où se trouvaient-elles ? Qu'est-ce qu'Alec avait fabriqué tout ce temps ? Rien n'avait de sens. Pourquoi prendre leurs filles et disparaître ? Ce n'était pas à cause de Jack ! Elle lui avait promis que c'était fini ! Mieux, elle s'était assuré qu'Alec l'avait compris. Pourvu que la douleur cesse, pria-t-elle. En sachant que cela arriverait. Mais il y avait un voile sur sa joie. Et si Clara s'était trompée ? Ou, même si l'Américaine disait vrai, qu'adviendrait-il si elle ne retrouvait jamais Emma et Fleur ?

Elle reposa sa tasse, incapable de boire une seule gorgée. Alec était-il quelque part en Malaisie ? Caché dans un coin de cette jungle hostile ?

L'immeuble d'Adil, craquant et grinçant, semblait dans le même état d'agitation qu'elle. Ouvrant une fenêtre, elle s'occupa l'esprit à regarder une vieille femme traîner des pieds sur le trottoir opposé. Puis les murs du salon se rétrécirent, sa peau la démangea, son crâne éclata presque. Assise à même le sol, les genoux contre la poitrine, elle suivit la marche de trois nuages roses. Elle songea aux oiseaux multicolores de Malaisie, aux poissons argentés, aux insectes chatoyants. Ses filles étaient-elles dans les parages ? Quelque part en Malaisie ? Un «Z» doré stria le ciel. Elle prit ça comme un signe de bon augure. Elles étaient en vie. C'était sûr et certain. Elle se releva. Se regarda dans la glace. Vit la peur et l'excitation. Posant sa main à plat sur son cœur, elle prit plusieurs profondes inspirations.

Adil saurait quoi faire. Elle l'attendit patiemment.

Près d'une heure plus tard, elle tourna la tête vers la porte en entendant le bruit de la serrure. Il vint s'asseoir à côté d'elle. Prenant sa main, il la laissa pleurer tout son soûl. Quand elle tenta de parler, les sanglots l'en empêchèrent. Pourtant, quand elle eut terminé de tout lui raconter, quand elle le regarda dans les yeux, elle y vit son reflet.

—Voilà de très bonnes nouvelles.

—Oui, des nouvelles merveilleuses.

Elle renifla une ou deux fois en souriant. Puis malgré une soif terrible et ses yeux irrités par les pleurs, un fou rire remplaça ses larmes.

Adil la serra très fort contre lui :

—Je ferai tout ce qui est en mon pouvoir pour les retrouver.

—Que ferais-je sans toi ?

—Tu trouverais un autre moyen, mais ça sera inutile. On va réussir. Je te le promets.

Penchant la tête, il l'embrassa sur les lèvres pour la première fois.

Quand il l'enlaça plus étroitement, la solitude qui la hantait depuis si longtemps disparut. Remplacée par la délicieuse sensation d'être deux. Le cœur battant, elle se rendit compte qu'elle était enfin en sécurité. Un sentiment qu'elle n'avait plus connu depuis la nuit fatale où elle avait cru perdre ses filles.

47

Malgré son manque de sommeil, Lydia se réveilla pleine d'espoir. Mais quand Adil commença à se demander à voix haute si les filles se trouvaient encore en Malaisie, elle fut prise de doute. Lui était certain qu'ils auraient entendu au moins une vague rumeur. Elle, en revanche, n'en était pas sûre. Elle contempla les cargos qu'on chargeait de marchandises venues de gigantesques entrepôts : caoutchouc, bois, soie. Et, plus loin en mer, les immenses paquebots glissaient comme de grandes baleines blanches. Ses filles avaient-elles navigué sur l'un d'entre eux ? En se rendant à l'agence maritime située sur un quai particulièrement encombré, elle imagina leurs vies à bord. Les fêtes, l'ivresse des nuits où les lumières se reflètent sur l'eau, l'odeur des embruns qui vous suit alors que la proue du navire fend l'océan.

À l'agence, il n'y avait pas trace d'Alec embarquant avec deux petites filles. Sur aucun bateau pour l'Australie, Bornéo, l'Angleterre ou ailleurs. Lydia se sentait glacée. En revenant à pied le long du quai, elle retint ses larmes. Même le spectacle des barques surbaissées de Sumatra ballottant sur l'écume blanche des vagues ne réussit pas à la dérider.

Elle s'arrêta au bureau du *Straits Times* où un journaliste l'attendait pour l'interviewer. L'article paraîtrait dans la rubrique féminine. Les sonneries des téléphones, les cliquetis des machines à écrire, une radio poussée à fond, l'étourdirent un instant. Des rédacteurs aux doigts jaunes de nicotine sifflèrent sur son passage et laissèrent leurs regards sans gêne s'attarder sur ses jambes. L'espoir revenant un peu, elle les ignora et releva la tête. C'était un plan à long terme : si Adil se trompait, si les filles étaient toujours en Malaisie, l'article pourrait réveiller la mémoire d'un témoin. Le journaliste le lui avait promis : une mère qui croit que ses filles sont mortes pour découvrir finalement qu'elles sont vivantes, voilà le genre d'histoire dont raffolent les lectrices. Surtout si cette mère ne sait pas où résident ses enfants.

Un peu plus tard, Lydia envoya un télégramme. Elle fit la queue pendant une demi-heure, ressentant son habituel picotement dans le cou et la poitrine. Quelles que soient les circonstances, avait toujours répété Alec, rien ne le contraindrait à regagner l'Angleterre. Pourtant, en s'adressant à ses parents, Lydia espérait qu'ils sauraient où il se trouvait, même s'ils n'avaient plus gardé le contact. Bien que le père d'Alec ait toujours refusé d'avoir le téléphone chez lui, elle avait vérifié auprès des renseignements internationaux. En vain. Il ne lui était donc resté que le télégramme, bien plus rapide qu'une lettre. Elle songea d'abord à l'adresser aux parents d'Alec, puis se fiant à son intuition, préféra l'envoyer à Emma, dans leur maison. Quel bonheur si Emma le lisait!

C'était Adil qui avait suggéré de monter en voiture au Réservoir pour assister au coucher du soleil et admirer le moment où la mer prenait la couleur du saphir. Il venait de raccrocher avec les services de police en Angleterre et en Australie. La soirée était humide et, tandis qu'elle marchait vers la voiture, Lydia ne cessait de s'essuyer le front.

— Qu'est-ce qu'ils t'ont dit?

— Sans la preuve qu'Alec se trouvait dans le pays, comment savoir s'il avait disparu?

— Et au sujet d'une enquête policière?

— Seulement si le crime a été commis dans leur pays. La police anglaise m'a au moins suggéré d'écrire au fisc, au service des retraites et à la sécurité sociale.

— Je m'y attelle une fois rentrée pour profiter de la première levée.

— Si tu préfères, je peux faire demi-tour.

Lydia hésita:

— Maintenant ou dans quelques heures, ça ne changera rien. Continuons.

— Ça ne sera pas long. J'ai pensé que cette petite virée te ferait du bien.

— Je sais. Au fait, je pourrais me rendre directement en Angleterre. Sonner chez les parents d'Alec. Après tout, tu es persuadé qu'ils ne sont plus ici.

— Exact, mais tu m'as assuré qu'Alec ne retournerait jamais en Angleterre. Inutile de le poursuivre à l'autre bout du monde pour rien. Ça te coûtera une fortune et il peut être n'importe où. Voyons si on peut dénicher quelque chose de concret.

— Un détective privé ?

Adil fit la grimace :

— D'après ce que je sais, c'est une engeance malhonnête. Ils raflent votre fric et vous laissent en plan. Mais ça vaudrait la peine de prendre contact avec l'état civil anglais. S'il s'est remarié ils auront une copie de son livret de famille.

— Que penses-tu d'Interpol ?

— Très peu de chance. Ils s'occupent surtout de crime organisé, mais si ça peut te faire plaisir, je me mettrai en rapport avec le secrétariat général d'Interpol.

Lydia soupira. Puis prise par le rythme de la voiture qui fonçait sur la grand-route, elle commença à rédiger des lettres dans sa tête.

Elle revint dans le présent quand Adil tourna sur une petite route de montagne et se gara près du sommet. Ils empruntèrent un sentier étranglé par des fougères et humèrent l'air frais venant de la mer. Il la prit par la main pour l'aider à contourner de gros rochers. Un geste qui déclencha chez Lydia une étrange sensation, comme si le destin intervenait dans sa vie. Les Chinois appellent ça *Yuanfen*, songea-t-elle, une sorte de force irrésistible. Étaient-ils faits l'un pour l'autre ? En tout cas, il lui permettait de découvrir les forces qui étaient en elle. Une lumière mauve filtrait du sommet des montagnes, accentuant les zones d'ombre. La regardant, il lui sourit. Débarrassé de son vernis protecteur, il s'ouvrait enfin à elle. Ainsi la chaleur qu'elle avait devinée quand ils avaient pris le train ensemble pour la première fois se manifestait clairement.

— Regarde! dit-il en s'écartant légèrement. Par ici. La maison des Parrott.

— Elle a l'air tout près.

— Oui, à vol d'oiseau. Par la route, c'est une autre histoire.

Ils longèrent des cascades et des étangs creusés dans le roc. Tout en haut, elle admira le paysage qui s'étendait à ses pieds. De petits points lumineux apparurent formant une guirlande déployée dans la vallée. Au point le plus occidental de la terre, le ciel épousait l'océan dans une noce d'orange et d'or, annihilant une étroite bande mauve pâle. Pivotant sur ses talons, elle siffla d'admiration quand le Réservoir devint écarlate. Puis elle se retourna à temps pour voir le soleil disparaître dans la mer et seuls quelques bateaux pourpres atteindre le port.

— Mieux vaut rentrer, le temps se gâte.

— Merci pour cette promenade. C'était superbe.

Sur le visage d'Adil apparut une expression que Lydia ne put définir. En touchant sa main, elle comprit qu'il vivait quelque chose de profond, quelque chose qu'elle subodorait depuis long-temps, mais elle voulait qu'il l'exprime avec des mots. Plutôt que de parler, il vint se placer devant elle, fit glisser les bretelles de sa robe, posa ses mains sur ses épaules. Relevant la tête, elle lui caressa le visage.

Tous deux se turent.

— Ce n'est peut-être pas le bon moment, dit-il.

Il remit les bretelles en place et contempla le ciel.

— Quel bonheur si, pour une fois, la vie était limpide! rêva-t-elle.

Il rit.

— Sans doute, mais comme on s'ennuierait!

— Après ce que j'ai vécu, je goûterais volontiers une tranche d'ennui.

Adil lui prit la main. Bravant la pluie et l'obscurité, ils coururent jusqu'à la voiture, trébuchant en riant sur les pierres.

Quand ils arrivèrent chez Harriet, de grosses gouttes tombaient dru. Soucieux d'éviter le déluge, ils se réfugièrent sur le perron mais un gros figuier, qui avait déployé ses branches sous la verrière, les doucha abondamment.

Quand le serviteur aux hanches étroites leur ouvrit, il leur jeta un regard méfiant. Adil dut le convaincre de les mener au salon, mais le boy resta sur ses gardes. Au bout de quelques minutes, des voix leur parvinrent. Harriet apparut dans l'encadrement de la porte, vêtue d'un kimono jaune criard. Son rouge à lèvres orange vif avait maculé ses dents et filé, soulignant les ridules autour de sa bouche. Les joues rouges, elle les regarda l'un après l'autre sans cacher son mécontentement. Ses rubis étincelaient bien qu'à moitié cachés dans les plis de son cou.

Est-elle ivre ou simplement sur la défensive? se demanda Lydia.

— J'attendais votre visite depuis un moment! Bon, eh bien, pour l'amour du ciel, asseyons-nous!

En scrutant le visage d'Harriet, Lydia se fit la réflexion qu'elle avait vieilli depuis leur dernière rencontre. Ses racines étaient blanches, ses paupières tombaient. Elle avait encore épaissi. Conséquence de la mort de George ou des efforts pour poursuivre une existence coloniale d'un autre âge?

— Chère, vous me reluquez d'une drôle de façon. Vous n'aimez pas ce que vous voyez?

Je ne l'ai jamais entendue avec autant d'acrimonie dans la voix, constata Lydia qui marmonna une vague excuse.

Adil se lança en ne quittant pas Harriet des yeux:

— Puisque nous sommes ici...

— Comme vous êtes ici, l'interrompit Harriet, n'y allons pas par quatre chemins. Vous désirez connaître la vérité sur George?

Adil resta impassible sur le bord de son siège.

Un silence pesant s'instaura.

Harriet éclata d'un rire forcé:

— Si seulement George n'avait pas été tenté une fois de trop. Adil, tu es arrivé tout près de la vérité. Mais le temps que la police débarque, nous avions détruit toutes les preuves.

— Quel genre de trafic? fit Lydia.

— Les armes, chère. Bien sûr, Alec était au courant. Il était même complice d'une certaine façon. Mais George s'est toujours refusé à tout me révéler. Enfin, c'est pour ça que George a aidé Alec à s'enfuir. Faux passeports, fausses pistes pour vous égarer, chère. Je suis navrée.

— Des faux passeports? Une fausse piste? Minute! Ça signifie qu'il a *dû* emmener mes filles à l'étranger!

La panique saisit Lydia. Elle se tourna vers Adil, qui acquiesça. Elle aurait aimé parler, mais il lui fallut respirer plusieurs fois à fond pour chasser la panique.

Pendant que Lydia se débattait, Harriet s'éclaircit la gorge et détourna les yeux.

— Je ne comprends pas, dit enfin Lydia. Pourquoi Alec a-t-il été obligé de fuir si désespérément ? Ce n'était pas seulement à cause de Jack et de moi ?

— En partie. Ne jamais sous-estimer l'orgueil d'un homme, chère.

— Sornettes ! Il a emmené mes filles !

— En tout cas… Mais vous avez raison, évidemment. George est devenu gourmand. Il a utilisé des fonds du gouvernement. C'est là qu'Alec est intervenu, à mon avis. Gestion financière.

— Vous prétendez qu'ils étaient dans le coup ensemble ?

— Oui, sans savoir dans quelles limites.

— J'avoue avoir traité Alec de tous les noms, mais je n'ai jamais pensé qu'il était malhonnête.

— Oh, ne vous inquiétez pas…

— Moi ? M'inquiéter pour Alec ! C'est le dernier de mes soucis à l'heure actuelle !

— En tout cas, il ne reste aucune preuve. À l'exception d'une pièce à conviction très compromettante.

Harriet fixa Adil d'un air interrogateur.

Celui-ci secoua la tête.

— C'est donc ce que je pensais. Alec la détient et il y a peu de chance pour qu'il se trahisse, si ?

— Quel nom ? demanda Adil en enjoignant d'un petit signe à Lydia de se taire. Sous quel nom a-t-il voyagé ?

461

—Désolée, mais je ne m'en souviens pas.

L'air sceptique de Lydia n'échappa pas à Harriet.

—C'est la stricte vérité! Je ne l'ai entendu qu'une fois. Un nom qui ressemblait d'assez près au sien. Croyez-moi, je n'y ai pas prêté attention avant la mort de George.

—Qu'est-ce qui s'est passé? insista Adil.

—Quand on a tout brûlé, on s'est rendu compte qu'il manquait ce document. George s'est demandé qui l'avait: vous, Adil, ou Alec? Ce qui est certain c'est que George ne pouvait pas laisser son nom être sali au cas où la vérité éclaterait au grand jour. Un homme dans sa position. C'est alors qu'il s'est confessé à moi.

Harriet baissa la tête puis la releva en feignant un sourire qui n'éclairait pas ses yeux.

Lydia inspira à fond, serra les lèvres pour ne pas laisser exploser sa colère. Elle songea qu'Harriet pouvait en savoir plus qu'elle ne le disait.

—Si je n'avais pas découvert que mes filles étaient vivantes, vous me l'auriez dit un jour ou vous auriez continué à vous taire?

—Chère, je vous l'ai dit à ma façon. J'ai découvert l'existence de Clara et c'est moi qui ai poussé Cicely à vous la présenter.

—Mais comment avez-vous pu m'infliger ça? Pourquoi avoir été aussi cruelle? Quand je me suis rendu compte qu'elles avaient disparu, c'est vers vous que je me suis tournée.

—À l'époque je n'étais au courant de rien, je vous le jure.

—C'est possible, mais vous savez la vérité depuis des mois.

— Je suis franchement navrée. J'ai dû trouver un moyen de vous le dire sans pour autant compromettre mon mari. Malgré tous ses défauts je l'aimais et j'ai continué après avoir appris ce qu'il vous avait fait.

Il y eut un moment de silence. Lydia se leva, s'éloigna de quelques pas avant de faire face à Harriet :

— Bon Dieu ! C'est incroyable ! Vous êtes en train de me dire que George a retardé mon arrivée à Ipoh uniquement pour donner à Alec un peu d'avance ! Qu'il m'a menti sur toute la ligne !

Harriet acquiesça.

— Et vous m'avez laissée croire que mes filles étaient mortes !

— Je suis désolée. Et tout aurait pu se passer différemment.

— C'est-à-dire ?

— D'après ce que George m'a confié, organiser le voyage d'Alec et de vos filles a pris plus longtemps que prévu.

La main de Lydia vola vers sa bouche.

— Miséricorde ! C'est insupportable. Si je comprends bien, je les ai ratées de peu !

Harriet se racla la gorge à nouveau, mais ne fit aucun commentaire.

— Pourquoi toute cette mise en scène ? Alec aurait pu m'emmener avec lui, non ?

Harriet soupira :

— Vous connaissez la réponse : il vous croyait avec Jack.

Lydia crut que sa tête allait éclater :

— Bon sang! Qu'est-ce qui se serait passé s'il n'y avait pas eu d'incendie? Si j'étais arrivée à Ipoh pour découvrir qu'Alec n'y était pas?

— Il aurait imaginé une fausse piste différente, voilà tout.

— Et à la fin?

Se sentant coupable, Harriet baissa la tête, telle une condamnée:

— Mille excuses.

On n'entendit plus que la pluie martelant la cour et un coup de tonnerre. Lydia serra les mâchoires:

— Vous vous rendez compte de ce que j'ai ressenti? Quand j'ai cru qu'elles étaient mortes, savez-vous qu'une partie de moi a cessé de vivre?

Harriet continua à fixer le sol.

— Non, je suppose que non. C'est vrai que vous n'avez jamais eu d'enfant, conclut-elle d'une voix qui se brisa sur les derniers mots.

Qu'elle ait été à ce point embobinée! À ce point trompée! Cela défiait l'entendement. Pendant qu'elle s'efforçait de se calmer, Adil brisa le silence:

— Harriet, vous comptez rester ici? Depuis que l'Indépendance a tout changé?

— Je crois que oui, répondit-elle d'une voix plus légère. Où aller? C'est là la tristesse de vieillir. Les choses ne changeront plus. Plus de seconde chance. Je ne me plains pas. J'ai toujours été au courant des plaisirs sordides de George. Ça peut sembler bizarre, mais je les ai toujours acceptés. Mais pas les trafics.

Lydia la dévisagea:

— Je le comprends.

Après un nouveau silence qui ne dura guère, Harriet eut un faible sourire:

— J'aime la Malaisie. Je n'imagine pas retourner dans le Surrey. La vie est inséparable de la mort, n'est-ce pas ? C'est partout comme ça mais ici, on est prévenu. Votre ami Jack, il savait.

Lydia tressaillit.

— La roulette russe. Vous savez comment ça marche. Bien sûr, c'était avant de vous connaître. La futilité de la vie après la guerre a causé sa dépression. Vous rencontrer l'a guéri, mais c'est juste une question de temps avec ce type d'homme...

Harriet s'interrompit.

— J'en ai assez entendu, s'insurgea Lydia. Jack est mort et je ne vois pas l'intérêt de ressasser le passé. Mieux vaut nous en aller. Adil ?

Harriet l'ignora.

— Nous avons quitté la Malaisie une fois – pendant la guerre. En 1941. L'idée de George, peu de temps avant le premier bombardement aérien des Japonais sur Singapour.

Tandis qu'Harriet replongeait dans le passé, Lydia et Adil se regardèrent. Toujours furieuse, elle lui demanda en silence : Que faire maintenant ? Il secoua doucement la tête. La pluie redoubla, crépitant comme une mitrailleuse. Lydia eut l'impression d'être prise au piège. Il fallait qu'elle s'échappe, sinon elle risquait de perdre son sang-froid.

— Je dois mon existence à George, reprit Harriet. Quand la Malaisie est tombée en 1942, de vieux amis sont morts. La vie. Des mouvements de balancier, des revirements. Vous verrez.

— Assez ! s'écria Lydia. Je n'ai pas envie de regarder en arrière.

465

— Vous avez raison, chère. J'espère qu'on pourra recouvrir du voile de l'oubli les malencontreux agissements de George.

Elle fixa Adil. Il ne détourna pas les yeux mais resta impénétrable. Lydia avait besoin de temps pour réfléchir. Pendant qu'Harriet et Adil continuaient à parler, elle se concentra sur un vase étonnant rempli de roses posé sur un guéridon d'où émanait une odeur délicieuse.

— Restez donc cette nuit, proposa Harriet. Des lits jumeaux vous conviennent ? Il y a d'autres chambres disponibles, mais les lits ne sont pas faits. La tempête est trop violente pour envisager de rentrer en voiture.

— Qu'en penses-tu ? murmura Adil.

Lydia haussa les épaules en regardant la pluie.

Harriet leur indiqua quelle porte prendre. En quittant la pièce, Lydia se retourna :

— Harriet, auriez-vous du papier à lettres par avion et un stylo ?

— Oui, bien sûr. Je vous les fais apporter dans votre chambre.

Lydia laissa la fenêtre de la chambre d'amis entrebâillée et éteignit le plafonnier. Une petite lampe de chevet diffusait un faible halo de lumière dans le coin de la pièce. Adil vint la rejoindre entre les deux lits. Puis il se recula pour l'observer :

— Tu te sens bien ?

— Je suis toujours verte de rage.

Encore sous le choc de la confession d'Harriet, elle avait du mal à concevoir la réalité. Partager une chambre avec Adil dans la maison d'Harriet n'arrangeait rien ! Tout allait trop vite, la colère toujours présente en elle et maintenant l'explosion de ses sens qu'elle ne maîtrisait pas.

— Allongeons-nous sur un des lits, proposa Adil. Jusqu'à ce que tu récupères.

Couchés sur le dos tout habillés sur le couvre-lit, ils entrecroisèrent leurs doigts. Se tournant vers lui, elle posa une main sur sa cuisse et regarda le reflet de la lampe dans ses yeux. Il serra sa main. Diverses pensées traversèrent l'esprit de Lydia tandis qu'elle se remémorait ce qu'Harriet lui avait révélé.

— Tu es plus calme ? s'inquiéta-t-il au bout d'un moment.

— Oui.

Prise d'une soudaine timidité, elle lui caressa légèrement le visage. Quelque chose passa entre eux. Lentement, il se retourna, déboutonna sa chemise. Puis s'appuyant sur un coude, il descendit la fermeture Éclair de la robe de Lydia. Il sembla attendre. Elle glissa sa main sous la chemise d'Adil, découvrit la fraîcheur de sa peau en caressant toute la longueur de son dos.

— Mettons-nous au lit, décida Lydia.

— Tu es sûre ?

— Absolument. Et, bon Dieu, enlève ta chemise !

Levant les yeux au ciel, il lui sourit. Elle l'observa un instant avant de rejeter sa tête en arrière en éclatant de rire. Il repoussa les cheveux de Lydia derrière ses oreilles et se redressa pour ôter sa chemise. Elle passa sa robe au-dessus de sa tête puis plongea sous les couvertures, emmêlant ses jambes dans les draps. Il envoya tout balader par terre. Elle respira lentement en fermant les yeux.

Pendant des mois, Lydia avait cru qu'elle ne retrouverait jamais la paix. Si elle n'avait pas pris de rides, la vie l'avait vieillie, lui volant son innocence, la remplaçant par des expériences dont elle se serait volontiers passée. La vie l'avait isolée, elle avait pourtant trouvé Adil dans l'espace où elle s'était débattue. Ouvrant les yeux, elle cilla et lui sourit.

Ils firent l'amour comme deux êtres victimes d'une lente brûlure, à la fois incrédules et savourant chaque instant d'un plaisir inconnu. Adil fut tendre, totalement à l'unisson avec Lydia. Par instants, elle crut ne plus pouvoir respirer tellement elle était hors d'haleine.

Plus tard, elle ramassa un drap par terre et couvrit leurs corps nus. Elle se nicha contre lui dans l'étroit lit jumeau. Il l'embrassa sur ses deux paupières puis, parfaitement heureux, s'endormit immédiatement en ronronnant doucement. Leur intimité la réconforta. Elle le regarda sourire dans son sommeil, ses ronflements se mêlant à la pluie martelant le toit. Incapable de le quitter, mais ne pouvant dormir et trop bouleversée par les événements de la journée, elle se dégagea de son étreinte et alla rédiger son courrier.

Après avoir écrit au bureau des affaires familiales, au fisc et à l'état civil, elle éteignit sa lampe et se prélassa dans les draps frais du second lit. Adil s'occuperait des adresses le lendemain. Étendant un bras, elle se délecta de la chaleur d'Adil. Dans l'accalmie de la nuit, quand paroles et actes trouvèrent le repos, le corps de Lydia se tint tranquille mais pas son esprit.

La nuit s'était déroulée d'une façon inattendue, ne calmant en rien la tempête sous son crâne. Il lui était insupportable d'ignorer où se trouvaient Emma et Fleur. Elle les imagina, sentit leurs mains sur son corps, se demanda pourquoi aucune preuve de leur voyage n'avait été dénichée. Si Alec était demeuré en Malaisie, quelqu'un aurait dû savoir quelque chose, surtout compte tenu des nombreuses relations d'Adil. Mais c'était comme s'ils s'étaient évaporés ! Et à quoi servait un faux passeport si ce n'est pour se rendre à l'étranger ? Elle songea à nouveau aux parents d'Alec, tout en étant persuadée qu'il n'était pas retourné là-bas. Surtout qu'il lui avait assuré à de nombreuses reprises qu'il haïssait cet endroit. À moins qu'il ait pris une autre voiture pour aller en Thaïlande ? Pourtant, Adil avait fait vérifier tous les postes frontière.

Mais l'avoir envoyée sur une fausse piste ? Lui avoir causé une telle souffrance. Et George, qui l'avait trompée à ce point. Sa liaison avec Jack avait sans doute fait souffrir Alec plus qu'elle ne l'avait cru. Quand l'aube dessina d'étroites bandes écarlates dans le ciel, elle entendit des pleurs venant d'une autre fenêtre. Harriet, se dit-elle. Enfin, les paupières lourdes, elle s'endormit.

48

C'est les vacances d'automne. Je me rappelle notre premier mois de février 1955 en Angleterre, quand nous venions d'arriver. J'avais commencé à écrire le choc de voir la glace sur nos fenêtres, la nouveauté de sentir l'odeur du charbon en rentrant de l'école. Mais cela avait ravivé la douleur d'être séparée de maman.

Veronica passe sa tête par la porte. Elle n'a pas encore épousé papa, grâce au retard dû à son voyage en Afrique.

Elle s'approche de moi, m'enlace et regarde par-dessus mon épaule.

— Tu écris une nouvelle histoire ?

— Rien d'important.

— Emma, je suis affreusement pressée, mais je suis venue t'annoncer une nouvelle épatante.

J'en ai la chair de poule.

— On a retrouvé maman ?

Veronica s'assied sur le bord du lit, l'air attristée.

— Non, ma chérie, désolée. On en a souvent parlé et tu ne dois pas prendre tes rêves pour la réalité. Mais je te promets que tu vas être contente.

À ce moment, Fleur entre dans ma chambre et ferme la porte derrière elle.

Mécontente d'être interrompue, je me retourne, lui lance un regard furieux.

— Fleur, je parlais avec Veronica!

— Tu ne devineras jamais! s'exclame-t-elle sans prêter attention à ma remarque.

Elle ne tient pas en place, ses yeux brillent, ses joues sont écarlates.

— Tu ne l'as pas vu, hein?

— Vu quoi?

Elle prend place sur mon lit, à côté de Veronica, et fait des sauts de cabri.

— J'ai vu le garçon qui l'a livré. Il était vraiment chic: uniforme bleu marine avec passepoil rouge et toque. Il m'a sifflée.

— Fleur, qu'est-ce que c'est que ce charabia? s'inquiète Veronica en prenant son sac.

— Le télégramme. Il y avait le nom d'Emma dessus. Papa l'a pris.

— C'était juste maintenant?

— Il y a un petit moment. Il avait l'air de venir de l'étranger. Papa l'a emporté là-haut.

Fleur étant restée loyale vis-à-vis de papa malgré tout, je m'étonne qu'elle me dise ça. Elle fronce les sourcils et regarde par terre:

— Je croyais qu'il allait te le donner. Mais tu ne m'en as pas parlé. Je voulais savoir ce que c'était. Tu es sûre qu'il ne te l'a pas donné?

471

Je hoche la tête. Depuis qu'il m'a prise dans ses bras, nous nous tenons à l'écart l'un de l'autre, trop gênés pour évoquer ce qui s'est passé.

— Ne cafte pas, hein, Em ?

— Et comment veux-tu que je lui pose la question autrement ?

Elle fait une grimace.

— Je crois que tu ferais mieux de lui demander, me conseille Veronica. Mais il faut que je me sauve. Emma, je te revois demain, d'accord ?

— D'accord.

Je suis furieuse contre Fleur. Je vais être obligée d'attendre demain pour savoir ce que Veronica voulait m'annoncer.

— Veronica, tu déjeunes pas ? demande Fleur.

— Non, pas le temps.

Après son départ, je descends avec Fleur.

Papa est dans la cuisine où il réchauffe une boîte de soupe au poulet Campbell. C'est le potage favori de Fleur alors que je préfère la soupe aux pois cassés de Granny. Comme chaque fois que je pense à elle, je suis oppressée. Je me plante devant papa, les bras croisés sur la poitrine :

— J'aimerais avoir le télégramme, s'il te plaît !

Il me dévisage, l'air sévère. Je tiens bon.

— Celui qui m'a été adressé.

Ses épaules s'affaissent :

— Je voulais seulement te protéger.

— Mais, papa, il m'était adressé. Fleur l'a vu.

Fleur reste assise, les yeux rivés sur le papier peint. Comme si elle était absorbée par les dessins des casseroles, des carottes, des ragoûts.

Je pense à quelque chose d'autre :

— Tu aurais pu nous dire que tu voulais vendre la maison, non ? Billy m'en a parlé.

Il me tourne le dos et continue à tourner la soupe :

— Tu savais que c'était une éventualité.

J'ai envie de me gratter, mais je me contrôle :

— Non, papa, je ne suis pas au courant. Je ne sais rien parce que tu ne me dis rien.

On entendrait voler une mouche. À part la soupe qui bout et la cuillère en bois contre le fond de la casserole.

— D'ailleurs, je ne veux pas déménager.

Il se retourne d'un bloc :

— Ce n'est pas à toi à décider.

Je tends la main :

— S'il te plaît. Je voudrais le télégramme.

— Fleur se trompe. Le télégramme n'est pas pour toi.

Fleur en reste bouche bée. Papa est son modèle.

— C'est quoi alors ?

— Emma, tu exagères. Ce télégramme ne te concerne pas.

Puis il semble se dégonfler et il fixe le sol :

— Servez-vous. Je reviens dans une minute.

Les nouveaux stores vénitiens sont baissés et la lumière est chiche. Nous avalons notre soupe en silence.

Comme papa ne revient pas, Fleur sort faire la roue dans le jardin et je monte dans la chambre paternelle. Il n'y est pas. Aucune trace du télégramme. Pourquoi ne pas me l'avoir montré et prouver ainsi qu'il ne m'était pas destiné ? Il est donc question de maman. C'est certain. Je me

473

vois dans le miroir : un visage pâle avec des yeux cernés. Dehors, une nuée d'étourneaux siffle en traversant le ciel pour s'éloigner du village.

Je me sens bizarre. Les serpents de la jungle sifflent. Ils s'avancent doucement dans l'herbe haute. Je me secoue. Je suis en Angleterre. Pas de serpents. Pas de jungle.

Dans ma chambre, Veronica a laissé un message sur mon carnet :

À la mairie, demain 10 heures précises. Je t'y retrouve. Apporte la lettre de Johnson, Price & Co. Baisers.

49

Lydia ne reçut aucune réponse au télégramme qu'elle avait envoyé à Emma et le nom d'Alec ne figurait sur aucune liste de passagers. En revanche, après plusieurs semaines, l'article fut publié. Ce qui aida Lydia à continuer sa recherche. À la poste, elle demanda une étiquette « par avion », plia l'article en quatre et le glissa dans une grande enveloppe kraft. Luttant contre un début de migraine, elle feuilleta son carnet et chercha leur adresse. Elle ne croyait pas qu'Alec était parti pour l'Angleterre, ni qu'il ait averti ses parents de ses déplacements, pourtant elle se dit qu'elle devait essayer.

Le Bureau des affaires familiales de Somerset House lui avait répondu aimablement qu'aucun mariage n'avait été enregistré à son nom. Le fisc avait prétendu que ces informations étaient couvertes par le secret et, jusqu'à maintenant, le Bureau des retraites était resté muet. Adil avait même fait la route jusqu'à Kuala Lumpur pour rencontrer le haut-commissaire britannique. Hélas, bien qu'hébergés dans un splendide bâtiment aux nombreuses vérandas soutenues par des pilotis et entouré d'un jardin arboré, les divers services étaient en plein chaos.

— Revenez dans deux mois, lui conseilla-t-on.

Adil et Lydia décidèrent de se renseigner auprès de tous les pays où ils auraient pu se rendre jusqu'à obtenir une quelconque réponse. Mais les lettres, même « par avion », mettaient un temps fou. En attendant, comment allait-elle survivre? Ses économies de Singapour ne dureraient encore qu'un mois ou deux, à condition de n'entreprendre qu'un seul long voyage. Ensuite, elle devrait chercher un job, cette fois-ci à Malacca.

De retour chez Adil, elle avala une gorgée d'un café amer tout en regardant par la fenêtre le manège des filles des rues. Le brouhaha de la ville était indistinct: un mélange de voix chinoises, indiennes, de chansons malaises. Un léger mouvement sur le trottoir opposé attira son attention. Dans l'ombre d'une porte cochère, une femme la fixait, clignant des yeux à cause du soleil.

Lydia la regarda à son tour et la femme lui fit signe de la rejoindre. Elle portait une robe bleu pâle ornée de fleurs plus foncées le long d'un mince ourlet. Lydia n'en crut pas ses yeux. Prise de vertige, elle se massa les tempes. Souffrait-elle d'hallucinations dues aux pilules chinoises qu'Adil lui donnait pour ses migraines? Elle prit son sac, descendit l'escalier quatre à quatre, remarqua sur le paillasson une enveloppe qu'elle ramassa. À l'extérieur, la chaleur était écrasante. Elle examina la rue envahie de pousse-pousse et de vendeurs. La femme avait disparu. Au moment de retourner dans l'immeuble, Lydia aperçut le bas d'une robe bleue au coin de la rue. La femme lui fit à nouveau signe et Lydia ne put résister à son appel. Elle la suivit malgré la sueur qui coulait le long de son dos.

La femme continua à se faufiler dans le labyrinthe de rues du quartier chinois proche des docks. Les divers bruits assourdirent Lydia : des cloches sonnaient, des chiens aboyaient, des oiseaux pépiaient dans leurs cages. Une horde d'enfants livrés à eux-mêmes poursuivait des petits Malais à vélo. Lydia se recula pour les laisser passer. Ils purent s'enfuir mais la meute s'en prit à elle, braillante et menaçante. La panique s'empara d'elle. La femme en bleu se retourna et leur intima en chinois l'ordre de la laisser tranquille. Les gosses s'éclipsèrent.

À un croisement, des affiches à moitié déchirées vantaient les prouesses d'acrobates et des placards de propagande britannique étaient collés aux murs. Là, les rues se rétrécissaient et Lydia se retrouva au milieu des lessives qui séchaient d'une façade à l'autre. Elle hésita. La peur d'être agressée la saisit à la gorge. La femme, quelques pas plus loin, traversa un pont et héla Lydia d'un geste bref. Il était midi. D'une porte ouverte s'échappait l'arôme du piment et du canard grillé, d'une autre sortaient des odeurs de tamarin et de coriandre.

Vues de près, ces bâtisses étaient étroites et serrées les unes contre les autres. Lydia s'accrocha à son sac, le pressant contre sa poitrine. Le bruit lui donnait le tournis. La foule, plus dense qu'elle ne l'avait imaginé, l'empêchait presque de respirer. S'essuyant le front, elle continua à progresser dans ce quartier inconnu. La femme avait pris une telle avance qu'elle était souvent invisible. Mais Lydia la suivait à la trace, s'accrochant au moindre reflet bleu. Quand la foule s'éclaircissait, elle remarquait des échoppes d'herboristes, de bijoutiers, de vendeurs d'objets en papier à brûler sur les tombes du cimetière chinois. Une vitrine exposait ainsi une guitare en papier, une pagode, un sampan.

Elle s'arrêta un instant pour reprendre son souffle sur un pont enjambant un canal. Dans l'eau, elle vit un banc de vairons aux écailles argentées. Où se trouvait-elle? Comment allait-elle retrouver son chemin pour rentrer? Elle n'avait pas vu de taxis depuis un bon moment. À cet instant, elle aperçut la femme au bord d'un égout à ciel ouvert.

L'odeur était abominable. Et il était évident que la femme, blême et terriblement maigre, était malade. Elle l'attendait, avec une expression de dégoût. Ensuite, elle se retourna et ouvrit deux grilles ornées de dragons donnant sur le dock. Tournant sur sa gauche après quelques pas, elle emprunta un étroit passage et s'arrêta devant une cabane minable, au bord de l'eau.

Une fois à l'intérieur, elle s'accroupit sur une natte de jonc usée. Lydia, entrée sur ses talons, chercha une chaise, en vain. La pièce lugubre puait le parfum bon marché et l'ananas pourri. Le plafond était noir de mouches. En dehors d'une lampe à pétrole ébréchée et d'un pantalon pendu à un clou, c'était le dénuement total. Un grabat fait de planches recouvertes d'une natte vacilla quand Lydia s'assit sur le bord. S'habituant à la semi-obscurité, elle étudia le visage de la femme et s'aperçut que malgré son air misérable, il conservait une certaine dignité.

— Vous ne me reconnaissez pas? demanda la femme en détachant les mots.

— Non! Je devrais?

Elle eut l'air exaspérée et cracha par terre.

— Non. Les gens de votre espèce sont toujours comme ça.

— Mon espèce?

— L'espèce des femmes blanches et gâtées. Des *Mem*.

Une telle hostilité surprit Lydia.

— Qu'est-ce que vous voulez?

— Vous l'avez lu? fit-elle en plissant les yeux.

Lydia fronça les sourcils.

— Vous ne l'avez pas lu?

Lydia réfléchit et fouilla dans son sac.

— Ça?

— Oui.

Lydia ouvrit l'enveloppe et un morceau de papier flotta jusqu'au sol. Elle se pencha et prit le chèque. Sans pouvoir déchiffrer le nom du bénéficiaire, elle vit qu'Alec avait signé un chèque de plusieurs centaines de dollars.

— Le prix de mon silence, précisa la femme sans la quitter des yeux.

— Votre silence? s'étonna Lydia, de plus en plus perdue.

479

—Vous n'êtes pas quand même si bête que ça!

Lydia se hérissa.

—Écoutez, je ne vois pas du tout la raison de ce chèque.

Elle l'examina. Alec l'avait émis trois semaines avant de disparaître et il n'avait pas été encaissé. Elle le retourna. Pas d'endossement.

—Votre mari m'a payée pour que je la ferme. Il m'a donné le chèque.

Elle cracha à nouveau.

—Je lui ai dit : À quoi me sert un chèque? Je veux des espèces. Pas de chèque. Alors il est revenu avec du liquide et m'a demandé de lui rendre son chèque. Je lui ai dit que je l'avais jeté.

—Il vous a crue?

—Qu'importe! Ça ne changeait rien. C'est ma police d'assurance.

Elle rit mais d'un rire de gorge amer.

—Je n'y comprends rien! De quoi s'agit-il?

—Pas quoi mais qui!

Elle enchaîna :

—Maznan. Mon silence. Pour ne jamais révéler le nom du père.

Lydia regarda fixement la femme. Était-ce possible? Elle inspecta le sol crasseux, les murs en planches mal dégrossies, les mouches au plafond. Alec serait venu ici? Impensable!

La femme l'observait, soudain souriante.

—Que les choses soient claires, fit Lydia. Vous ne voulez quand même pas me dire que Maznan est le fils d'Alec?

—Ah! Elle pige enfin! Mais c'est seulement la première partie.

Lydia s'attendit à une demande d'argent, mais elle se trompait.

—Emmenez Maznan chez son père!

—Comment? J'ignore totalement où se trouve Alec… Et Maznan est heureux dans son village, non?

—Un camp de réfugiés! Sans argent, ma sœur ne le gardera pas. Moi je n'ai pas d'argent et je suis malade. Je vais bientôt mourir.

—Qu'est-ce qui me dit que Maznan est le fils d'Alec?

La femme sortit d'une pochette accrochée à sa taille une poignée de photos et les tendit à Lydia. Alec était nu avec cette femme, chaque cliché plus compromettant que le précédent.

—Il ne savait pas qu'il était photographié?

—Bien sûr que non!

—Dans quel but?

—Ma police d'assurance. Je vous le répète.

—Quelle vie!

—On ne peut pas toutes mener une existence confortable, *Mem*!

Lydia jeta un œil sur les dernières photos. Sur quatre d'entre elles, Alec tenait un bébé sur ses genoux. L'enfant était niché contre lui, un bras autour de son cou.

—Charmant tableau! s'exclama Lydia, essayant de paraître plus sereine qu'elle ne l'était. Mais ça ne prouve rien.

Elle jeta les photos à la femme et les regarda s'éparpiller sur le sol. La femme les ramassa puis les remit soigneusement dans sa pochette.

— Et les grands-parents de Maznan ? Ils ne pourraient pas s'occuper de lui ?

— Trop vieux.

— Même si je vous croyais, pourquoi je vous aiderais ?

La femme réfléchit :

— Ce n'est pas pour moi. Mais pour Maznan.

— Et Jack alors ? Personne ne l'a aidé !

— J'ai empêché qu'ils vous tuent. Ils le voulaient.

Et si cette femme mentait ? D'ailleurs, où étaient les preuves ? Le chèque avait pu être fait dans un autre but. Et ce bébé pouvait être n'importe qui. Non ! À cet instant, Lydia hésita. Impossible. Sur un des clichés, il était évident que le bébé était bien Maz. De plus, Alec n'aurait jamais laissé n'importe quel enfant métis l'approcher de si près !

La femme croisa les bras sur sa poitrine :

— Ses yeux pâles, presque bleus ? Vous ne vous êtes jamais demandé d'où ils venaient ?

Bouleversée, Lydia retint sa respiration. Mon Dieu ! Qu'il l'ait trompée était grave mais qu'il ait abandonné un bébé, c'était atroce.

— Je comprends pourquoi on m'a choisie pour accompagner l'enfant. Ça restait dans la famille !

Les deux femmes se turent. Lydia massa ses tempes car sa migraine devenait lancinante. Elle se souvint qu'Alec avait ricané quand elle lui avait parlé de Jack. Pourtant, son cher mari avait couché avec Cicely et fait un enfant à la fille de son chauffeur. Autre pensée désagréable : Adil était-il au courant pour Maz ? La première fois qu'ils s'étaient parlé à Ipoh, était-ce en connaissance de cause qu'il l'avait dissuadée de prendre l'enfant en charge ?

Puis, se remémorant sa première rencontre avec Maz, elle demanda à la femme :

— Il était blessé quand votre sœur me l'a amené. Pourquoi ?

Elle sourit :

— Un accident, mais ça vous a aidée à vous décider.

On frappa à la porte. Une femme très âgée avec de longs poils blancs au menton poussa l'enfant dans la pièce, sourit en montrant ses gencives édentées et s'en alla.

— Maz ! s'exclama Lydia en se levant.

Sa mère se redressa, enlaça son fils et fit un pas en avant. Elle avait retrouvé sa gravité.

— Alors, vous le prenez avec vous ?

La tristesse de la femme émut Lydia.

— Mais c'est votre fils !

— Je ne peux pas lui offrir une existence décente. Votre mari le peut.

Lydia était déchirée. Elle adorait Maz, mais c'était de la folie de l'accueillir. C'est alors qu'elle se rappela les paroles d'Adil : la mère de Maz allait mourir et personne ne savait ce qu'il adviendrait de son fils.

Souriant, Maz s'approcha de Lydia et mit sa main dans la sienne. Lydia sut qu'elle n'avait plus qu'à s'incliner et elle lui retourna son sourire.

La femme les reconduisit jusqu'au quartier d'Adil en empruntant un dédale de ruelles. En chemin, Lydia se fit la réflexion que décidément la vie lui réservait de drôles d'épreuves. D'abord il lui fallait trouver l'endroit où Alec avait emmené ses filles. Et, maintenant que le destin l'avait à nouveau chargée de Maz, elle devait dénicher Alec pour le bien du garçon.

La femme embrassa l'enfant sur le front et tendit un bout de papier froissé à Lydia :

— Vous en aurez besoin pour son passeport.

Lydia le déplia. Mon Dieu ! Elle avait son acte de naissance sous les yeux ! Dans la case où devait figurer le nom du père, ALEC CARTWRIGHT était inscrit en lettres majuscules. Pourquoi la femme ne lui avait-elle pas montré ce document dès le début ?

En marchant, Lydia songea à la misère dont elle avait été témoin. Elle se rappela que son vieux jardinier se donnait du mal pour joindre les deux bouts. Qu'il faisait peur à ses filles avec des histoires d'esprits, de serpents qui avalaient vivants les petits enfants, de sorcières qui sortaient à minuit à la recherche de victimes à capturer. Un jour, Emma était entrée en trombe et lui avait raconté une histoire de démon à tête de grenouille qui avait tué un chat siamois dans le jardin de derrière.

Comme Fleur insistait pour acquérir un chasseur de démons, Lydia lui avait donné une vieille poupée. Elles l'avaient habillée en blanc et posée sur l'appui de la fenêtre des enfants. Le lendemain, le jardinier était arrivé avec une poupée de chiffon confectionnée par sa femme. Les filles furent ravies d'en avoir deux mais, comme Lydia avait dû acheter celle du jardinier, elle s'était sentie flouée.

La vie était dure, pas seulement dans les camps de réfugiés, mais dans le monde ordinaire. Après avoir vu de près la façon dont ces gens étaient forcés de vivre, elle comprit qu'ils feraient n'importe quoi pour gagner un dollar. À dire vrai, son jardinier avait fait preuve de beaucoup d'imagination.

Sans paraître triste d'avoir quitté sa mère, Maz jacassait gaiement. Il était trop jeune pour comprendre que son destin venait de basculer. Lydia serra sa main, et avant de prendre la rue de chez Adil, se retourna pour jeter un dernier coup d'œil à la robe bleue perdue dans la foule. Comme la vie était étrange, songea-t-elle. Si cette femme avait porté une robe d'une autre couleur, elle ne l'aurait sans doute pas suivie.

50

On est vendredi, le dernier jour des congés d'automne. À la mairie où Veronica m'a priée de la retrouver, elle demande à consulter les listes électorales. Dans sa main gauche, elle tient la lettre que j'ai reçue de M. Johnson. Elle me la tend :

— Emma, regarde la référence dans le coin droit.

Je lis à haute voix :

— E C-Mb/0557/002.

— Très bien. E C-Mb sont des initiales.

— Et le reste ?

— 0557 signifie mai 1957. Et 002 c'est le nombre de lettres envoyées ce mois-là concernant un client précis. En l'occurrence celui de E C-Mb.

— Je comprends. Et donc ?

— Cela confirme ce que je n'ai pas eu l'occasion de te dire hier.

— Mais vous m'avez assuré un jour qu'il n'y avait plus beaucoup d'espoir.

486

— C'était vrai. Mais voilà trois semaines, quand j'étais en ville, j'ai invité Freddy à un somptueux déjeuner et je l'ai supplié d'intercéder en notre faveur.

Perplexe, je fais la moue.

Veronica lève la main :

— Tu vas comprendre. Il s'est décidé à demander à Johnson, Price & Co s'ils étaient prêts à contacter la personne et à lui expliquer ce que tu désirais. Comme M. Johnson avait reçu ta lettre, il connaissait ton existence.

— Et alors ?

— Au début, M. Johnson s'est montré réticent mais Freddy peut être très persuasif et il a cédé. Alors il a demandé à sa cliente si elle était d'accord pour ne pas appliquer la clause de confidentialité.

— Sa cliente ?

— Oui. Elle a réfléchi et a finalement accepté. Miss E. Cooper-Montbéliard. Un nom peu commun, tu ne trouves pas ? Regarde encore la référence.

— Je vois ! C-Mb signifie Cooper-Montbéliard !

— Exactement. Cela nous crevait les yeux, mais il aurait été impossible d'en comprendre le sens. Maintenant nous allons passer au crible les listes électorales. Pour vérifier que l'adresse que Freddy nous a donnée est correcte.

Je grince des dents :

— Mais c'est le dernier jour des vacances. Je n'ai plus que demain et ensuite je retourne à la pension dimanche après-midi.

Veronica me tapote le bras :

— Tu sais écrire, non ?

Le lendemain, après avoir rédigé ma lettre, je reviens à mon histoire en attendant qu'il ne pleuve plus. Mon personnage principal me cause des ennuis. Le héros, un homme de grande taille d'origine espagnole dénommé Pedro Gonzales Montes, est occupé à grimper en haut d'une échelle pour arracher Claris des griffes de son diabolique grand-père. En approchant du sommet, l'échelle glisse et il tombe. Il ne meurt pas mais reste aveugle et handicapé à vie – pas formidable pour un héros! Sauf si c'est M. Rochester.

Plus jeune, je croyais qu'écrire serait facile. Mes personnages m'obéissaient alors qu'aujourd'hui ils tombent du haut des échelles, annoncent des choses inattendues et généralement font toutes sortes de bêtises. Écœurée, j'abandonne Claris dans des draps imprégnés de sang alors qu'une cavalcade de rats se fait entendre de l'autre côté d'une mince cloison.

C'est une journée dominée par le crachin, où le ciel est traversé de gros nuages chargés d'humidité. Il ne pleut pas suffisamment pour qu'on ait besoin d'un parapluie, mais on se fait quand même mouiller. Après avoir posté ma lettre, je reviens chez nous. Près de la grille d'entrée, Fleur bondit et fonce sur moi, les joues ruisselantes de larmes. Je passe un bras autour de ses épaules, la presse contre moi, lui tapote le dos jusqu'à ce qu'elle arrête de pleurer.

—Viens, on va marcher un peu. Tu me diras ce qui ne va pas.

Elle relève la tête, se retourne et fixe la porte de la maison de ses yeux rouges. Entre deux sanglots, elle arrive à dire:

— Je les ai entendus se disputer.

— À quel sujet?

Elle bégaye tellement qu'elle en est incompréhensible. Ce serait drôle si elle n'était pas aussi catastrophée. Nous parcourons lentement l'allée et j'attends qu'elle ait épuisé ses larmes.

Elle fait un nouvel essai:

— Emma, c'était horrible.

Elle se tait et se frotte les yeux.

— C'est arrivé par le courrier après ton départ. J'étais assise avec Veronica à la table de la cuisine quand papa est entré avec une grande enveloppe kraft. Quand il l'a ouverte, une coupure de journal est tombée par terre. Le *Straits Times*! Je l'ai vu!

Elle recommence à pleurer. Jusque-là, c'est à n'y rien comprendre.

— Veronica l'a ramassée… Je l'ai vue. Une photo de maman et de nous, quand nous étions plus jeunes. Veronica est devenue blanche, complètement blanche. Il y avait un gros titre. Papa a essayé de lui arracher le journal, mais elle s'est levée pour lire l'article à haute voix.

Je me mords les lèvres.

— J'ai eu si peur! s'exclame Fleur.

Elle me dévisage de ses grands yeux brillants, des larmes coulent le long de son nez. Je lui caresse le dos pour la consoler.

— Maman n'est pas morte! Elle ne nous a pas abandonnées. Elle n'a même pas disparu.

Fleur a parlé d'une voix si faible que je ne suis pas sûre d'avoir bien entendu.

—Si c'est une plaisanterie, tu ne me fais pas rire!

—Mais non, Em, pas du tout, maman nous cherche. Elle ne sait pas où nous sommes. Elle croyait que nous étions mortes, puis elle a appris que c'était faux et maintenant elle est à notre recherche.

Je respire à fond. J'ai tellement chaud que j'ai peur que ma tête éclate. Les arbres se penchent sous l'effet de la brise qui se met à souffler, le monde bascule. Des douzaines de questions se bousculent en moi, mais aucune réponse n'a de sens.

—Elle est toujours en Malaisie. Papa m'a envoyée dans ma chambre, mais je suis restée dans l'entrée pour écouter.

Je dois m'asseoir sur le bord du trottoir pour ne pas m'écrouler à cause du vertige.

—C'était peut-être un vieux journal.

Ma langue a doublé de volume et je parle d'une façon bizarre.

—Non, Veronica a lu la date. C'est récent. Pourquoi papa nous a dit qu'elle nous a abandonnées?

Je me penche, la tête entre mes genoux. Fleur s'assied à côté de moi et me prend la main.

—Veronica a commencé à pleurer. Papa lui a dit des trucs à voix basse, mais elle n'arrêtait pas de sangloter et de le traiter de tous les noms. Elle criait qu'il voulait en faire une *bigame* et qu'il était diabolique? Et les filles dans tout ça? elle hurlait.

Fleur se tait un instant.

— Emma, c'est quoi, bigame ?

— Oh, Mealy ! C'est quelqu'un qui est marié à deux personnes en même temps.

— Mais alors, ce ne serait pas Veronica la bigame ?

— Non, ce serait notre père.

Je n'avais jamais cru ce qu'il disait au sujet de maman, mais en avoir soudain la confirmation... J'ai l'impression de suffoquer, comme si on m'avait administré une grande claque dans le dos.

— Tu n'y as jamais cru ? insiste Fleur.

— Non.

— Em, pardon d'avoir été méchante avec toi au sujet de maman. Tu comprends, je voulais être la demoiselle d'honneur de Veronica.

— Oh, Mealy !

Je la serre contre moi. Nous tremblons toutes les deux. Une voiture passe tout près, mais je me fiche de ce qu'on pense de nous. Au bout d'un moment, je ferme les yeux, reprends mon souffle et aide Fleur à se lever. Nous faisons demi-tour et nous nous dirigeons vers la maison sans savoir ce qui nous attend. Je suis maintenant certaine que le télégramme avait à voir avec maman et peut-être même que c'est elle qui l'a envoyé.

Veronica nous croise au volant de sa Morris Minor. Son visage est rouge à force d'avoir pleuré. Je n'ai jamais vu quelqu'un d'aussi bouleversé. Je lève la main, ébauche un sourire, mais elle passe sans me voir.

J'ai tellement souffert de la séparation que j'ai envie de crier au monde entier que maman est vivante. Mais une fois rentrée, les bruits violents en provenance de la cuisine m'incitent à me réfugier dans ma chambre. Fleur s'accroche à moi et me supplie de ne pas l'abandonner.

—Em, c'est quoi tes souvenirs au sujet de maman?

—J'en ai beaucoup.

—Par exemple?

—Ses cheveux. La façon dont elle les relevait sur sa tête et comment elle chantait le matin.

—Le parc. Elle nous emmenait au parc.

—Oui, et au zoo. Maman adorait les lions.

Elle baisse la tête:

—Je ne m'en souviens pas.

—Fleur, ne pleure pas!

—Je crois me rappeler les tigres. Em, est-ce que maman nous aimait?

Je l'enlace et tourne son visage vers moi:

—Tu croyais qu'elle ne nous aimait pas? C'est ça que tu pensais pendant tout ce temps?

—Oui.

—Écoute-moi bien! Elle nous aimait plus que tout. Plus que tout au monde.

J'aurais aimé attraper mon père et le secouer jusqu'à ce que ses dents s'entrechoquent, mais je me force à me calmer pour voir ce qu'il va faire. Je lis à Fleur une de mes histoires, pas celle de l'échelle qui glisse mais une plus ancienne où Claris rejoint une troupe itinérante afin d'échapper à son ravisseur. Faire la lecture m'aide à me détendre. Pourtant une partie de mon esprit se demande comment je vais me comporter devant papa. Nous en sommes au moment où Claris trouve la clé de sa liberté quand mon père entre et se campe les mains sur les hanches, les pieds écartés.

— Pourquoi me dévisages-tu ainsi? dit-il.

Son ton est provocant, mais je devine qu'il bluffe. Il continue:

— Je sais à quoi tout cela ressemble, mais c'était ce qu'il y avait de mieux à faire.

Fleur fixe le tapis et je plante mes yeux dans ceux de mon père.

— Qu'est-ce qui va se passer maintenant? je demande sans hausser le ton.

Pourtant je bous à l'intérieur.

Il n'hésite pas:

— On déménage. Un point c'est tout.

Fleur et moi nous nous regardons: ce n'est pas possible. Il n'en est pas capable. Fleur me fait un petit signe d'encouragement pour me montrer qu'elle me soutient et je décide d'affronter mon père.

— Mais, papa, as-tu pensé à maman? dis-je en m'efforçant de rester polie. Comment va-t-elle nous trouver si nous déménageons?

— Emma, tu mets ma parole en doute?

Effectivement. Mais le regard qu'il me lance me cloue le bec. J'avale ma salive et contrôle ma fureur.

— Parfait. Je suis ravi de voir que vous êtes raisonnables.

Qu'est-ce qui m'incite à laisser libre cours à ma colère? Le soulagement que je lis dans ses yeux ou la défaite que j'ai subie? En tout cas, je ne me retiens plus. Les mots qu'utilisait maman me

493

reviennent. Me redressant, j'avance vers lui et le pointe du doigt :

— Espèce de pauvre type ! Tu n'es qu'un horrible salaud !

Fleur reste bouche bée. Une seconde avant qu'il lève la main sur moi, je le regarde droit dans les yeux. Nous nous figeons. Quand il recommence à respirer, il est écarlate et sa pomme d'Adam tressaute de bas en haut. Fleur murmure :

— Papa ! Non !

Son visage s'affaisse, il se tasse sur lui-même :

— Je m'excuse. Oh, mon Dieu !

Il fait demi-tour et quitte ma chambre sans fermer la porte.

Je regarde Fleur. Elle me regarde. Nous sommes sous le choc. Que j'aie osé le traiter ainsi, qu'il nous ait répondu de cette manière ! J'ai presque eu pitié de lui quand il s'est désintégré.

— Em, pourquoi il a fait ça ?

Pour une fois, je suis à sec d'explications. Pourtant je n'abandonne pas :

— Je ne sais pas mais je vais me renseigner.

Ne craignant plus désormais ses explosions de colère, je m'apprête à l'affronter. Je le trouve dans la vieille serre de Granpa. Malgré les soins de Veronica, il ne subsiste que quelques plants de tomate encore verts et une rangée de concombres. Veronica en est très fière et les coupe en tranches pour agrémenter nos sandwichs au corned-beef. Mais dès qu'elle a le dos tourné, Fleur et moi enlevons les rondelles amères et les jetons à la poubelle. Pauvre Veronica !

Quand je passe la porte, papa fait semblant de ne pas me voir et se dirige droit vers un brasero. Une colonne de fumée s'en élève, mais je ne vois pas de flammes :

— Papa ! C'est trop humide, tu ne crois pas ?

Son visage est triste. Son air sûr de lui a disparu. Je ne l'ai jamais vu dans un tel état. Il semble vieux, effrayé. La gorge serrée, je peux à peine parler. J'ai l'impression que le sol va se dérober sous moi.

Je l'interroge d'une voix tranquille :

— Papa, pourquoi tu nous as dit que maman nous avait abandonnées et qu'elle était sans doute morte ?

La fumée bleue forme une spirale. Il hoche la tête et murmure que le feu s'étouffe. Muni d'une longue barre de fer, il remue les feuilles. Un nuage de fumée plus sombre s'élève. Pendant un instant, j'ai le sentiment que j'hallucine.

— C'est ce que je pensais, dit-il sans se retourner. Il leur fallait de l'air pour se consumer.

— Papa, pourquoi maman n'est pas venue en Angleterre avec nous ?

Il contourne le foyer et me regarde de ses yeux rougis.

— Emma, tu ne peux pas comprendre tout ce que font les adultes. Quand tu seras plus âgée, tout te paraîtra clair.

— Je ne suis plus une enfant, je réplique en soulevant un sourcil comme le faisait maman.

Il le remarque mais ne dit mot. Moi aussi, je me tais. Un oiseau, candidat au suicide, vole à quelques centimètres au-dessus du brasero.

— Tu sais, j'ai embrassé Billy, un vrai baiser.

495

— Mon Dieu! On dirait ta mère!

— Papa, je voudrais l'adresse de George Parrott. Je dois savoir où maman se trouve.

Il me regarde enfin droit dans les yeux.

— George Parrott ne peut plus t'être d'une quelconque utilité.

Il fouille dans la poche de sa veste, en sort son portefeuille et déplie une coupure de journal. Je la parcours deux fois avant d'admettre la vérité. M. Parrott est mort.

Pendant le silence qui suit, j'ai envie de lui permettre de continuer à tout dissimuler, à faire croire que nous sommes une famille normale : je suis avec un père qui m'adore et ma mère est dans la cuisine où elle prépare notre dîner. Pendant un instant, il essaie de parler normalement, comme s'il n'y avait pas de mur entre nous. Il dit qu'il ne peut envisager de retourner en Malaisie pour chercher maman car la maison est en vente et que nous devons être là pour la faire visiter. Quand je serai plus grande, un voyage en Malaisie sera envisageable. S'il croit me calmer avec cette vague promesse !

— J'aimerais voir l'article sur maman. Je pourrais écrire à la personne qui l'a interviewée. Elle me dirait où elle habite.

Il me désigne les flammes qui montent soudain du brasero et la fumée qui envahit la serre.

Je me précipite pour retirer du feu un coin à moitié calciné de l'article. Mes yeux se remplissent de larmes quand je le laisse tomber et qu'il s'éparpille par terre.

Papa me prend par les épaules :

— Emma, c'est mieux ainsi. Mieux vaut l'oublier. C'était cet homme qu'elle a voulu retrouver. C'est lui qu'elle voulait. Pas moi.

Je me fige.

— Je veux dire : pas *nous*.

Je le repousse. Mes joues se gonflent. A-t-il cherché à nous éviter d'être terriblement déçues ou à nous cacher la vérité ? Comment savoir ? Je contre-attaque :

— C'est mieux pour qui ? Pour moi ou pour toi ?

Il rougit. Je sens l'odeur de ses aisselles quand il se rapproche. Il a l'air bien seul, comme perdu. Mais c'est trop tard.

— Allons, Emma, tu es contrariée. Tu t'es brûlée. Il faut bander ta main.

— Tu as raison. Je suis très fâchée... Je te hais !

Il contracte les mâchoires.

— Emma, écoute-moi !

— Non ! Je ne te crois plus. Tu m'as menti pour le télégramme. Je suis sûre que maman l'a envoyé. Et je ne renoncerai jamais à la retrouver. Jamais.

Je fais demi-tour et m'enfuis. Maman nous cherche ! En courant, je sens sa présence, son parfum. J'ai la bouche sèche et j'ai mal au cœur. L'important est d'apprendre où est maman. Si elle est avec Jack, ça m'est égal. C'est ma mère et je l'aime.

Alors que je descends l'allée, je vois de la fumée s'élever à la lisière des maisons du village, là où Billy habite. J'ai une grosse boule dans la gorge. Quand on se télescope dans la rue, j'arrive à peu près à m'excuser. Puis j'éclate en sanglots et pendant le silence embarrassé qui suit, il me

497

dévisage attentivement. Je tripote mes cheveux en attendant qu'il parle en premier. Au bout d'un moment, il me fait un baiser sur le front, sort un mouchoir pour sécher mes larmes et me sourit:

— Ne t'en fais pas, il est propre. Bon, Em, on oublie tout ça, d'ac?

— Copains?

— Copains! répond-il avec un clin d'œil.

Je lui parle de l'article du *Straits Times*:

— Comme papa l'a détruit en le mettant dans le brasero, je ne peux plus rien faire. Regarde ma main. Je me suis brûlée en essayant de retirer l'article du feu.

— Maman va te mettre quelque chose dessus.

— Merci.

— Emma, tu es bête.

— Je t'ai déjà dit que je m'excuse et je le pense. C'est pas assez?

— Je ne parle pas de ça. Tu comprends pas?

— Non.

— Emma, il y a une autre façon de procéder. Viens chez moi. Je t'expliquerai en route.

51

En allant chez Adil, Lydia et Maz remplirent des sacs entiers de provisions. À quelques pas de son immeuble, ils tombèrent sur lui qui revenait d'un long voyage à Singapour. Sur place, il avait consulté les listes d'embarquement de tous les passagers depuis trois ans, y compris les plus confidentielles, car, cette fois-ci, il était muni d'une autorisation en bonne et due forme. Essoufflé, agité, les joues rouges, il posa une main sur l'épaule de Lydia et l'autre sur celle de Maz. Puis il reprit sa respiration.

— Parle doucement. Prends ton temps ! fit Lydia.

— On a vu un homme répondant à la description d'Alec.

— En Malaisie ? Tu veux dire en Malaisie ?

Il leva la main pour l'arrêter :

— Il a été repéré quand il a embarqué sur un cargo à destination de l'Angleterre, accompagné par deux petites filles, à la date idoine. Un employé de l'agence maritime s'est souvenu de lui. C'est rare de voir un homme voyageant seul avec des enfants, m'a-t-il dit.

Bouleversée, Lydia s'était transformée en statue.

—Au début, j'ai contrôlé toutes les listes de passagers et plutôt deux fois qu'une, mais j'ai omis les cargos qui partent de Singapour et embarquent quelques passagers. On m'a donné l'autorisation de vérifier leurs listes pour cette année-là.

—Alors ?

—Aucune trace d'un Alec Cartwright.

Lydia s'assombrit mais Adil réagit immédiatement :

—Non, écoute-moi ! Tu te rappelles quand Harriet a parlé d'un nom similaire. Moins difficile à falsifier...

Est-ce qu'on touche enfin au but ? se demanda Lydia.

—Je n'ai pas eu de chance en vérifiant les noms commençant par un C. Mais un Alec Wainwright, avec deux filles, figurait sur un cargo allant de Singapour à Liverpool.

—Mon Dieu ! Wainwright à la place de Cartwright. Seulement trois lettres à modifier !

—Exact.

—Pourtant, Alec m'avait juré qu'il ne retournerait jamais en Angleterre. Tu es sûr ?

—Une des filles avait huit ans, l'autre onze. Inscrites comme Fleur et Emma. Lydia, il n'y a aucun doute.

Elle posa une main sur son cœur comme pour en ralentir le rythme. Elle en avait voulu à Adil de lui avoir dissimulé les circonstances de la naissance

500

de Maz. Désormais, ça n'avait plus d'importance. Ses filles étaient en Angleterre et elle allait les trouver.

— Adil, merci. Merci mille fois.

Elle l'embrassa sur la joue et ils échangèrent des sourires tandis que Maz poussait une sorte de cri en entamant une sarabande endiablée.

Lydia éclata de rire. Son rêve impossible s'était réalisé. Dans son esprit, elle avait conservé ses filles en vie. Pas *conservé* en fait. Parce qu'au fil des mois, sans qu'elle ait eu à se forcer, Emma et Fleur avaient envahi ses pensées. Même quand elle les avait crues mortes, elles avaient vécu en elle, petits êtres ensoleillés aux yeux de lumière. Soudain, il lui vint une image de Fleur assise en tailleur sous l'ombrage d'un grand banian, ses yeux bleus pleins d'éclats, les pieds enfouis sous un tapis de fruits roses. Alors que des centaines d'oiseaux gazouillaient au-dessus de sa tête, elle avait eu un air mélancolique pour lui demander :

— Maman, à quoi ça ressemble la neige ?

Et voilà qu'après toutes ces épreuves il semblait que sa petite fille ait appris à quoi ressemblait la neige !

52

Le papier peint de Granny, avec ses poules et ses cochons dans les jaunes et les bruns clairs a disparu, remplacé par des murs jaune d'œuf plus modernes. Fleur et moi sommes attablées à la cuisine et attendons de déjeuner. Les vacances de Noël sont presque terminées. La nouvelle année 1958 va commencer et j'ai le cœur léger. J'ai enfin l'espoir de revoir maman. À la fin des vacances d'automne, le jour où Veronica et moi avons découvert à la mairie l'adresse exacte de miss E. Cooper-Montbéliard au château de Kingsland, je lui ai écrit.

Dans ma lettre, je lui explique qui je suis et lui demande de me répondre à la maison, mais pas avant les vacances de Noël. Ensuite, je suis prise d'un horrible doute. Qu'est-ce qui va se passer si elle ne connaît pas les dates des vacances ou si sa lettre arrive une fois que je serai retournée à la pension ? Désormais, chez nous, c'est motus et bouche cousue! On ne parle plus de l'article du journal et papa a retrouvé son sang-froid habituel. Bien sûr, j'ai écrit au *Straits Times*. Je n'ai pas eu besoin du nom du journaliste, car je me suis adressée directement au patron, comme Billy me l'a suggéré. Il a eu raison. Quelle idiote de ne pas y avoir pensé toute seule! En tout cas, je n'ai pas encore reçu de réponse.

On nous a enfin installé le téléphone. Papa a écrit à Veronica pour lui donner le numéro, mais personne n'a appelé pendant trois jours. Quand enfin il sonne, nous écoutons l'émission comique *The Goon Show* à la radio de la cuisine. Nous sautons en l'air et papa se dirige vers le salon. Je baisse le son du poste pour écouter. Il s'excuse beaucoup. Décidément, ce n'est plus le même père. Ensuite, il nous annonce que Veronica va venir. Fleur applaudit et je souris.

Avant d'avoir vu l'article, avant de savoir que maman n'avait pas disparu, nous n'avions pas trace d'Emma Rothwell. Une vraie déception malgré les efforts de Veronica. Mais puisqu'elle sera bientôt là, je vais pouvoir discuter avec elle de la façon de retrouver maman. J'espère que cette fois nous aurons plus de chance.

Depuis avant Noël, le courrier arrive à n'importe quelle heure, parfois deux fois par jour. À chaque fois, j'essaie de le récupérer avant papa. Mais que va-t-il se passer quand les vacances seront finies? Aujourd'hui, le facteur passe pendant le déjeuner. Papa recule sa chaise.

Je crie:

— Ne t'en fais pas, je m'en occupe!

Je fonce dans l'entrée.

—Tu attends quelque chose? demande papa depuis la cuisine.

—Non. Juste quelques cartes de Noël en retard.

Je glisse l'enveloppe dans ma culotte.

Le déjeuner n'en finit pas. Il semble étrange qu'après tout ce qui est arrivé la vie ait repris normalement. Rien n'a changé. Mais c'est ainsi. La cuisine de papa est toujours aussi mauvaise: bœuf bouilli et pommes de terre au chou, pour midi. Ça colle tellement au palais que j'ai du mal à avaler.

Dès la dernière bouchée, je me précipite dans la salle de bains où je m'enferme à double tour. J'ouvre enfin l'enveloppe.

Chère Emma,

Je n'ai pas été surprise de recevoir ta lettre car, après maintes réflexions, j'ai décidé d'autoriser mon avocat à te communiquer mon nom. Je serai heureuse de faire ta connaissance. Demain samedi, venir ici à Kingsland pour le thé, cela te conviendrait-il? Avant ton retour en pension. Si ce n'est pas possible, inutile de me prévenir. Je serai ici, en tout cas, car je prends toujours une tasse de thé à quatre heures. Il te suffit de m'envoyer un mot pour me suggérer un autre jour.

Sincèrement,
Emmeline Cooper-Montbéliard

Parfait. Demain, j'aurai l'occasion de savoir qui est cette E C-Mb qui finance mes études. Je cache la lettre sous mon matelas et décide de supplier

Veronica, quand elle viendra pour le thé, de m'accompagner là-bas.

Le lendemain, Veronica se présente de nouveau à trois heures tapantes. La neige a recouvert notre jardin, givré la haie principale, dissimulé le gazon. Une grande toile d'araignée est suspendue toute gelée à notre porte d'entrée. J'adore voir les araignées construire leurs toiles, un fil après l'autre. Qu'est-ce qui leur arrive? Elles gèlent aussi?

Papa est surpris de revoir Veronica si vite, mais il ne nous a pas entendues murmurer avant qu'elle parte, hier. Il ne l'a pas vue m'embrasser sur la joue en me disant que je lui manquais. Chère et bonne Veronica. Elle raconte un bobard à papa, prétextant qu'elle doit prendre ma pointure pour de nouvelles chaussures. J'ignore s'il gobe son mensonge, mais il n'est pas en position de protester.

Nous empruntons d'étroites rues bordées de maisons en brique sales dans Kidderminster avant de nous retrouver dans la campagne où la neige recouvre les champs. Malgré les routes verglacées, nous roulons assez vite et arrivons bientôt devant deux hautes grilles en fer forgé, ouvertes en grand.

Au bout de l'allée bordée des deux côtés par d'énormes tilleuls aux branches nues, le château de Kingsland s'élève majestueusement. Ce n'est pas le sombre édifice que j'ai imaginé, ni une demeure princière, ni même un château mais un manoir de bonne taille, construit en brique rose sur trois étages, sans piliers ni colonnes. En regardant par une des portes-fenêtres du rez-de-chaussée, j'aperçois une femme, le nez collé à la vitre. Comme elle ne se détourne pas en me voyant, je sors le menton pour paraître aussi responsable que possible.

Je fais de la buée en montant les marches du perron. Veronica actionne la vieille sonnette. Un homme d'âge moyen nous ouvre la porte en chêne massif, ornée de glands en ses quatre coins et de chérubins jouant de la trompette. Malgré ma nervosité, j'affiche un sourire. Mais, une fois introduite dans un vestibule couvert de boiseries, je perds un peu mes moyens. Des tableaux dans des cadres dorés, de lourds meubles rehaussés de bronzes dorés s'alignent le long des murs. Les portraits représentent des hommes au visage sévère, à la moustache en pointe, et des femmes effacées à la poitrine blanche. Au-dessus des tableaux, les murs sont vert sombre. Soudain, je suis gênée à l'idée que cette dame fasse partie d'une œuvre de bienfaisance qui m'aurait prise en charge. Je regarde la progression des aiguilles d'une horloge ancienne et entends une sonnette tinter.

Le même homme revient et nous invite à le suivre. Nous pénétrons dans un grand salon où trois hautes fenêtres donnent sur le jardin principal et sur l'allée. Contrairement au vestibule, cette pièce est lumineuse. Une dame est assise près de la plus grande cheminée que j'aie jamais vue. Un beau feu y ronfle.

Mince et élancée, elle porte un tailleur bleu pâle et un chemisier blanc à fleurs. Ses cheveux, blancs comme neige, sont coupés court, une coiffure très moderne.

—Asseyez-vous ! Et maintenant que les présentations sont faites, prenons le thé !

Son majordome hoche la tête et ferme la lourde porte derrière lui.

Elle se tourne vers moi et je me tortille sur ma chaise. Le téléphone sonne. Je jette un coup d'œil autour de moi tandis qu'elle répond, à contre-cœur me semble-t-il. Un délicieux parfum s'ajoute à l'odeur du bois qui se consume. Les murs sont tapissés d'une soie pâle, des tapis orientaux recouvrent les parquets, des animaux en bois verni sont assis sur les rebords des fenêtres.

Elle raccroche et nous fait face :

— Je suis heureuse de constater que tu aimes mes petites bêtes. Elles viennent d'Afrique.

Je souris sans raison.

— Tu as bien fait de venir me voir. Tu dois vouloir savoir pourquoi je finance tes études.

Pas facile de trouver la bonne façon de me comporter dans ce lieu imposant ! Pourtant, je réussis à acquiescer et je retrouve ma voix :

— Oui, s'il vous plaît.

Elle soupire, comme si elle avait un grand poids sur l'estomac. Veronica et moi, nous échangeons un regard.

Après quelques secondes d'hésitation, elle se lance pourtant :

— J'ai été étonnée d'apprendre par mon secré-taire que ton père était revenu mais sans ta mère.

— Comment a-t-il su ? demande Veronica.

— Par la rumeur. À la campagne, il ne faut pas grand-chose pour que les langues se délient.

— Je ne comprends pas, dis-je. En quoi ça vous concerne ?

Silence. Veronica intervient :

507

—Emma cherche à savoir pourquoi vous vous intéressez à sa famille.

—Il n'y a qu'une façon de dire les choses, répond-elle d'une voix qui tremble un peu. Quand tu seras au courant, j'espère que tu ne me détesteras pas.

—Mais non! je murmure sans bien comprendre.

Dans le silence du grand salon, me parviennent les cloches d'une lointaine église, le ronronnement d'une voiture, le souffle du vent qui se lève.

—La vérité est simple! Lydia Cartwright est ma fille.

Je manque de m'étrangler et tends la main vers Veronica.

—Alors vous êtes... commence-t-elle.

—Oui, je suis la grand-mère d'Emma.

Je réussis à me lever de ma chaise et à me tenir debout, espérant que mes jambes ne vont pas se dérober sous moi.

—Impossible! je m'exclame. La mère de ma mère s'appelait Emma Rothwell.

—Oui, tu as raison. Rothwell était le nom de jeune fille de ma grand-tante. Elle est morte il y a de nombreuses années sans laisser de descendants. Comme cette branche de la famille était en voie d'extinction, j'ai pris son nom pendant ma grossesse et j'ai raccourci mon prénom pour Emma.

Je la dévisage longuement, sors mon petit portrait que je lui tends et attends sa réaction. J'aimerais dire quelque chose mais j'ai la bouche si sèche que je ne peux prononcer un mot.

—Oui, je ressemblais à ça dans le temps!

Elle n'ajoute rien et me rend la miniature. Puis, se penchant en avant, elle croise les bras sur sa poitrine.

Je me rassieds. J'ai l'impression qu'on m'étrangle et que je suis muette.

Celle qui se dit ma grand-mère relève la tête :

—Mon avocat a enquêté discrètement. Il a trouvé où tu habitais. Il a également découvert que Lydia n'était pas avec toi et qu'elle ne vivait pas non plus dans votre maison de Malacca.

—Notre maison ?

—Oui. Je savais aussi où se trouvait la maison des parents d'Alec et bien sûr mon avocat m'a tenue au courant des déménagements de Lydia, même avant son départ pour la Malaisie. Mais ensuite, étant donné que Lydia était portée disparue, je ne pouvais pas rester à ne rien faire. J'ai pris alors contact avec ton père et quand je lui ai dit qui j'étais, nous nous sommes rencontrés. Pour moi, c'était important, vois-tu ? Bien sûr, ton père a eu un choc quand il a compris qui j'étais.

Il ne nous en a rien dit, fais-je en moi-même.

—Ton père m'a raconté que ta mère t'ayant abandonnée, toi et ta petite sœur, vous étiez revenues en Angleterre sans elle. Pourtant après ce qui lui était arrivé à elle, j'ai pensé qu'il était impensable qu'elle ait abandonné ses propres filles.

—Je ne l'ai jamais cru non plus, dis-je rapidement. Jamais.

—Toujours est-il que ton père et moi avons conclu un accord. Comme il avait des difficultés financières, j'ai accepté de régler ses factures s'il m'aidait à retrouver Lydia. Heureusement, cela s'est passé quand il cherchait une pension pour toi. Il a insisté pour que notre accord demeure secret et, malgré mon envie de vous connaître, toi et ta sœur, il me l'a défendu. Il a prétendu que ce serait trop perturbant. Comme je ne te connaissais pas, je n'ai pas discuté.

— Qu'a-t-il découvert ? demande Veronica.

— Rien d'utile, seulement qu'elle avait disparu.

— C'est ce qu'il nous a dit, disparue présumée morte.

— J'ai pensé que c'était des sottises et j'ai poursuivi ma propre enquête. Au début ça n'a mené à rien, mais récemment j'ai trouvé l'adresse d'une de ses amies grâce à un article dans un journal de Malaisie et je lui ai envoyé un télégramme.

L'article du journal. De froide, la pièce devient étouffante. Raide comme un piquet, je m'agrippe aux bords de ma chaise. Emmeline Cooper-Montbéliard porte sa main à son cou et cherche quelque chose. Elle dégage de son col un lézard en argent aux yeux d'émeraude au bout d'une chaîne.

— Je n'ai pas encore eu de réponse. Mais parle-moi de ta mère, dit-elle d'une voix mal assurée et à peine audible.

— Pardon ?

— Ta mère.

J'ai l'impression de marcher à reculons dans un long couloir. Je dois être au bord de l'évanouissement car Veronica me conseille de mettre ma tête entre mes genoux.

Au bout d'un moment, je me redresse.

— Maman a des lézards... On lui a donné des boucles d'oreilles. C'est tout ce qu'elle avait.

— Je sais, ils étaient à moi. Sache que la personne que j'étais n'est plus celle que je suis aujourd'hui. On change. La vie nous change.

Du coin de l'œil, je vois Veronica acquiescer.

— J'ai été obligée de l'abandonner et on ne m'a pas permis de la voir. Ce fut un terrible crève-cœur, mais j'étais comme bannie pour avoir couvert ma famille de honte.

La peau délicate de son visage est couverte de fines rides. Seul son front est strié de rides profondes. J'ai du mal à supporter la douleur de ses yeux.

— C'était en 1924. Mes parents m'ont interdit tout contact avec Lydia. Une fois seulement j'ai pu persuader une religieuse de me laisser la voir. Elles allaient passer la journée au bord de la mer à Weston-super-Mare. Je les ai retrouvées là-bas et nous avons regardé la sculpture d'un lion en sable. Je crois que ce fut le jour le plus heureux de ma vie. Je me souviens encore de ce que je portais. Une robe bleu pâle ornée de bleuets plus foncés tout autour de l'ourlet. J'ai eu une autre occasion, des années plus tard… mais cette visite me fut interdite.

Je jette un coup d'œil au vent qui pousse la neige sur le gazon. Mon cœur saigne pour maman et pour cette femme qui l'a abandonnée et, en même temps, l'évocation de l'enfance solitaire de ma mère me remplit de rage. J'ai tellement envie de la sentir m'enlacer que mes larmes coulent. Je les sèche d'un revers de main.

— En lui disant au revoir, j'ai laissé une partie de mon cœur. On ne m'a jamais permis de la revoir.

511

J'avais abandonné tous mes droits et ils m'ont fait croire qu'elle serait trop bouleversée si elle me voyait. Les choses étaient si différentes à cette époque-là.

— Et le père ? demanda Veronica dans un souffle.

J'observe la réaction de la femme. Son menton tremble et je me dis qu'elle va pleurer. Elle nous tourne le dos, remet une bûche dans la cheminée, ranime le feu. Quand elle nous fait face à nouveau, son visage a retrouvé sa sérénité.

— Charles Lloyd Patterson, le peintre... Ne le blâmez pas, il n'était pas au courant et il n'aurait pas pu se charger de Lydia. Impossible en ce temps-là. Sans argent, sans aide aucune, j'ai obéi à mes parents.

— Comment est-ce arrivé ? dit Veronica.

Moi aussi j'ai envie de savoir, mais sa brusquerie me surprend.

Ma grand-mère, car c'est ce qu'elle est, se lève et fait les cent pas devant la cheminée en se frottant les mains.

— Mes parents avaient commandé mon portrait à Charles. Cela nous a pris tous les deux par surprise – nous sommes tombés amoureux. J'étais très jeune. Il ne l'était pas.

— Et après la naissance ?

— J'aurais voulu rentrer à la maison, mais mon père m'a acheté un appartement à Londres. Je crois lui avoir brisé le cœur. J'ai pris un job au British Museum au service des catalogues et j'ai attendu la mort de mon père pour quitter Londres et venir vivre ici. Puis maman est morte il y a cinq ans.

Achevé d'imprimer par GGP Media GmbH, Pößneck
en janvier 2014
pour le compte de France Loisirs,
Paris

N° d'éditeur : 75499
Dépôt légal : janvier 2014
Imprimé en Allemagne

Composition :
Soft Office – 5, rue Irène Joliot-Curie – 38 320 Eybens

—Et le peintre?

—Je n'ai jamais revu Charles. Il n'a jamais su pour Lydia.

—Nous avons vu deux portraits de vous. Quand vous étiez jeune.

Elle s'arrête d'aller et venir.

—Tu es allée là-bas?

—Oui.

J'aurais aimé lui en vouloir mais je ne peux pas. Un long silence s'instaure. Pas plus Veronica que moi sommes capables de parler.

—Et toi? Tu me juges durement? demande-t-elle d'un ton mal assuré.

Je tournicote mes mèches. Il émane d'elle tant de tristesse. Être obligée d'abandonner un bébé dans ces conditions. Impossible de la juger.

—Non, je murmure.

Son visage s'éclaire et elle m'ouvre ses bras. Sans hésiter, je m'approche, hume le parfum de sa peau. Elle dépose un baiser sur ma joue, le baiser le plus léger du monde.

Veronica est au bord des larmes. Je vais m'asseoir à côté d'elle.

—Et Alec? Comment avez-vous su qu'il était le mari de Lydia?

—Venez, je vais vous montrer.

Emmeline nous guide le long d'un long couloir jusqu'à l'arrière de la maison. Prenant une clé suspendue à son cou, elle ouvre la porte d'une pièce baignée d'une douce lumière.

Pas un espace libre sur les murs. Des photos de deux bébés, deux petites filles, d'une femme splendide à la chevelure flamboyante, ainsi que

513

des coupures de journaux sont punaisées sur un panneau de liège. Je m'approche encore. Le mariage de ma mère. L'annonce de ma naissance. La courte lettre de mon père annonçant la disparition de maman. Des articles sur la Malaisie décrivant sa beauté et la terreur qui règne dans la jungle.

Je deviens livide. Je peux à peine respirer. Je suis envahie d'images : d'incidents à moitié oubliés, de sorties, d'ambiances. Et en allant à la mer, le soleil qui brillait sur les toits orange des bungalows. Mais surtout l'odeur de citronnelle et le parfum de maman.

— Vous êtes donc au courant de tout ce qui nous concerne, dis-je en me retournant vers ma grand-mère. Au sujet de Fleur, de maman et de moi.

— Pas de tout. J'ignore toujours où ta mère se trouve. Je te le répète, j'ai suivi ses allées et venues tant que j'ai pu grâce à mon avocat. J'ai appris son mariage et j'ai su aussi qu'elle n'était pas revenue en Angleterre avec vous. J'ai chargé mon avocat de mettre en œuvre tous les moyens imaginables pour la rechercher.

Elle se caresse le cou lentement.

— Continuez, s'il vous plaît.

— Un peu plus tard, quand nous avons découvert une piste, je suis partie à l'étranger pour en apprendre plus. J'espérais atteindre la Malaisie, mais je ne suis pas allée plus loin que l'Australie. Je suis tombée malade, vois-tu.

— Nous devons la retrouver, dis-je calmement.

— Certainement, et j'espère, Veronica, que vous nous aiderez.

— Bien sûr.

514

Emmeline nous reconduit à la porte et je lui tiens la main. Elle est aussi froide qu'un glaçon. Dans le vestibule, j'admire une fois de plus les portraits en me demandant s'il s'agit de mes ancêtres.

— Quand maman a grandi et que vous êtes revenue vivre ici, pourquoi ne pas lui avoir révélé qui vous étiez ?

— Ç'a toujours été mon intention. Mais plus j'ai attendu… Et puis les événements se sont ligués contre moi. La guerre a éclaté, ils sont partis sans crier gare pour la Malaisie. Je suis navrée.

— Alors pourquoi avoir accepté de me dire que vous payiez mes études quand votre avocat vous l'a demandé ? Pourquoi maintenant ?

— Je désirais vraiment faire ta connaissance et celle de ta sœur. Et puis, comme je ne réussissais pas à localiser Lydia avec l'aide d'Alec, j'ai pensé qu'il était temps de vous faire savoir que je m'inté-ressais à vous. Et tant pis pour votre père.

Devant son air malheureux, je l'embrasse sur la joue. Elle aussi est glacée.

— Reviens en février pendant tes congés et nous ferons le point sur ce que j'ai découvert. Et si nous devons aller en Malaisie pour la dénicher, nous irons ensemble ! Je te le promets.

Je lui fais un grand sourire en partant. Malgré le froid intense et le ciel gris et menaçant, je suis en ébullition. J'ai découvert qui finance ma pension bien que ce ne soit plus aussi important. Le prin-cipal ? J'ai trouvé Emma Rothwell. Je connais ma grand-mère.

515

Veronica se demande-t-elle pourquoi papa lui a raconté des balivernes ? En tout cas, moi je m'interroge.

— Veronica, dis-moi, qu'allons-nous faire pour papa ?

— Mieux vaut ne rien dire à ton père tant que nous n'en savons pas plus pour ta mère.

— Mais il veut vendre la maison !

— Ne t'en fais pas. Je m'arrangerai pour ralentir les transactions. Je viendrai te chercher pour ton prochain congé et nous irons voir ta grand-mère ensemble.

— Après tout ça, tu es toujours amoureuse de mon père ?

— Oui. L'amour, ce n'est pas si simple. Tu as sans doute du mal à me comprendre mais oui, je l'aime toujours. Ton père est complexe et il a besoin de moi.

Elle a raison. C'est inexplicable.

53

Finalement, trop excitée pour s'endormir, Lydia avala deux pilules qui lui restaient de l'époque où elle pensait que ses filles avaient péri dans l'incendie. Quand elle se réveilla après une nuit d'un sommeil profond, elle était étalée en travers du lit d'Adil. Le soleil, filtrant par les interstices des volets, dessinait des bandes de lumière. Elle songea à ce qu'elle ressentait quand Adil était couché auprès d'elle. Il était présent dans son esprit le matin dès qu'elle ouvrait les yeux. Mais la nuit quand elle s'endormait et pendant la journée, elle ne pensait qu'à ses filles.

Entendant des voix venant du salon, elle se força à se lever et tituba jusqu'à la porte.

Cicely était là, comme toujours parfaitement maquillée.

— Bonjour, ma chérie. Une nuit mouvementée?

Contente d'elle, elle éclata de rire et fit une grimace en regardant Adil.

— Envie de se joindre à nous pour une tasse de café?

Lydia se sentit gênée. Cicely savait trop bien la titiller. Sourcils froncés, elle se planta devant la fenêtre afin d'éviter son regard moqueur. Elle contempla ses mains, comme absorbée par son nouveau vernis à ongles rouge, puis regarda dehors. Il était rare qu'il y ait autant de vent. Hésitant sur l'attitude à adopter, elle contempla les petits nuages blancs chassés par la brise. Soudain, elle se souvint qu'elle devait au moins des remerciements à Cicely:

— Je ne t'ai jamais exprimé ma gratitude pour m'avoir fait connaître Clara. Sans elle, je n'ose penser à ce qui serait advenu.

— Inutile de me remercier, ma chérie.

Lydia examina le visage de Cicely sous la lumière crue du soleil et eut pitié d'elle. Les rides en éventail autour de ses yeux s'étaient creusées. Désormais, elle paraissait son âge.

— Je dois partir. Bonne chance, ma chérie, dit Cicely avec un petit salut à Adil. Amusez-vous bien!

Elle agita son poignet couvert de bracelets et s'en fut.

Lydia fit la grimace.

Elle eut droit à un clin d'œil d'Adil. Les couleurs qu'il portait, bordeaux et bleu, accentuaient le brun de ses yeux.

— Ne te laisse pas abattre par elle!

Maz qui épluchait une mandarine pivota sur son tabouret, répandant une délicieuse odeur d'agrume dans la pièce.

— Qu'est-ce qu'elle voulait, à part se moquer de moi ?

Il lui montra une enveloppe :

— Tu prends la mouche trop facilement. Elle a apporté ça. Regarde !

— Ça vient de qui ?

Dévoré par la curiosité, il lui tendit le télégramme. Lydia le lut et sembla perplexe.

— Alors ?

— Je ne comprends pas. Une femme me demande des détails sur mes déplacements.

— Qui est-ce ?

— Elle s'appelle Cooper-Montbéliard. Et dit qu'elle agit pour le compte de ma famille. Est inclus un numéro de boîte postale dans le Worcestershire pour une réponse.

— Pourquoi l'avoir envoyé à Cicely ?

— Aucune idée. Mais qu'est-ce que ça veut dire : *pour le compte de ma famille* ? Elle veut sans doute parler d'Emma et de Fleur.

Ils se turent tous deux. Elle relut le télégramme plusieurs fois avant de relever la tête. Adil lui tendit les bras. Elle se nicha contre son torse. Maz sauta sur la table basse en sifflant et en tapant dans ses mains.

— Maz, attention ! Tu vas la casser ! Et va plier ton lit de camp, pour l'amour du ciel !

Adil tendit une main vers le garçon pour l'aider à descendre.

— On attend quoi ? s'exclama Lydia en s'écartant.

Elle nota le numéro de la boîte postale sur un bout de papier.

— Tu connais cette femme?

— Non, et je m'en fiche. Je lui réponds aujourd'hui même.

— Tu vas partir tout de suite? Je veux dire en Angleterre.

Elle acquiesça et sentit son pouls battre contre sa tempe. Elle aurait aimé caresser Adil, percevoir les battements de son cœur quand elle posait sa tête sur sa poitrine. Mais l'appel de ses filles était plus fort.

— Est-ce qu'on t'a déjà dit que tu avais des yeux extraordinaires? demanda-t-il.

— Je pensais que tu ne les remarquerais jamais!

Elle rit tout en frissonnant. On lui avait déjà dit qu'elle était belle mais venant d'Adil cela la touchait cent fois plus.

Un silence s'instaura. Son amour pour Adil avait commencé tout doucement. Mais, aussi étrange que cela ait pu lui paraître, elle avait eu la conviction que les sentiments d'Adil avaient évolué au même rythme que les siens. Son cœur se serra. Lui tournant le dos, elle se mit à rincer les tasses. Elle était déchirée à l'idée de le laisser, elle aurait voulu lui parler. Mais les mots restaient dans sa gorge.

Maz, à nouveau perché sur la table basse, tournicotait comme une toupie. Elle entendit Adil s'adresser à lui.

— Il faut que je te parle, dit-elle d'une voix étouffée par les larmes.

Ils se tinrent face à face, à chaque extrémité de la pièce. Adil l'écouta sans bouger, comme s'il ne faisait plus qu'un avec elle.

— J'ai échoué avec mon mari, j'ai échoué avec mes filles.

— Si c'est vrai, tu n'es pas la seule responsable.

— Peut-être. Mais maintenant, je dois agir seule. Revoir mes filles. Désolée. Je veux...

Adil s'avança d'un pas. Elle avait espéré que son amour à lui était aussi sincère que le sien, qu'elle ne s'était pas simplement convaincue qu'il l'aimait bien. Terrassée par l'émotion, elle le chassa à coups de torchon.

— Je dois donner la priorité à mes filles. Si j'avais agi ainsi dès le début, rien de tout ça ne serait arrivé... Qu'est-ce qui te plaît en moi ?

— Je vois la femme avec qui je veux vivre.

Pendant le court silence qui suivit, même Maz cessa de tournoyer.

— Malgré tout ce que tu sais à mon sujet, sur Jack, sur mes filles, tu continues à le penser ?

Adil lui prit la taille et déposa un léger baiser sur son front :

— Pose ton torchon et va t'habiller !

Le regard d'Adil la rassura : il tenait à elle.

Après s'être rendu à l'agence maritime, Adil revint tout souriant :

— Tu ne veux pas que je t'accompagne ? Tu en es sûre ?

— J'ai déjà mon petit compagnon de voyage, dit-elle, le cœur prêt à exploser de joie.

Maz leur adressa un sourire délicieux :

— Je vais aller sur un bateau !

— Dieu merci, le canal de Suez n'est plus fermé, précisa Adil. Sinon, tu aurais mis plus d'un mois.

Lydia n'y avait pas pensé. Grâce au bulletin de naissance de Maz, Adil put se procurer les visas nécessaires pour l'enfant. Et laisser à Lydia le temps de recevoir une réponse d'Angleterre qui lui dirait où aller en arrivant.

— Mon chéri, tu vas embarquer sur un gros navire, dit-elle en ébouriffant les cheveux de Maz. Ne t'inquiète pas, je veillerai sur toi.

Elle contempla le brouillard qui s'élevait de la mer et les nuages qui couraient au-dessus de l'horizon. Détachant son regard, elle observa les hautes pommettes d'Adil, ses yeux écartés, sa démarche souple quand il traversa la pièce.

— Je suis désolée.

Il se passa une main dans les cheveux tout en restant impassible. Or Lydia s'était attendue à ce qu'il change légèrement d'expression ou plutôt elle s'était attendue à mieux le comprendre. Que savait-elle ? Pourtant, au-delà des rides d'Adil qui lui étaient familières, il y avait quelque chose en plus. Un léger mouvement de ses yeux, une profonde tendresse dans ses sourires, des indices presque imperceptibles, mais qui lui prouvaient que ses émotions étaient réelles. Ce qui l'autorisait à respirer plus librement, comme si la douleur qui l'étreignait s'estompait peu à peu. Souriante, elle prit une boîte de dattes confites et se plaça à la fenêtre. Maz et Adil la rejoignirent : tous trois les dégustèrent en observant les mouettes évoluer dans un ciel soudain dégagé.

— Plus de regrets ? dit Adil.

— Aucun.

— Tu m'écriras ? Pour me tenir au courant. Vite.

— Très vite.

L'odeur sucrée de melons s'éleva de la rue. En même temps, une colonie d'oiseaux commença à s'égosiller. D'une drôle de façon, elle serait triste de quitter la Malaisie.

— Merci pour tout, dit-elle, la bouche sèche.

Adil se pencha et elle prit son visage dans ses mains. Elle lui embrassa les paupières.

— Tu t'es toujours comporté comme tu me l'as promis – en véritable ami. Mais tu es bien plus que ça. J'ignore comment tu t'y es pris, mais tu m'as permis de mieux voir en moi.

— Je reste ici, à ta disposition. Un mot de toi et je saute dans le premier bateau. On décidera de ce qu'on fera quand tu seras installée. C'est définitif.

Hochant la tête, elle posa un doigt sur ses lèvres. Elle vivait désormais une nouvelle forme d'amour, un amour adulte. Il n'y avait pas matière à discussion. Elle se rappela ce qu'Emma lui avait dit. Quand un couple qu'elle connaissait s'était séparé, sa fille lui avait déclaré, la tête penchée sur le côté :

« Ils ne sont pas avec les gens qu'il leur faut. C'est pour ça. »

Ce souvenir amena un sourire sur ses lèvres.

— Qu'est-ce qu'il y a d'amusant ? s'inquiéta Adil.

— Toi. Tu es quelqu'un qu'il me faut. J'espère que tu ne souffriras pas trop du froid en Angleterre.

— Je suis un dur à cuire !

Désormais, impossible d'envisager l'existence sans lui. Dans sa vision de l'avenir, partout où elle

523

serait, il serait également. Qu'elle le veuille ou non. Tout irait bien. Ils se reverraient et ça ne serait pas dans trop longtemps. Fermant les yeux, elle se sentit légère comme une plume. Au bord de l'eau, une femme en robe bleu pâle lui adressa un petit salut de la main. Le fantôme qui l'avait accompagnée toute sa vie disparaissait pour laisser Lydia se tourner vers le futur. Si Dieu le voulait, elle allait revoir ses filles bien vivantes. La vie lui avait accordé une seconde chance, c'était là l'essentiel.

54

Le jour tant attendu des vacances de février arrive enfin. Veronica doit venir me chercher pour aller au château de Kingsland. Il fait si froid qu'un brouillard blanc recouvre le paysage. Sa voiture est garée sur le côté de l'école où les intempéries ont fissuré un mur.

Ce n'est qu'une fois installée dans la voiture que je me rends compte que ça ne tourne pas rond. Je cherche à savoir ce qui se passe, mais elle me regarde à peine. Quand je lui demande si nous allons directement à Kingsland, elle se tourne à moitié vers moi. Elle me sourit tristement :

—Non, je regrette. On va directement à la maison.

—Mais pourquoi ?

—Ton père est au courant. Il sait que nous l'avons trompé, que je t'ai emmenée en cachette à Kingsland. Il est furieux et dit que je l'ai trahi.

— Comment peut-il prétendre une chose pareille après tout ce qu'il a fait !

Veronica est au bord des larmes.

— Comment a-t-il su ?

— Hier soir, il m'a entendue parler au téléphone avec ta grand-mère au sujet des billets.

En dépit de son ton neutre, je comprends immédiatement ce dont il s'agit. Malgré sa tristesse, elle me sourit. C'est magique. Je frissonne d'excitation. Des billets pour la Malaisie !

— Tu sais, n'est-ce pas, qu'après avoir lu l'article du journal, ta grand-mère a obtenu l'adresse de Cicely, l'amie de ta mère ? Le journaliste qui a écrit l'article la lui a communiquée.

— Je me souviens de Cicely !

Le directeur du journal ne m'a pas répondu, mais je suis ravie que ma grand-mère ait réussi là où j'ai échoué.

— Elle a envoyé un télégramme à Cicely, mais comme elle n'a pas eu de réponse, elle va lui écrire « par avion » pour lui annoncer que vous allez en Malaisie par bateau, toi et elle.

Une idée lugubre m'envahit l'esprit :

— Et si papa nous empêchait de partir ?

— Dans ce cas, ta grand-mère irait seule. En tout cas, voilà pourquoi nous rentrons tout de suite. Ton père est à cran et je vais essayer de l'amadouer. Nous devons t'établir un nouveau passeport et j'ai besoin de son aide. Inutile qu'il broie du noir trop longtemps.

À la maison, l'ambiance est tendue. Fleur passe le week-end chez une camarade d'école. Je reste dans ma chambre, ayant pris soin de laisser ma porte entrebâillée. La voix de papa me parvient du rez-de-chaussée, et même sans comprendre tout ce qu'il dit, je devine que ça se passe mal.

Au bout d'un moment, Veronica me rejoint. Elle a les yeux rouges, le teint encore plus pâle que d'habitude.

—Nous sortons. J'ai persuadé ton père d'aller en voiture faire un tour dans les Cotswolds et de déjeuner à Chipping Camden. Ça ne t'ennuie pas de rester seule?

Je réponds d'un sourire.

Tant que j'ai ma grand-mère, que peut papa? Ma grand-mère. Je me répète ce mot en me pinçant. J'ai deux soucis en tête: supportera-t-elle le climat de Malaisie et papa me fera-t-il des difficultés pour mon passeport?

L'après-midi s'écoule lentement. Je suis assez optimiste, je rêve de la chaleur de la Malaisie... Soudain, j'entends du bruit. Fleur serait déjà rentrée? Je descends, jette un coup d'œil dehors. Le soleil bas éclaire les branches nues du hêtre au bout du jardin. C'est presque le crépuscule. Il y a quelqu'un à l'extérieur. J'ouvre la porte de service.

—Un jour, tu raconteras cette histoire, me prédit Billy en sortant de l'ombre et en m'embrassant sur la joue.

Ça, je n'en suis pas certaine: j'ai peu écrit depuis que j'ai abandonné Claris à son sort.

—À quel sujet?

—Sur le vent qui gonfle tes cheveux! J'ai la moto de mon père. Tu veux aller quelque part?

En route pour Kingsland, je contemple la rivière froide et hostile en me souvenant d'y avoir souvent pataugé avec Billy. Alors que nous remontons la longue allée, la nouvelle lune sort de derrière le château. Je retiens mon souffle : nouvelle lune, nouvelle vie !

Nous sommes accueillis à la porte par le major-dome de ma grand-mère :

— Elle n'est pas ici, annonce-t-il d'un air chagrin.

— Mais je veux la voir !

— Votre grand-mère se trouve à l'hôpital. Je suis navré.

Je me tourne vers Billy :

— Tu peux m'emmener là-bas ? Billy, je t'en supplie.

— C'est inutile. Elle est gravement malade. Avec toute cette excitation, je craignais qu'il ne lui arrive quelque chose. Je viens de parler à l'infirmière en chef. Les visites sont interdites jusqu'à demain matin.

— Billy ?

— Allons, Em. Attendons demain.

Les jambes en coton, j'attends à la réception. La préposée nous dirige vers le dernier étage de l'aile principale. Bien qu'il soit de bonne heure, l'hôpital tourne rondement. Une forte odeur d'éther nous suit partout. Nous devons éviter de nous cogner dans des chariots poussés par des infirmiers ou dans des médecins en blouse blanche qui discutent à voix basse. J'ouvre une porte qui donne sur une salle bruyante. Tout le monde court dans tous les sens, un téléphone sonne sans discontinuer, des malades affaiblis appellent à l'aide. Au-dessus de la porte, un panneau indique : *Soins Intensifs*. Comme ils servent le petit déjeuner, je me recule et bouscule une nurse grassouillette.

— Ce n'est pas l'heure des visites, ronchonne-t-elle. Nous sommes très stricts sur les horaires.

— Je vous en prie. Je suis venue voir ma grand-mère. Miss Cooper-Montbéliard.

Après une hésitation, elle nous fait emprunter un long couloir. Elle s'arrête devant une chambre signalée par une lampe rouge clignotante :

— C'est la seule chambre individuelle de l'étage. Vous pouvez entrer, mais ne l'excitez pas. Elle est très malade.

— Billy, ça ne t'ennuie pas de m'attendre ?

— Non.

J'ouvre la porte et jette un coup d'œil à l'intérieur. Les rideaux sont tirés, la pièce est peu éclairée. Une bouteille de Lucozade encore emballée dans sa cellophane jaune, une boîte d'Ovomaltine, une boîte de chocolats Black Magic pas encore entamée sont posées sur une petite armoire métallique près de son lit. D'abord, je ne la vois pas, son visage pâle et ses cheveux blancs se confondant avec les oreillers et les draps. J'ai l'impression qu'il n'y a personne, mais un léger sifflement m'indique que je ne suis pas seule. J'écoute sa respiration, me rapproche et m'assieds sur une chaise inconfortable à côté du lit.

Grand-mère est reliée à un goutte-à-goutte. M'adossant à la chaise, je ferme les yeux. Jamais je n'ai désiré quelque chose avec autant de force. Je prie Dieu pour qu'elle se rétablisse, qu'elle reste en vie pour que maman la connaisse. Je sais qu'elle ne pourra jamais aller en Malaisie, mais ça n'est pas grave, du moment qu'elle est vivante. Comme ce serait injuste de la perdre après l'avoir trouvée! J'essuie mes larmes, mais je continue à sangloter.

Au bout d'un moment, elle ouvre les yeux, me regarde d'une étrange façon puis, semblant ne pas me reconnaître, les referme. Une infirmière entre, la mine soucieuse, me salue vaguement et ressort. Je reste assise pendant des heures, les fesses ankylosées sur la mauvaise chaise en bois. Billy m'apporte une tasse de chocolat chaud et un petit pain avant de retourner m'attendre à la cafétéria.

Un docteur apparaît.

— Elle va s'en sortir? je m'inquiète.

— Elle souffre d'une pneumonie, répond-il d'un ton froid.

— C'est ma grand-mère. Je vous en prie, mettez-moi au courant.

Il semble hésiter:

— C'est difficile à dire. Elle a de l'asthme, ce qui complique la situation. Nous la surveillons attentivement. Vous pouvez patienter ici, mais je vous suggère de descendre à la cafétéria.

— Je préfère rester ici.

Il ouvre les rideaux en grand et tourne les talons.

La lumière du jour me fait ciller. La fenêtre donne sur le parking. J'observe les gens qui entrent et sortent, avec leurs peines et leurs craintes. Je rapproche ma chaise de son lit, ferme les yeux et me remémore les événements des trois dernières années. J'ai quitté la Malaisie alors que je n'étais qu'une enfant. Aujourd'hui, en écoutant ma grand-mère respirer, je me rends compte du chemin parcouru. Je demeure ainsi un temps fou à regarder le lino gris et à réfléchir.

Je sursaute en l'entendant :

—Emma ?

Ses yeux sont pleins de vie. Elle est totalement consciente !

—Tu vas t'en tirer, je te le promets !

Elle me sourit et parle d'une traite :

—Écoute-moi bien, mon enfant. J'ai rédigé un nouveau testament. Mon avocat en possède un exemplaire, mon assistant sait quoi faire. S'il m'arrive quelque chose, tout vous reviendra à toi et à Fleur quand vous serez majeures.

—Mais rien n'est...

Elle lève une main tremblante :

—En attendant, j'ai fait une donation pour couvrir tous vos besoins. Si vous le désirez, dès que vous serez assez grandes, vous pourrez vivre toutes les deux au château. J'ai terriblement envie de faire la connaissance de mon autre petite-fille.

—Et maman ?

—Oui, si elle me pardonne. J'avais prévu de venir te voir à ton école, quand ça m'est arrivé. Je voulais te faire la surprise avec les billets pour la Malaisie. Maintenant...

À bout de souffle, elle hausse légèrement les épaules.

Je lui prends la main :

—Qu'est-ce qui va arriver à maman ? Faut-il encore écrire à son amie ?

—Je l'ai déjà fait. Ça demandera un peu de temps, même pour un courrier « par avion », mais je devrais recevoir une réponse sans trop tarder. Il est bien sûr possible que cette Cicely n'ait pas l'adresse de Lydia, mais c'est un point de départ. À propos, mon assistant a annulé les billets de bateau. Mais quand je serai remise, nous irons ensemble.

Le cœur battant, je pose ma joue sur le couvre-lit. Grand-mère en profite pour me caresser les cheveux.

— Ne t'en fais pas, mon trésor, tu reverras ta mère. Vous avez tant de choses à vous raconter.

— Vous aussi.

— Oui, moi aussi, acquiesce-t-elle en fermant les yeux.

J'ai la gorge nouée. Je lui prends le pouls.

— Ne t'en fais pas, répète-t-elle en rouvrant les yeux. Je suis seulement fatiguée. Je serai debout et en forme dans pas longtemps. Tant de choses m'attendent. Plus que je ne le mérite.

Elle va guérir. Un jour, nous vivrons toutes au château de Kingsland.

Je revois en un éclair les hauts plafonds et les marches cirées du grand escalier. Est-ce possible ? Pas un instant, je n'ai rêvé d'une telle existence, même dans mes écrits les plus fous. Je suis si heureuse que j'ai envie de sauter de joie. Pourtant, en même temps, une petite voix me souffle : *Pourquoi le télégramme de grand-mère est-il resté sans réponse ? Et si maman ne veut plus de toi ?* Je me tortille sur ma chaise pour chasser cette sombre pensée. J'ai tellement envie de revoir maman. Un échec est impensable.

55

Sur les quais de Liverpool, des groupes impatients s'agglutinaient. Le ciel pâle contrastait heureusement avec les sombres nuages et les orages tropicaux de la Malaisie. Des dockers sentant la graisse de machine et portant des casquettes et des salopettes huileuses s'acharnaient à manipuler de grosses amarres et des chaînes. Une épaisse couche de crasse recouvrait le sol. Pourtant, derrière l'agitation du port, régnait un calme tout britannique. Lydia n'osait pas songer aux trois longues années qui l'avaient séparée de ses filles. Leur mort appartenait désormais à une époque irréelle.

Elle avait été surprise de ne pas recevoir de nouveau télégramme de miss Cooper-Montbéliard. Sans l'adresse escomptée, elle avait décidé de tenter sa chance auprès des parents d'Alec. Tenant fermement la main de Maz, elle se réjouit à l'avance des verts pâturages qui l'attendaient. Quelques passagers la regardèrent avec étonnement quand elle écarta les bras, les paumes tournées vers le ciel pour capter les quelques gouttes de la première pluie anglaise.

Le taxi ralentit. Lydia demanda au chauffeur de se garer près de là et de l'attendre.

— Maz, reste dans la voiture, je n'en ai pas pour longtemps, dit-elle avec une petite caresse sur le crâne de l'enfant.

De loin, la maison des parents d'Alec n'avait pas changé. De près, en revanche, le jardin était à l'abandon. Quelque chose clochait. Le père d'Alec ne l'aurait pas laissé dans cet état. Remarquant un panneau «À vendre» couché dans de hautes herbes près de la haie principale, elle eut un coup au cœur.

Elle jeta un coup d'œil circulaire. Un voisin, à une maison d'intervalle, ratissait son jardin. Elle s'approcha et toussota. Il releva la tête.

— Désolée de vous déranger. Je cherche Eric Cartwright et sa femme. Pourriez-vous me dire où ils sont ?

L'homme se redressa en se massant le dos. Portant une main à son oreille pour mieux entendre, il demanda :

— Vous désirez ?

— Je cherche Eric Cartwright, répéta Lydia en haussant la voix.

— Désolé, mais ils sont partis.

Il reprit son râteau et se dirigea vers son garage.

— Vous savez où ils sont allés ? insista Lydia.

534

Mais il n'entendit pas et referma la porte.

Au guichet du télégraphe de la poste, Lydia engagea la conversation à travers une grille métallique avec une fonctionnaire aux cheveux gris. Quand celle-ci dévisagea Maz d'un air réprobateur, Lydia serra la main de l'enfant encore plus fort et adressa à l'employée un sourire qui se voulait convaincant :

— J'ai reçu un télégramme d'une miss Cooper-Montbéliard. Il provenait d'une boîte postale. Je lui ai répondu et j'attendais de ses nouvelles, mais je n'ai rien reçu.

— Quel est le numéro de votre boîte postale ?

— Je n'en ai pas.

— Mais vous venez de me dire que vous attendiez de ses nouvelles.

— Je suis navrée mais j'ai dû mal m'exprimer. Je voudrais l'adresse de la personne qui m'a envoyé ce télégramme depuis sa boîte postale.

— Impossible. Nous ne divulguons jamais les adresses. C'est à cela que servent les boîtes postales.

— Mais c'est vraiment important.

— C'est ce qu'on dit ! répliqua la préposée de mauvaise humeur. Bien, si c'est tout...

Lydia hocha la tête. Elle n'avait pas parcouru tout ce chemin pour être envoyée sur les roses :

— Non, ce n'est pas tout. Tenez, voici le numéro. Pourriez-vous au moins vérifier si on a envoyé un autre télégramme à mon nom : Lydia Cartwright.

— Ça, je peux le faire.

Et, après avoir jeté un coup d'œil sur le papier :

— Vous êtes sûre du numéro ?

— Oui.

— Je peux voir le télégramme original ?

De plus en plus nerveuse, Lydia fouilla dans son sac. Elle ne l'aurait tout de même pas oublié chez Adil ? Elle avait laissé le télégramme en lieu sûr pour ne pas l'égarer, notant le numéro sur un morceau de papier qu'elle avait emporté à la poste pour répondre à miss Cooper-Montbéliard. Ce même papier qu'elle détenait à présent.

— Désolée, mais ce n'est pas un de nos numéros. Nous couvrons une vaste région, mais aucun ne commence par le chiffre 75. Bonne journée !

Lydia tourna les talons et s'astreignit au calme. Se creusant les méninges, elle tenta de se rappeler ses gestes. Elle l'avait certainement emporté avec elle. Voyons ! Elle avait rempli une valise pour elle et une pour Maz, mais avait-elle récupéré le télégramme ? Elle ne se voyait pas le ranger dans son sac. Comment avait-elle pu être aussi étourdie ? Dans sa hâte, elle avait dû se tromper en notant le numéro, puis dans l'excitation du départ, oublier le télégramme.

Il était donc évident que miss Cooper-Montbéliard n'avait jamais reçu sa réponse.

Plantée dans la rue principale, elle avait le moral à zéro. Et maintenant ? Rien ne se déroulait comme prévu. Pire que tout, après cette succession de drames, il était possible qu'elle ne retrouve jamais ses filles. Cette idée lui serra le cœur au point d'en avoir le souffle coupé.

— Mem, j'ai froid, pleurnicha Maz en claquant des dents.

Elle l'entoura de son manteau en mohair bouclé :

— Pauvre petit. J'avais oublié le froid. Il faut te trouver un vêtement plus chaud.

Après lui avoir acheté un duffle-coat confortable, elle l'emmena dans un café à l'abri de la bise glaciale. Maz regarda autour de lui, des questions plein la tête :

— On va où maintenant ?

— Justement, j'y réfléchis.

Maz observa les piétons à travers la vitre embuée. La tête enfouie sous une écharpe et un bonnet de laine, ils n'auraient pu être plus différents des gens qu'il avait l'habitude de voir.

— Il fait toujours aussi froid ?

— Pas en été.

— L'été, il fait aussi chaud qu'en Malaisie ?

— Non, mon chéri.

Soudain, elle se détendit. Elle venait d'entrevoir la solution : l'agence immobilière. Sautant sur ses pieds, elle tendit la main à Maz.

Les mains dans les poches de son duffle-coat bleu marine, Maz se tenait au fond d'un taxi à l'arrêt.

— Chéri, dit Lydia, j'en ai juste pour une minute.

Ils étaient revenus devant la maison des parents d'Alec. Le vent ébouriffait les hautes herbes. Elle ouvrit la grille, sortit un crayon et un carnet de son sac, se pencha au-dessus du panneau « À vendre » qui gisait dans l'herbe. Sans prêter attention à une voiture qui s'arrêtait à sa hauteur, elle nota le nom, l'adresse et le téléphone de l'agence.

Un homme cria de la rue :

—C'est pas trop tôt, bon sang! Clouez donc l'écriteau pour qu'il tienne! Je comprends qu'on n'ait pas eu d'acheteurs!

Lydia reconnut cette voix instantanément. Se redressant, elle s'essuya les mains sur son manteau et lui fit face.

Ahuri, Alec se recula d'un pas :

—Lydia!

Ils se dévisagèrent en silence.

Une foule de sentiments la submergea. Mais, à sa grande surprise, ce fut la pitié qui domina. Alec avait l'air exsangue, comme si la vie l'avait pris et l'avait vidé. Vêtu d'un pardessus sombre, le crâne commençant à se dégarnir, de gros cernes bleuâtres sous les yeux, il avait terriblement vieilli. Dans la voiture, une petite fille regardait par la vitre. Le cœur de Lydia bondit dans sa poitrine quand la gamine sortit de la Morris Minor et attendit sur le trottoir.

Ce n'était pas son grand bébé blond avec une raie dans les cheveux et un nœud sur le côté. La Fleur qu'elle voyait était châtain clair, portait une longue natte et des lunettes.

—Fleur?

Immobile, une boule dans la gorge, elle aurait voulu parler, mais aucun son ne sortit de sa bouche. Ce temps suspendu se prolongea. Ayant ouvert la grille, elle se mit à marcher à l'aveuglette, les larmes l'empêchant de bien voir. Elle s'immobilisa. Sa fille n'avait pas bougé. Lydia ouvrit ses bras :

—Fleur, je suis ta maman! Tu ne me reconnais pas?

Lydia chassa ses larmes. Une grande femme blonde en tailleur gris se tenait de l'autre côté de la voiture. Elle en fit le tour, murmura quelque chose à l'oreille de Fleur, lui tapota l'épaule et la poussa doucement vers Lydia. Fleur avança d'un ou deux mètres, telle une poupée mécanique. Lydia fit quelques pas vers elle. Elles se regardèrent en silence. Toujours incapable de dire un mot, Lydia s'agenouilla devant sa fille, respira l'odeur de shampooing de ses cheveux, eut envie de les toucher, mais s'abstint au dernier moment.

Fleur se tourna vers la femme blonde pour demander son approbation. La femme opina du chef, mais l'enfant ne bougea pas. Perplexe, Lydia se tourna à son tour vers la blonde qui fit oui de la tête.

Lydia et sa fille demeurèrent face à face, à quelques centimètres l'une de l'autre. Puis Fleur se pencha très légèrement vers sa mère. Comprenant le message, Lydia lui caressa la tête avec douceur:

—Regarde-toi, ma chérie! Comme tes cheveux sont longs! Une merveille!

Elle enlaça sa fille. Ce moment, elle l'avait imaginé si souvent! Combien de fois n'avait-elle pas étreint les fantômes de ses filles en rêve, cherché l'éclat de leurs yeux? Mais cette fois-ci, c'était la réalité. Sa fille, son bien le plus précieux, lui avait été rendue.

Alec intervint:

—On ne peut pas rester dehors dans le froid. Rentre donc à l'intérieur.

Lydia ne bougea pas.

— Lydia ?

Tenant la main de Fleur, elle se redressa et regarda Alec droit dans les yeux :

— Où sont partis tes parents ?

— Nulle part.

— Le voisin m'a dit qu'ils étaient partis.

— Je suis désolée, dit la blonde. Eric est mort et la mère d'Alec est dans une maison de retraite.

Elle s'avança et tendit la main :

— Je m'appelle Veronica.

Lydia la lui serra sans faire bien attention. Elle n'était préoccupée que par ses filles et inspecta la rue.

— Où est Emma ?

Alec lui désigna une grande fille qui descendait de l'arrière d'une moto à cinquante mètres de là. Elle enleva son casque, fit bouffer ses cheveux puis se hissa sur la pointe des pieds pour embrasser un garçon sur la joue.

— Il se gare là-bas pour ne pas être vu, expliqua Veronica. Mais nous sommes au courant.

La jeune fille se retourna. Et se figea sur place. Une grande fille habillée à la mode. Un pantalon trois-quarts malgré le froid, des bottines, des cheveux courts. Lydia embrassa Fleur sur le front, et Veronica mit une main rassurante sur l'épaule de la petite. Puis Lydia courut jusqu'à la grande fille, glissant sur l'herbe, s'arrêtant. La fille n'avait pas bougé. Cette adolescente était-elle Emma ? L'enfant qui se déguisait en clown et se précipitait hors de l'école en criant *maman* à tue-tête ?

Emma vacillait.

540

Lydia la retint par les épaules.

Le menton d'Emma tremblota :

— Maman ?

Lydia examina ce visage de jeune fille, ses yeux turquoise emplis de larmes.

— Oh, ma fille chérie, j'avais si peur de ne jamais te retrouver !

— Maman, je t'ai laissé une lettre. Je t'écrivais où nous allions.

Sans lâcher Emma, Lydia jeta un œil à Alec pour voir sa réaction. Il fixait ses pieds.

— Quand je suis revenue à la maison, elle était vide et vous étiez parties. Je n'ai pas trouvé de lettre.

Ravalant ses larmes, Lydia vit la douleur envahir les yeux de sa fille.

Elle eut l'impression que tout le monde l'observait. Pas seulement Alec, Fleur ou Veronica, mais la terre entière.

— Oh, maman ! murmura Emma.

Lydia prit sa fille dans ses bras, sentit le cœur d'Emma battre contre le sien. Jamais de sa vie elle n'aurait imaginé une sensation aussi précieuse. Em se mit à pleurer et Lydia essuya les larmes de son enfant du bout des doigts.

Quand elles s'écartèrent l'une de l'autre, elles se regardèrent pour voir les changements opérés par le temps : une ride çà et là, une altération dans le contour du visage, des formes plus féminines.

Emma se recula :

— Tu as quelques cheveux blancs supplémentaires. Tu as l'air différente.

— Toi aussi.

Emma rougit et tenta de parler entre deux sanglots. Lydia lui tapota le dos en observant sa poitrine se gonfler et se creuser à chaque respiration. Fleur les rejoignit. Ses deux filles côte à côte, Lydia crut que son cœur allait exploser de bonheur.

— Vous êtes de vraies beautés, mes chéries.

Fleur sourit, Emma piqua un fard.

Alec et Veronica se tenaient à distance.

— Veronica est gentille, murmura Fleur à l'oreille de sa mère. Elle a pardonné à papa alors qu'il voulait en faire une bigame.

Un comble! songea Lydia. Sans lâcher les mains de ses filles, elle s'avança vers Alec.

— Mieux vaut rentrer, répéta-t-il.

— Oui, entrez donc, insista Veronica. Je vais préparer du thé et vous pourrez parler tranquillement.

Personne ne bougea, puis Billy fit mine de partir.

— Je vous laisse en famille. Em, je te revois plus tard.

— Billy peut rester avec nous, non? implora Emma.

— Sans doute pas. Nous avons des choses à mettre au point, trancha Lydia. Rentre donc à l'intérieur avec Veronica et Fleur pendant que je discute avec ton père.

Fleur interrogea Veronica du regard qui hocha la tête en signe d'approbation.

Tandis que Fleur et Veronica se dirigeaient vers la maison, tandis qu'Emma disait au revoir à Billy, Lydia et Alec se dévisagèrent.

Loin du regard des autres, Alec se décomposa:

— Lydia, je t'ai aimée. Toutes ces sottises à propos d'une amie malade. Tu m'as froidement laissé tomber, oui!

— J'avais fait mon choix. C'était toi.

— Ça faisait bien longtemps que je ne comptais plus. Tu n'en avais que pour les filles.

Lydia inspecta son visage, remarqua une coupure sur son menton, le col élimé de sa chemise. Il n'était plus aussi impeccable qu'autrefois. Pourtant, quand elle le regarda dans les yeux, ce fut avec l'espoir de retrouver la trace de l'homme qu'elle avait aimé.

Ne sachant pas quoi dire, Alec croisa les bras sur sa poitrine.

Emma, qui avait fait ses adieux à Billy, rejoignit Fleur et Veronica devant la porte de la maison. Un bruit de pas et une petite voix dans son dos attirèrent l'attention de Lydia.

— Madame Lydia? Mem?

Elle se retourna vivement pour voir Maz foncer vers elle.

— Mon Dieu, je t'avais oublié!

Elle saisit la main du gamin, la serra. Puis elle appela ses filles:

— Venez près de moi avant d'entrer!

Elle caressa la tête de l'enfant:

— Maz, il est temps que tu dises bonjour à tes demi-sœurs!

En voyant Emma blêmir, Lydia secoua la tête:

— Non, ma chérie, ce n'est pas mon fils!

Elle regarda Alec qui observait Maz.

Un long silence suivit.

Le vent se leva, les herbes frémirent. Ces dernières années défilèrent en un éclair. La douleur. Le cœur brisé. Rien ne pourrait les effacer. Sauf peut-être une chose.

Alec soutint le regard de Lydia un moment, puis, entendant la respiration saccadée de Veronica, il se tourna vers elle en ébauchant un sourire. Mais elle secoua la tête et s'appuya contre la porte. Il reporta les yeux sur ses filles puis sur Maznan Chang.

Ayant reconnu Alec d'après les photos que sa mère lui montrait, le garçon lui adressa un beau sourire.

À la stupeur générale, il prit l'enfant dans ses bras.

Maz s'accrocha à lui tout en souriant à Lydia :

— Mem, ma maman m'a dit de ne le dire à personne. C'est mon papa !

Fleur lâcha un sanglot, aussitôt réconfortée par Emma. Enfin Veronica ouvrit la porte d'entrée :

— J'en ai assez entendu, annonça-t-elle d'une voix glacée. Rentrons donc. Je n'y comprends plus rien. Mais vous allez sûrement m'expliquer.

ÉPILOGUE

1958
Trois mois plus tard

J'ai vécu pendant trois ans loin de ma mère. Quand nous parlons de ces années perdues, nous bombons le torse en prétendant que cette séparation nous a rendues fortes.

Maman veille sur nous constamment, sans nous lâcher une seconde. Dans un médaillon qu'elle porte autour du cou, il y a deux photos, la mienne et celle de Fleur. Elle ne l'enlève jamais, sauf pour prendre son bain. Sur ma photo, je suis une gamine à l'œil vif, au sourire en coin, avec une saleté sur le nez. Il m'est difficile de me rappeler cette époque. Pourtant, j'ai parfois l'impression de pouvoir me projeter en arrière, de revivre le passé. Nous serions à nouveau, maman, Fleur et moi, en 1955 et rien de tout cela ne serait arrivé.

Le jour du retour de maman, quand nous sommes entrées chez papa, elle a explosé de colère. Je ne l'avais jamais vue dans un état pareil. Devant nous, elle a menacé papa de porter plainte contre lui : pour fraude et enlèvement! Fleur a éclaté en sanglots et Veronica toute pâle a réussi à la calmer. Papa a rétorqué qu'elle n'avait pas de preuves, mais maman a refusé que nous passions la nuit avec lui. Il devait bluffer au sujet des preuves, car il nous a laissées dormir à l'hôtel avec maman à la condition qu'elle ne porte pas plainte. Veronica a réussi à persuader Fleur de venir, mais Maz et moi étions très excités. Maman a la garde définitive de Fleur et de moi. Quant à Maz il a choisi de vivre avec nous. À dire vrai, maman n'a jamais voulu déclencher une enquête de police. Comme elle me l'a expliqué plus tard, nous avons suffisamment souffert. De plus, Fleur aurait mal supporté que son père soit jeté en prison.

Quand Fleur ou Maz passent certains week-ends chez papa, nous leur cachons notre colère. Je ne pardonne pas à papa et maman non plus. Quand il les ramène, elle lui manifeste une politesse glaciale. J'ai l'impression qu'il aurait envie de lui parler, mais elle s'y refuse. Une chose très triste s'est produite : Veronica est partie le jour où nous nous sommes tous retrouvés. Cela fait maintenant trois mois et personne ne l'a revue. Maz a peut-être été la goutte d'eau qui a fait déborder le vase – qui sait? En tout cas, papa est désormais tout seul. Est-ce une punition suffisante?

Après avoir vu sa mère pour la première fois, maman est revenue à l'hôtel avec des yeux rouges, mais aussi avec un grand sourire et les clés de Kingsland.

Je l'admire en train d'allumer un feu dans la cheminée du salon de grand-mère : elle froisse les feuilles d'un journal, ajoute les pommes de pin et le petit bois. Elle est toujours belle, sans doute même plus belle qu'avant mais moins étincelante. Un peigne en écaille discipline ses cheveux qui ne sont plus foufous. On est déjà en mai, mais maman a froid.

Maman se relève, les joues rouges, et voit que nous l'attendons.

— Maman, voici Billy. Tu l'as croisé chez papa.

— Je me rappelle. Bonjour, Billy. Je ne te serre pas la main.

Elle essuie ses mains couvertes de suie sur un chiffon.

— Le groupe de Billy joue au dancing La Mecca, à Birmingham. Samedi prochain.

— Et alors ?

— Nous ne faisons que l'accompagnement, précise Billy, mais c'est une grande chance pour nous.

— Sans doute.

— En tout cas, maman, voilà, Billy m'a demandé de venir avec lui.

— Pas à moto, Mrs Cartwright. Elle ira dans la camionnette avec moi.

— Ça me paraît difficile, répond maman en se dirigeant vers la cuisine où Fleur est en train de faire un gâteau. Elle est beaucoup trop jeune.

— Maman ! Je t'en prie !

— Emma ?

Nous nous regardons en chiens de faïence. Ce n'est pas la première fois qu'elle oublie mon âge. Je fais la grimace :

— Maman ! J'ai *quinze* ans !

Elle me dévisage sans me voir, comme si elle cherchait dans ses souvenirs. Puis elle hoche la tête et ses yeux se remplissent de larmes :

— Quinze ans ! Tu as raison.

— Alors ? Je peux y aller ?

— Tu sais, quinze ans c'est encore jeune !

— Mon père conduira la camionnette, si ça peut vous rassurer.

— D'accord, je cède. Du moment qu'elle ne rentre pas trop tard.

Je trépigne de joie comme une gosse de dix ans, tandis que maman va aider Fleur.

— Je croyais que tu avais *quinze* ans, dit Billy en imitant ma voix.

Je lui flanque un coup de poing.

Rien ne peut gâcher ces jours pleins d'espoir. C'est formidable d'être jeune, d'aller à La Mecca avec Billy, d'avoir retrouvé maman. Le fil invisible, qui court du cœur de maman au mien, ne se brisera jamais. Je l'ai toujours su. Il est plus précieux que tout, plus que d'avoir ma grand-mère, plus que de vivre à Kingsland.

C'est seulement en m'allongeant par terre, bras et jambes écartés, que je retrouve mes onze ans. Je ferme les yeux et je me retrouve à plat ventre à compter les trous dans le plancher de notre chambre de Malacca. La Malaisie est si loin dans le temps et dans l'espace. Pourtant, je me rappelle les nuages qui se promenaient telles des traînées de sorbet au citron et les rubans de parfum qui entouraient les arbres au bas du jardin.

Qu'importe l'avenir! Même si un jour je n'entends plus les sons de la Malaisie, ce pays demeurera au fond de mon cœur. J'y ai vécu enfant, avant d'apprendre que la vie pouvait devenir un cauchemar. L'odeur de la citronnelle, je ne l'oublierai jamais, tout comme les chansons égrenées par maman le matin ou la couleur d'une fleur d'oiseau-de-paradis contrastant avec ses cheveux auburn.

Note de l'auteur

La Séparation est une œuvre de fiction dont l'action se déroule pendant l'état d'urgence qui a sévi en Malaisie dans les années 1950. Si les personnages sont imaginaires – aucune ressemblance avec des personnes vivantes ou mortes –, ils sont inspirés par les échos de mon enfance en Malaisie.

Des histoires de famille ont influencé certaines parties du roman ; par exemple, je suis tombée par hasard sur un musée de cires, comme Emma, mon personnage : j'ai vu ce qu'elle voit et ma mère a effectivement chanté dans un hôtel de Singapour. Parmi d'autres souvenirs, je me rappelle avoir nagé dans le bassin d'une plantation d'hévéas de la région de Johore, je me rappelle les armes empilées sur la table du vestibule quand les planteurs venaient en ville pour une fête, je me rappelle la couleur et le bruit de Chinatown où Ah Moi, ma nounou chinoise, m'emmenait. Ainsi que les maisons sur pilotis, les lézards qui abandonnent leur queue, une foule d'odeurs, de bruits, de paysages de la Malaisie.

Les souvenirs de ma mère, ses mémoires, ses merveilleux albums de photos ont suggéré les lieux du livre, en particulier la plantation de Jack, la maison de Harriet Parrott et celle de Cicely, ainsi que l'hôpital psychiatrique. YouTube m'a fourni de brillants documents sur les vieux intérieurs coloniaux, d'utiles détails sur la vie quotidienne dans les plantations et m'a donné un aperçu de la vie domestique à Singapour et à Malacca. Le catalogue du Colonial Film m'a fourni une masse de documentaires concernant l'Empire britannique.

Mon père ayant contribué au développement et à la restauration des systèmes postaux, nous avons déménagé huit fois en huit ans. Il parlait peu de son travail, mais il adorait la Malaisie et ses souvenirs m'ont laissé une impression durable de la vie de ce pays. Ceux-ci sont partiellement responsables de ma vision de la jungle, des villages malais, des camps de réfugiés.

Internet, Amazon et Google m'ont donné accès à un monde de livres, de blogs, de mémoires. Je leur suis reconnaissante de m'avoir fourni tous ces détails sur le pays qu'était la Malaisie, et spécialement Malacca, où je suis née. J'estime que j'ai eu de la chance d'avoir vu le jour dans un endroit aussi exceptionnel, à une époque aussi exceptionnelle. Je suis certaine d'en être encore influencée. Ma mémoire est responsable du Malacca de mon roman : les erreurs sont donc dues à une version floue du passé. Afin de conserver l'authenticité de cette époque, j'ai résisté à l'envie de visiter la moderne Melaka. L'orthographe des noms propres est celle des années 1950.

Cependant, l'histoire de Lydia, Alec, Emma et Fleur n'est pas celle de ma famille. Nous n'avons jamais été séparés et sommes revenus en Angleterre tous ensemble dans le genre de bateau qu'emprunte Emma. Mais nous avons voyagé en 1957, quand le canal de Suez était fermé. La scène sur le bateau est inspirée de mes propres souvenirs quand j'ai acquis le pied marin lors d'une tempête.

Les histoires de fantômes et les contes qu'Emma se rappelle ont en partie pour source Internet et les livres suivants :

Malay Magic, Walter Skeat, Macmillan and Co, Londres, 1900.

Shaman, Saiva and Sufi, R. O. Winstedt, réimprimé par Forgotten Books (première édition, Singapour, 1925).

The Book of Chinese Beliefs, Frena Bloomfield, Arrow Books, Angleterre, 1983.

Pour le personnage de Lydia et son drame, je me suis inspirée de ma propre expérience, celle d'une mère ayant vécu la mort d'un enfant. Une chose que l'on n'oublie jamais. Pour terminer, j'aimerais inclure un poème écrit par mon beau-frère de l'époque. De toutes les lettres et cartes chaleureuses que j'ai reçues, ses mots continuent à me serrer le cœur. J'espère que certains mots de ce livre auront le même effet.

Pour Dinah, à la suite de la mort de son fils.

La prochaine fois,
Quand nous te verrons paraître
Telle une unijambiste,
Nous chercherons le membre manquant.

Avec nos sourires,
À mi-chemin de son rire,
Quand nous te verrons paraître
Nous chercherons son sourire,
La prochaine fois.

Mais quand nous t'entendrons parler –
Fière, telle une unijambiste
Refusant de trébucher –
C'est nous qui claudiquerons
De douleur.

Seule la paix régnera
Quand nous remarquerons –

554

Entourant tranquillement ton siège
Notre unijambiste –
Prêt à te rattraper
Quand, comme il se doit, tu chuteras,

Seule la paix régnera
Quand nous remarquerons –
Entourant tranquillement ton siège
Les quatorze ombres
De ses années ensoleillées.

Dick Holdsworth, 1985

REMERCIEMENTS

Je tiens beaucoup à remercier les personnes suivantes dont l'aide inappréciable m'a permis de mener ce livre à bien.

Mon vieil ami, l'écrivain Gillian White, qui, depuis le début, m'a généreusement encouragée. Vanessa Neuling pour avoir lu les premières versions et pour ses remarques pertinentes et éclairées. Mon agent, Caroline Hardman de Hardman & Swainson qui a accueilli ce livre avec enthousiasme et pour ses judicieux conseils. Pour toute l'équipe de Viking/Penguin et en particulier mon éditrice principale Venetia Butterfield et mon éditrice Elspeth Sinclair qui ont été toutes deux fantastiques. Nicole Wotherspoon pour avoir partagé avec moi ses souvenirs de la vie en Malaisie dans les années 1950 et ceux de ses années de pension. Sophie Endersby qui m'a donné d'utiles informations concernant les droits de succession de l'époque et les certificats de décès en absence des corps. Ma mère pour ses souvenirs et ses albums de photos. Ma famille et ses membres jeunes et vieux pour leur merveilleux soutien et principalement Richard, mon mari, qui non seulement m'a supportée, mais qui a toujours cru dans ce livre et collaboré avec plaisir à mes recherches. À tous, merci.